THE FOOLS

MR.ロックンロール・フリーダム

志田 歩

はじめに

２０１７年10月17日、北海道中西部の樺戸郡にある月形刑務所で服役していた伊藤耕という男が急逝した。享年62。彼にはドラッグによる逮捕歴が何度かあったが、この時の服役は一審の裁判で無罪判決による釈放後、検察の控訴による二審での逆転有罪判決を受けて入所したという経緯があった。2週間前の10月2日に62回目の誕生日を迎えたばかりで、6週間後の11月26日には出所を予定していた矢先の出来事だった。

彼は10代の頃からロック・ヴォーカリストとして活動してきたが、中でも１９８０年に結成したロック・バンド、フールズでの活動は飛び抜けて長い。その間にはメンバーの入れ替わりも激しく、唯一のオリジナル・メンバーが伊藤耕だった。

もっともフールズというバンドの知名度は一般的にそれほど浸透していたわけではない。オリジナル・アルバムは2枚のミニ・アルバムを含めて7枚あり、ライヴ・アルバムも1枚発表しているが、いずれもメジャー・レーベルからのリリースではなく、誰もが聞いたことがあるようなヒット曲を持つことはなかった。活動の場所は東京が中心で、大規模な全国ツアーを行うこともなかったため、ライヴを体験した人間は、ごく限られた数でしかない。日本のいわゆるアンダーグラウンドなロック・バンドの中には、70年代の村八分のように伝説的な存在として語り継がれるケースもあるが、フールズの知名度はそうしたものには遠く及ばないと言っていいだろう。

だが、それにもかかわらず、伊藤耕とフールズのことを知る者は、彼らに対して、それこそ最大級の敬意を表してきたという事実がある。例えば21世紀初頭から活動してきたサンボマスターは、メンバー全員が70年代半ば以降の生まれでフロントマンの山口隆は福島県出身であることが知られているが、その山口は伊藤耕の訃報を受けて、こんなツイートを発信していた。

「伊藤耕さんの自由な空気がたまらなく好きだった。THE FOOLSは最高だし、ブルースビンボーズの素晴らしさは僕を随分と救ってくれた。この喪失は僕だけじゃなく日本語ロック全体の喪失だと思ってます。伊藤耕さんあなたこそロックンローラーでした」（ブルースビンボーズは90年代後半から伊藤耕がヴォーカルを務めたロック・バンド。第2章の後半で詳述する）

またOKAMOTO'Sは、メンバー全員が90年代生まれ。つまりフールズが結成されて10年以上が経ってからこの世に生を受けた人間たちによるバンドだ。彼らのファンの中でフールズの音楽に触れたことがある者は、おそらくほとんどいないだろう。だがOKAMOTO'Sは伊藤耕の他界から3ヵ月後の2018年1月、2500人以上を収容するZepp Tokyoで行った全国ツアーのフィナーレにあたるステージで、彼らのファンを前に、フールズの代表曲のひとつである「MR. FREEDOM」を、あたかも受け継いでいくべき大切な遺産であるかのようにカヴァーして歌っていた。

一方、フールズの主要な作品は、前述したようにメジャーからのリリースではないにもかかわらず、繰り返しリイシューがなされてきたのに加え、2010年代に入ってからは音源や映像の発掘も行われるようになってきている。それは10年、20年といった時間が経過してもこのバンドのことを埋もれたままにさせてはならないと思う人々の熱意が継続していることの表れと言えるだろう。

では、フールズと伊藤耕は、一部からとはいえ、なぜそこまで熱烈な支持を受けるのか？　また、それほどの魅力があったにもかかわらず、知名度が広がらなかったのはなぜなのだろう？　そして、そんな〝無名〟のままの彼らがバンドを続けることを可能にしたもの、すなわち彼らを「ころがり続け」させたものとはなんだったのだろうか？

フールズに最初から最後まで在籍したのは伊藤耕だけだが、ファンの間で耕との二枚看板として認められていたもう一人のメンバーがいた。70年代後半から伊藤耕とバンド活動を共にし、少しの間を経て82年にフールズに加入したギタリストの川田良である。この二人の関わりを軸に、フールズの歴史を俯瞰すると以下のようにいくつかの時期に分けることができる。

・１９７８～１９８０年　伊藤耕と川田良がＳＥＸ、ＳＹＺＥなどのバンドで活動を共にした、前史にあたる時期（第1章前半で言及）
・１９８０～１９８６年　ベーシストの中嶋一徳が音楽面で中心的な役割を担った時期（第1章後半で言及）
・１９８９～１９９０年代半ば　ベースに福島誠二が加入し、川田良が音楽面で中心的な役割を担った時期（第2章で言及）
・２００７～２０１３年　長い休止期間を経て活動を再開し、川田良がリーダーとしてバンドを牽引した時期（第3章前半で言及）
・２０１４～２０１７年　川田良が他界し、福島誠二がリーダーとしてバンドを牽引した時期（第3章後半で言及）

そして２０１７年10月の伊藤耕の死によって、フールズは「スパーンと消えた」と福島誠二は言った。本書はそのフールズについてのドキュメントである。

目次

表紙写真＝松原研二

第1章

創造

1　恐れ知らずの若造

危ないロックに魅せられて

伊藤耕は1955年10月2日に東京で生まれた。敗戦から10年が経ち、日本が曲がりなりにも経済復興を成し遂げた時代にあたる。幼少時を豊島区の東長崎で過ごしたのち、小学校3年の時、北多摩郡保谷町（現・保谷市）のひばりが丘に引っ越している。東長崎にいた頃は、近所の空き地で遊び回り、犬を連れて散歩に行った隣町の池袋には、デパートの脇にまだ雑木林が残っていたという。ひばりが丘は59年、いわゆるマンモス団地のはしりとして公団住宅が造成されたところだが、耕の家族はそこに二階建ての家を建てることになり、完成までの間は団地で過ごしていた。

耕は暮らし始めたひばりが丘に突如として巨大な団地が立ち並ぶようになった時のことをこんな風に回想する。

「ひばりが丘ってすごかったよ。団地以外何にもなかった。豊島区も田舎だったけど、びっくりしたね。藁葺きみたいなすごい屋根があって尾長鳥の巣があるんだよ。めくるめく絵みたいな感じだった。カナブンが飛んできたりとか、家の前に生えてるトウモロコシをもいで食っちゃったりとか、自然が面白かった」

耕少年が音楽に興味を持ち始めたのは中学生の時。本格的にロックにのめり込んだのは高校生になってからだった。

「フォークは好きじゃなかった。俺が好きだった地元のバンドはルージュ。あと外道とかさ。グラム・ロックが好きだったってのもあるけど、あいつらは何か危ない怪しい感じがしたね」

高校卒業後、地元のスクイーザーというバンドにヴォーカルとして加入したのが、耕のバンド活動の始まりだった。とはいえ、当時はライヴハウスどころか練習するためのスタジオさえなかったため、人前で演奏する機会も自分たちで作っていかなければならなかった。

「最初にいたヴォーカルが抜けたところに入った。ひばりが丘のボーリング場の前で祭りの時にやったりした。一番バカな盛りで恥ずかしいよな。歌は最初から日本語のオリジナル。曲はメンバーと一緒に作った。日本語ってなんでイナタいのか、のんびりしてるのかっていうと、英語は一拍の中に言葉を詰め込むんだよ。この間隔にこんなに言葉があるのかって。日本語ではそこに一番苦労したな」

1974年の春に耕は専門学校の東京デザイナー学院に入学。そこで出会ったクリこと栗原正明、そしてマーチンこと高安正文らと共にルアーズというバンドを結成する。またこの二人は後年、それぞれ時期は異なるがフールズで耕と活動を共にすることになる。この時期の耕のことをクリが語る。

「俺と耕は昭和30（1955）年生まれ。知り合った頃はお互いに感じるものがあったんじゃないかな。当時の東京デザイナー学院には、メイクをしてたり、ロックっぽい服装をしてるようなやつらが結構いたんですよ。その時に耕と僕とはお互い気になってた。あいつはデヴィッド・ボウイとジム・モリソンが大好きで、「人がなんと言おうと俺はこう思うんだ」っていうようなことをノートに書いてた。「ボウイと一緒の次元で生きるんだ」とかね。彼の中でデヴィッド・ボウイはめちゃくちゃでかいです。ボウイの絵も描いてたし。『アラジン・セイン』のレコード・ジャケットだったかな」

ちなみにネットを見ると、東京デザイナー学院に在籍していたことがあるミュージシャンとして、伊藤耕より上の世代では寺山修司の劇団で音楽を担当したJ・A・シーザー、P-MODELの平沢進、下の世代ではBUCK-TICKの今井寿、レピッシュの杉本恭一などがいることが分かる。

また、例えばデヴィッド・ボウイは、70年代前半のグラム・ロックの頃は、両性具有の妖しいムードで、まだいわゆるカルト・ヒーロー的な存在であった。80年代以降に定着したボウイのパブリック・イメージが念頭にあるとすると容易には想像しがたいかもしれないが、70年代の日本ではボウイのことを好きだと公言する男子は変態扱いされるような風潮すらあったのだ。が、そのようにボウイそのものではなく、当時のボウイのようなカルト・ヒーローを好きだと言う者に対してこれを変質者扱いするといったことは、ＬＧＢＴの権利ということが言われるようになったいまの日本でも、なおあることかもしれない。ともあれ、その頃の耕は、人からなんと言われようと、ボウイやドアーズのジム・モリソンのようなミュージシャンとその音楽を好んでいたというわけだ。

クリが初めてミュージシャンとしての耕の姿を目にしたライヴを回想する。

「聖蹟桜ヶ丘の丘の上にバスで行って、公民館みたいなところで、初めてあいつのステージを見た。その時のギターがすごくて！　当時僕がやってたのはイギリスやアメリカのブルース・ロックの真似だったんですけど、そこにいきなりブルースとかとは全然関係ないかっこいいプレイをするギタリストが現れて。後でそれはストゥージズのコピーだったってことが分かったんだけど、えらい格好良くて。耕もすごいシャープで、一緒にやりたいなと思ったんですね。

それで僕はスクイーザーに入れてもらって、日仏会館でライヴをやった。スクイーザーはそれで終わっちゃったんだけど、「そのうち一緒にバンドやろうぜ」みたいな話になった」

60年代後半から70年代半ばにかけて北米の自動車産業の街デトロイトを拠点に活動したストゥージズは、フロントマンのイギー・ポップによるガラスの破片で自分の身体を傷つけながら叫び歌うステージ・アクションなどが伝えられ、セックス・ピストルズやダムドが彼らの曲をカヴァーしたこともあってパンクの源流と見なされるようになったバンドであることは、よく知られているところであろう。そのラウドでワイルドなサウンド・スタイルは、イギー・ポップがそれまで熱中していたブルースから意識的に距離を置くことで生まれたと言われているが、それゆえにパンク以前の英米のロックの中では異端的な存在でもあった。だからこそロック・ファンそのものが少数だった当時の日本で彼らに注目するのは、さらに少数派であったわけだが、耕とそのバンド仲間は、70年代半ばにそうしたところに目と耳を向けるアンテナ感覚を持っていたことになる。高校の頃はイギリスのハード・ロックで名を馳せていたレッド・ツェッペリンとディープ・パープルを定番としてロックに接していたというクリにとって、それが新鮮な発見だったことは想像に難くないだろう。

言いたくても言えないことを歌うやつ

東京デザイナー学院では、当初は初代の学院長が耕やクリのことを気に入って目をかけてくれたこともあって楽しくやっていたという。が、1年の秋にその学院長が急逝すると、学校がお決まりのことをやるだけで、つまらなくなったように感じられ、二人ともあっさりと学校を辞めてしまった。

耕はその後すぐサラリーマンになった。仕事に追われて忙しくなり、クリは新しいバンドを始めるまで長く待たされるハメになってしまったという。

「耕は当時、スーツ着て消火器売りの営業やってたんですよ。『早くバンドやろうぜ!』って言ってたんだけど、あいつ、口うまいから出世しちゃって、仕事辞められなくなっちゃって(苦笑)。で、1年ぐらい待ってたのかな」

耕がクリとバンドを組むまでのいきさつを語る。

「東京デザイナー学院にいた時、俺は栗原とバンドを作ろうとした。その栗原のルームメイトの彼女が、マーチンの姉ちゃんだった。（東京・荒川区の）町屋に住んでいて、わけありなんだけどってことだったんで、「どら息子の顔でも見に行くか」って会いに行ったな。そうしたらハンサムで、グループサウンズみたいな感じで、ドラムがうまかった。すぐに意気投合！　それと藤沢から引っ張ってきたのがキヨシ。キヨシは後でスピードのベースになったんだ」

　マーチンが二人と出会った時のことを回想する。

「僕が上京して町屋に住み出した頃、姉からクリくんを紹介された。とにかくクリはカッコよかったからさ。ギターもうまいし。ましてや「頭脳警察の事務所に行ったことがある」とか「頭脳警察のギターになる予定だった」とか言うから、僕はなんかもうその時点で「この人、俺よりプロだ！」って見えちゃったんですよね。だからこの人とやってみたいと思うようになった。で、クリくんが耕くんを連れて来て、一緒にバンドをやろうということになったんです。僕が出会った時点で、曲にはなってないけど歌にしようと思っている歌詞が、すでに20曲くらいあったと思います。当時の耕くんはブラック・サバスとか悪魔をテーマにした歌を聴いてたみたいで、歌詞もそれを思わせるものがあって、非常に派手な印象がありましたね。自分としてはルアーズでそれを曲にしていく作業は、とてもやりがいがあるものでした」

　頭脳警察は１９７２年にデビュー・アルバムが発売中止、それから間も無く発売されたセカンド・アルバムも回収になるということで物議を醸しながら、以後４枚のアルバムを出して75年の年末に解散している。政治的に、さらにはより根源的なレベルで、過激な歌詞をシャウトするバンドとして、日本のロックに興味を持つ者にとっては無視することができない存在だった。

　こうして耕、クリ、マーチン、そしてキヨシこと米川清をベースに迎えてルアーズが結成された。このバンド名はスクイーザーのベースだったトシオこと古川斗司夫の発案で、疑似餌（ルアー）のように聴く者を釣り上げるといったニュアンスを込めて付けられた。トシオは車を持っていたこともあってバンドと行動を共にすることが多く、のちにSYZEでベースを担当していた時期がある。

　まだリハーサル・スタジオがなかったというなかで、彼らは茨城県神栖町（現・神栖市）にあるマーチンの実家に泊まり込んで練習に励んだ。畑の中にある作業小屋に楽器とアンプを持ち込み、周囲に響き渡るほどの爆音でリハーサルをしていたという。そうこうしてバンドとしての体裁を整え、池袋の丸井の屋上で行われた「ヤングヤングコンサート」というコンテストにクリが応募して出場したところ、2位を受賞した。それからも知り合いのつてをたどって大学の学園祭に出演したり、他のバンドとホールを借りて自主企画のコンサートを行ったりという形で活動していたという。また、クリによれば、湘南にあった彼の実家に近い藤沢市民会館を借りてコンサートを行った際、会場費を賄うため駅前でチケットを捌こうとしたが全然売れず、開き直った耕がその場でチケットをばらまいてしまったというのだが、これなどは早くも耕の破天荒ぶりを伝えるエピソードだろう。

　耕の書いた歌詞についてクリが語る。

「他の誰とも違う。俺はこうだ！っていうはっきりしたものが出ていた。一貫してみんなが言いたくても言えない言葉。そういうのがはっきり聞き取れるんです。曲名でいうと「いかれたペテン師」とか「狂犬病のスカンク」とか「ミッドナイト・ウイスキー・ゴー・ゴー」とか。だから、耕の発するヴァイブレーションがすごかった。詩もノートにいっぱい書いていましたね。あとシルヴァーヘッドの「ハロー・ニューヨーク」もカヴァーした」

72年にグラム・ロックの流れでデビューしたシルヴァーヘッドは同時期のローリング・ストーンズからの影響をうかがわせるロックンロールを特徴としていた。2年余りの活動の後に解散したが、日本では音楽雑誌のプッシュもあって本国のイギリスより人気が高く、セカンド・アルバム発表後の74年1月には初来日を果たしている（「ハロー・ニューヨーク」はそのセカンドの1曲目に収録。シングル・カットもされた）。このシルヴァーヘッドのようにケバケバしいヴィジュアルでロックンロールを演奏するバンドとして、当時アメリカにはニューヨーク・ドールズ（彼らの場合も本国でのリリースとほぼ同時に日本盤のアルバムが出ていた）、そして日本にはルージュがいたが、それらのいずれもが耕のお気に入りだった。

とはいえ、ルアーズはあくまでもオリジナル曲で勝負をするバンドだったという。そして、耕たちは先行きについてはいたって楽観的だったようだ。

「言いたいこと言っても、本当にすごい音出してたら、レコード出したりできるだろうみたいに思ってた。ジミ・ヘンだってレコード出してたんだから、ロックの世界はそういうことがOKな最後の場所かなって期待があったんだね。そのうちロックも資本主義に絡めとられていっちゃうんだけどさ。若かったからどっかで俺が一番だって思ってた。今思うと恥ずかしいけど（笑）。マーチンだって「俺は絶対ドラムを叩かせりゃ一番だ！」って感じだったよ」

自分たちのやっていることにここまで自信を持てるのは、怖いもの知らずの若者の特権と言えるかもしれない。だが、そんな意気込みとは裏腹に、ルアーズは特に注目を集めることもないまま、活動を終えてしまったという。マーチンが語る。

「クリくんとはそのあとも一緒にやることになったりしてるんですけど、その時は僕から見れば耕くんとの夫婦喧嘩みたいな感じで、ルアーズの最後は僕と耕くんの二人だけになっちゃった。それで新しいバンドを作ろうって話になったんです」

2 SEXという名のバンド

ルアーズが活動を終えた後、耕とマーチンは1978年の夏にSEXというバンドを結成する。が、その経緯について述べる前に、ここでは、少し長くなるけれども、70年代半ばから後半にかけて東京とその周辺で起こった変化、すなわちSEXのようなバンドの登場の背景となるアンダーグラウンドなロックの現場をめぐる状況の変化について触れておこうと思う。

ひとつはいわゆるライヴハウスの数が70年代半ば以降増えていくなかで、そこが無名なロック・バンドにも演奏の機会を与える場となっていったことだ。それ以前はルアーズがそうであったように、たとえ無名であってもロック・バンドとして活動していこうとする者は、ホールを借り自主コンサートを企画するなどして演奏の機会を作らなければならなかった。一方ではコンテストに出て入賞しデビューのきっかけをつかむといった道があり、ただしこれはそれ以外の選択肢がほとんどないということでもあったのだが、そうした状況が変わり始めたのである。

そしてもうひとつは、パンク・ロックの影響だ。周知のようにパンク・ロックは、74年頃からラモーンズ、テレヴィジョン、パティ・スミス・グループといったバンドがライヴ活動を展開していったニューヨークを発火点として、76年ロンドンでセックス・ピストルズがデビューすると、イギリスの音楽シーンに一大ムーヴメントを巻き起こしていく。その影響は日本でも、最初は少しずつ、そしてある時期からはそれまで日本のロックに関わってきた人間たちの想像を超える勢いで状況に変化をもたらすことになっていったのである。

ＳＥＸが活動したのは、そのような変化が起こり始めた時代のことだった。

ロックのライヴができる場所

まず70年代の東京でのロック系ライヴハウスの変遷をたどり直してみる。

１９７１年3月、ライヴハウスを運営するロフトグループの第1号店である烏山ロフトが、ジャズ喫茶としてオープンした。開店を知らせるチラシには「山小屋風スナック」と書かれ、あくまでも飲食をメインとする店としてのスタートだった。2年後の73年7月には西荻窪ロフトがオープンし、店内で生演奏を行うようになる。この時、開店前はジャズ、ロック、フォークにわたってバリエーションのあるラインナップを想定していたが、いざ始めてみると、音量の大きいロックの演奏への苦情が近隣から寄せられたため、フォークを中心とするライヴを行う形に落ち着いていく。ロフトの創業者で株式会社ロフトプロジェクト代表などを歴任した平野悠による著書『ライブハウス「ロフト」青春記』（２０１２年）には、10日間にわたって行われた西荻窪ロフトのオープニング・セレモニーの第1弾に、フリー・ジャズの山下洋輔トリオが出演した際、近隣の魚屋の店主が音量の大きさに怒って出刃包丁を持って殴り込んできた様子などが生々しく描かれている。

その後平野は74年に荻窪ロフト、75年に下北沢ロフト、そして76年には新宿ロフトを西新宿に開店。それらの店ではロック系やブルース系のミュージシャンによる生演奏も可能な環境が整えられていく。ただ、平野は前掲書の中で、「ロフト経営の基本であり原点は、あくまで「ロック居酒屋」というスタイルにこそあった」と述べているように、そもそもライヴの集客数に基づく収益を軸とする経営にはあまり関心を抱いていなかった。そのため新宿ロフトが平日も含めて連日ライヴを行い、週末には昼間もライヴを行うという営業形態になるのは、79年2月以降のことになる。

東京にロックのライヴのできる場所が「続々と誕生」したのは75年だった。そのことを伝える同年の『ニューミュージック・マガジン』(現『ミュージック・マガジン』)5月号に掲載されたリポート記事「東京で動き始めたナマ演奏の場」には、浦和から吉祥寺に移ってきた曼荼羅、高円寺の次郎吉、台東区三ノ輪のモンドといった「ライヴ・スポット」が紹介されている(当時はライヴハウスと同じ和製英語のライヴ・スポットという言い方が優勢だった)。また、72年に創刊された情報誌の『ぴあ』に「Musicスポット」というページが設けられたのもこの75年のことだ。

とはいえ、例えば翌76年の『ぴあ』11月号を見てみると、「Musicスポット」欄に掲載されている店舗のうち、ロック系のミュージシャンが出演する店で、平日も含めて連日のライヴ営業を確認できるのは、新宿のルイード、吉祥寺の曼荼羅、世田谷区上馬のガソリンアレイなど、まだ僅かしかない(余談ながらガソリンアレイはじゃがたらが最初のライヴを行ったところである)。渋谷のジァンジァンなどは連日ライヴのスケジュールが入っているが、ここは演劇や舞踏の公演も行ういわゆる小劇場だった。そうしたなかで平野の経営するロフトは新宿、下北沢、荻窪、西荻窪と4店が掲載され、ライヴハウス・グループとしての存在感をうかがわせるものの、実際にライヴが行われているのは、どのロフトもそれぞれ週3日に過ぎない。

これに対して平日も含め連日昼と夜のライヴ営業を行うロック系のライヴハウスとして頭角を現し

たのが、75年12月渋谷センター街の雑居ビルに開店した屋根裏である。ジャズ系では新宿ピットイン、が連日朝、昼、晩とライヴを行い、ブッキングの力という点でジャズは新宿ピットイン、ロックは屋根裏がこの時期には突出していたことがわかる。

76年の時点で屋根裏には、ルージュやリザードの前身である紅蜥蜴といったグラム・ロックのバンドが定期的に出演するようになっていた。前述したようにルージュは伊藤耕のフェイヴァリット・バンドで、二人いたギタリストのうちの一人、オスこと尾塩雅一とは、後に彼がフールズのサポートを務めるという巡り合わせがある。オスが当時の様子を語る。

「屋根裏のこけら落としの時には、内田裕也のフラワーズ（フラワー・トラヴェリン・バンドの前身グループ）のメンバーとかがいた記憶がある。この時のルージュは事務所に入っていて、そこが仕切っていたから直接お店のスタッフとやりとりすることはなかった。こけら落としで演奏したのはなんとなく憶えてる。友達が見せてくれた雑誌に、この時のチラシが掲載されていて、そこにルージュの名前も出ていたしね」

屋根裏は日本のパンクにも早い時期から門戸を開いており、例えばフリクションのデビュー・ライヴが78年4月15日屋根裏の昼間の部だったことはその一例と言えるかもしれない。耕たちのバンドSEXが78年9月19日屋根裏に出演した時のオムニバス・ライヴのタイトルは「屋根裏プレゼント・パンク・ナイト」というもので、店の企画であることをアピールする意図が伝わってくる。

ライヴハウスの意見広告

一方、ロフトはその頃、ロフト・プロジェクト・チームの名前で「日本のロックについてこう思ういちライブハウスよりのメッセージ」という意見広告を音楽雑誌に出している。それは当時、日本のロックを積極的に取り上げ、多くの誌面を割いていたほとんど唯一の雑誌である『ニューミュージック・マガジン』の編集長としてある種の権威となっていた音楽評論家の中村とうよう（2011年に79歳で他界）が、同誌75年11月号の巻頭に書いた「日本のロックについてこう思う　センチメンタル・シティ・ロマンスの評価などをめぐって」という記事に対する応答であった。中村が記事の中で（近年はそれこそ「〃シティ・ポップ〃最重要グループ」などと言われるようになった）センチメンタル・シティ・ロマンスについて、「彼らの音楽の作り方、発想のスタイルがロック的ではない」として批判したことや、このグループのアドバイザー的な立場にあった細野晴臣をはじめとする元はっぴいえんどのメンバーや彼らと関係のあるフォーク系のミュージシャンを「もともとロックとは違うところに立っていた人たち」であると断じたことなどをきっかけとして数号にわたって議論が交わされ、それらが一段落した後の76年3月号にロフトの意見広告は掲載された。

そこでは、「レコードが出るずっと前から〃ライブハウス〃活動をやってきている」センチメンタル・シティ・ロマンスを批判の対象とすることへの違和感が表明されている。これは前掲の平野悠著『ライブハウス「ロフト」青春記』に書かれていることだが、平野は74年11月の荻窪ロフトの開店時、ブッキング・マネージャーにはっぴいえんどの所属事務所だった風都市の元スタッフを招いた。そうしたところから荻窪ロフトは、細野晴臣が中心となったグループでいわゆるニューミュージックの流れを形作っていくティン・パン・アレーとその周辺のミュージシャンがよく出演するブッキングがなされていった。センチメンタル・シティ・ロマンスもそうしたグループのひとつだったことは言うまでもない。彼らの音楽性を評価するとともにその地道な活動ぶりを見てきた平野からすれば、センチメンタル・シティ・ロマンスはとても「もともとロックとは違うところに立っていた人たち」などと言って切って捨てるわけにはいかない存在だったのであり、すなわちそのことを訴えるのがこの意見広告だったのである。

また、平野の本によれば、その頃のロフトは「ライブハウスから才能ある新人を発掘し、プロダクションを設立し」、そうした新人たちを「メジャー・デビューさせる」ような仕組みを作ろうとしていた。そこでロフト・プロジェクトは、77年に大手レコード会社のビクターと契約してライヴハウス主導のロフト・レーベルを設立。このレーベルと石橋楽器との共催により新人を発掘するための選考会として「第1回渋谷公園通り音楽祭」を開催している。ところがビクターはそこで入賞したバンドには関心を示さず、「この画期的な「渋谷公園通り音楽祭」はたった1回で終わった」とされている(ただし、その後も渋谷公園通り音楽祭という名称のイヴェントは開催されており、これは平野の記憶違いと思われる)。

ロフト・レーベルは、78年には6人の新人女性ヴォーカリストによるオムニバス・アルバム『ロフト・セッションズ Vol.1』を制作し、ビクターを発売元として3月にリリースしている。それらのヴォーカリストの中には当時大学生だった竹内まりやがおり(この時の名前の表記は竹内マリヤ)、バックを務めたセッション・ミュージシャンにはセンチメンタル・シティ・ロマンスのメンバーがいた。そうしたことからこのアルバムも後年シティ・ポップの隠れた名盤といった扱いをされるようになったが、平野によれば当時ビクターがこの女性ヴォーカリストたちに興味を示すことはなかったらしい。結局ロフト・レーベルが目に見えるような形で成果を上げることはできなかった。

このように平野らロフトの関心は、既存の音楽ビジネスの中でライヴハウスが一定のポジションを獲得していくための方策を考え、それを実行に移すというところにあった。もちろんそこでの試行錯誤はあったのだろうけれども、一時期は出演者のラインナップが屋根裏などに比べるとずいぶん穏健なものになっていたことが『ライブハウス「ロフト」青春記』に掲載された年表などからも分かる。後述するように平野は実際東京のパンク・ロックの動きにはなかなか関心を持とうとしなかったのだが、その背景にはこのような事情があったのである。

パンク・ロックへの応答

ところで、先のロフトの意見広告は『ニューミュージック・マガジン』にだけ出されたものではなかったようで、その別の雑誌のひとつに76年2月発行の『ZOO』第4号がある。『ZOO』は80年から2009年までの30年間、それぞれの時代に即しながらも概ねパンク・ロックを中心に取り上げていたことで知られる隔月刊誌『DOLL』(90年代月刊誌に移行)の前身で、これも隔月刊誌として75年から80年まで30号が刊行された。

ロフトの意見広告が載った第4号は、A4の判型のその表紙にミック・ジャガーのポートレートがあしらわれていた。デザインを手掛けたのは現在も第一線で活動するエディトリアル・デザイナーの羽良多平吉である。写真の下には「特集 ローリング・ストーンズ」「マイク・オールドフィールド」「ジャクソン・ブラウン」「アメリカ、未発表5枚のアルバム」「カナダ遠景・カナダの特選盤15枚」といった記事のタイトルが並び、それらの記事にも目を通すと、この雑誌が英米およびヨーロッパのかなりマイナーなロックまでを取り上げ、既存の音楽誌に飽き足りない読者に向けて新たな情報を発信しようとしていたことがうかがえる。

そして、その第4号から10ヵ月後の76年12月発行の第8号で、『ZOO』は判型をA4からB5に改め（羽良多平吉による表紙デザインは第5号で終わっていた）、アメリカン・コミック調のイラストをあしらった表紙に「NEW YORK LONDON PARIS PUNK!」の文言を掲げ、20ページ以上にわたるパンク・ロックの特集記事を掲載した。同誌のその後の方向性を決定づける誌面の刷新が行われたのだ。この特集を主導したのが第2号から編集長を務める森脇美貴夫だったことは間違いないだろうが、「パンク・ロック論のための覚書」という総論的な文章を寄せた音楽評論家の間章（あいだあきら）（78年に32歳で他界）による関与も小さくなかったと思われる。

また、特集の寄稿者の中には、現在も音楽評論家・ミュージシャンとして活動し、当時トルバドールというロック・バーのマスターをやっていた鳥井賀句の名前もあった。鳥井は1952年京都生まれ、高校まで関西で過ごし、71年に上京して予備校生として過ごした後、翌年明治大学に入学するが、やがて中退。アルバイトで資金を貯め76年高円寺にトルバドールを開店する。『ZOO』への寄稿はその頃のことだ。鳥井が語る。

「俺が高校の頃はベトナム戦争への反対運動が盛んで、俺も建国記念日に学校に入り込んで日の丸を引き摺り下ろして、スプレーで造反有理と書いたり、ハンガー・ストライキとかをしてたんだけど、高校2年の時、父親に「金を出してやっているのに」と言われて、自立しようと思って新聞配達の寮に入った。そうしたら高校生は俺だけで、他にいたのは大阪大学の全共闘ばかり。反戦デモに連れて行かれたりして、学生運動の末端にいたんだよ。

大学は一浪して明治に入った。重信房子（のちに日本赤軍の最高幹部になった新左翼活動家。2000年に逮捕され、2022年に刑期を満了し出所）がビラを撒いたりしてたな。けれど内ゲバに巻き込まれそうになって中退した。一方で自分でも歌をうたいたいと思ってたから、就職はしないで、ひたすら工事現場やビル掃除でアルバイトして生活費を稼いでた。でもそれをずっと続けていてもしょうがないなと思って、レコードをたくさん持ってたし、貯めた金が200万くらいあったのでロック・バーをやろうと。15席くらいの小さな店で、家賃は3万円と安かった。トルバドールっていうのはLAのシンガー・ソングライターの登竜門だったライヴハウスと同じ名前だけど、言葉自体は俺が憧れてた吟遊詩人って意味がある。

だから最初は好きだったティム・バックリィとかクイックシルヴァー・メッセンジャー・サーヴィスのディノ・ヴァレンティとかをかけてたんだけど、パティ・スミスの『ホーセス』がきっかけでパンクに興味を持った。まだロンドン・パンクが知られる前だったな。それで、かける音楽が変わったら客層も変わってきて、『ZOO』のスタッフが連れてきたのが編集長の森脇美貴夫。彼から「すごい人がいる」って紹介されたのが間章だった」

こうして面識を得た3人がパンクの現場を目撃するためニューヨークに渡ったのは77年春のことだ。間はその後すぐにパリへ、森脇は少ししてからロンドンへ行ってしまうが、鳥井はニューヨークに留まってCBGB、マクシズ・カンザス・シティなどのライヴハウスに入り浸り、パティ・スミスやリチャード・ヘルをはじめとするパンク・ロッカーのステージを体験した。

数ヵ月滞在して秋に帰国した鳥井は、ロック・バーの店の名前をトルバドールからブラック・プールと改称して「パンクのレコードしかかけないぜ、みたいな感じ」に変えてしまい、さらには店の常連で、後にオート・モッドを率いることになるジュネとワースト・ノイズというパンク・バンドを結成して自主コンサートを開くようになっていく。そのあたりの経緯は、当時の日本のアンダーグラウンドな音楽シーンに関わった人々の証言集『地下音楽への招待』（２０１６年）に収録された鳥井へのインタビューに詳しい。

その鳥井へのインタビューは、彼を含めて「パンクの熱に浮かされた人間たちが、それぞれ何かを始めた」ことにより、パンクのいわゆるDo It Yourselfの精神がアンダーグラウンドなロック・ミュージシャンたちの間で急速に浸透し始めていったことを伝えている。プロダクションと契約することや大手のレコード会社から作品を出すこと、そしてそれが売れるかどうかといったこととは関係なく、表現や演奏をしたければすぐに行動を起こすことが重要になったというのだ。一方、平野悠の『ライブハウス「ロフト」青春記』によると、ロフトでは「外国バンドの見よう見まねでしかない日本のパンク・バンドを積極的にやる気にはならなかった」「ロフト系のライブハウスでも正統派パンクの継承者であるS-KEN、フリクション、リザードといった東京ロッカーズ系のバンドのライブは時折やっていたが、そのほとんどのライブはバンド側の貸し切りだった」という。ここで双方の言っていることがいずれも嘘ではないとするなら、そこからうかがえるのは後者による前者に対する忌避の感情もしくは無関心ということになるのではないだろうか。実に鳥井の結成したワースト・ノイズは、「正統派パンクの継承者であるS-KEN、フリクション、リザードといった東京ロッカーズ系」とは見なされないバンドだったのである。

かなり長い前置きになってしまった。本題に入ろうと思う。ただ、先に触れた鳥井賀句と彼がマスターのロック・バー、ブラック・プールについては以下でも言及する。ルアーズが活動を停止した後の伊藤耕の前に一人のギタリストが現れるところから物語は始まる。このギタリストは、ブラック・プールに出入りしながら、そこにやって来る人間たちを次々とバンド活動に引き入れていくといった強引な性格の持ち主で、名前は川田良といった。

同い年の危ない二人

川田良は1955年4月7日、東京で生まれ、高校の途中まで八丈島で育った。川田の姓は母親の再婚相手のもので、彼自身は愛着を持っていなかったという。小学生の時にグループサウンズがきっかけとなって音楽に興味を持ち、エレキ・ベースを買ってもらい、中学ではクリームやジミ・ヘンドリックスなどのニュー・ロックに刺激を受けてギターに関心が向かう。そして71年高校に入学した頃から本格的にエレキ・ギターを弾くようになった。

八丈島から親戚を頼って東京に出てくるとアルバイトをしながら都立新宿高校の定時制に通い、そこで当時いわゆる内申書裁判の原告として注目された現世田谷区長の保坂展人と出会っている（この件については後に触れる）。その高校を中退してしばらくは、大学検定試験を受けるつもりでいたがやがて諦めてしまい、一時はバキュームカーに乗って汲み取りの仕事をしながら勧誘を受けた労働者の合唱団で活動していたこともあったという。

ブラック・プールが開店した直後から店に通い詰めていた良は78年1月、鳥井賀句が前年に結成したワースト・ノイズに加入。鳥井は間も無く脱退するが、良はその直前ブラック・プールに客としてやってきた工藤冬里という名のピアニストに声をかけ、ワースト・ノイズに引き入れている。この工藤冬里こそ、その後1980年代から30年以上にわたって日本のみならず広く世界のインディペンデントなミュージシャンとのネットワークを築きながら活動し、まさに知る人ぞ知る存在となっていくミュージシャンなのだが、この時はイギリスのパンク・バンドのストラングラーズのようなキーボードを弾いて欲しいという良の誘いを断り切れずに加入したという。

　また、良はブラック・プールに来ていたマーチンにも声をかけ、ワースト・ノイズのドラムとして引き入れた。さらに良はマーチンが以前バンドで一緒に活動していたヴォーカリストにも興味を示すようになる。マーチンがその時の様子を回想する。

「良くんから「お前とやってたヴォーカルはどんなやつなんだ?」って言われたんです。僕は内心「この二人は会わせない方がいいんじゃないかな?」って思ったんだけど、強引に「会わせろ!」ってことにされてしまって…(苦笑)」

　こうして良は自分と同い年のヴォーカリスト、伊藤耕と面識を得るとさっそく、「一緒にバンドをやろう」と持ちかけた。耕は最初の結婚から間もない頃だったこともあり、ルアーズの活動停止を機に堅気の仕事を続けることも考えていたらしい。だが、良の家に飲み直しに行こうということになって二人が乗っていたタクシーの中で、耕は「またバンドをやるのか……やるか!」と言うやいなや、車の窓から仕事のカバンをいきなり外に投げ捨ててしまった。

　耕のこの振る舞いについて、良は後にこう語っている。

「耕の人生狂わせたの俺かな、みたいな(笑)。お互い知り合って間もないから手探りだった。こいつはどんなやつなんだろうって思いながら相手を見てるじゃん」

　かくして川田良は、5月に解散したワースト・ノイズのメンバー、工藤冬里、マーチン、ベースの日置優に、ヴォーカルの伊藤耕を加えて新バンドを結成する。バンド名は工藤によりSEXと命名された。そして彼らは7月13日に吉祥寺のジャズ喫茶マイナーで、フリー・ジャズのミュージシャンとの共演という形で最初のライヴを行っている。

同年3月に開店したこのマイナーという店は、以後ジャズ喫茶から貸しホールへと姿を変え、フリー・ジャズやフリー・ミュージック、またはパンクなどいずれも当時のライヴハウスに出演する機会を得られなかったミュージシャンが演奏することのできるほとんど唯一のスペースとなっていく。その経緯については前掲の『地下音楽への招待』に詳しいが、同書によればこの場所でパンク系のミュージシャンが演奏するようになったのは、実はフリー・ジャズなどにも関心があった良による店長への働きかけが大きかったという。

SEX結成後の良との関係について、耕が回想する。

「良とは普通のバンドよりは絶対濃い付き合いはしてた。三日三晩飲み倒してべろんべろんになってるのに、「次の店に行こう」って、良が言い出したり。ふつうのヤツは嫌がってたもん。疲れるし、「うちに帰らせてくれ〜!」みたいな(笑)。二、三日一緒にいて、もうお互いくたくたなのにそれでも喋りまくって、工事現場の土管の中で夜明かししたこともあったな。

それから、俺がブラック・プールの前で、通行人をからかってたら、やくざもんに殴られて「ちきしょー!」って言ってると、良が「あっちか?」って言って、走って追っかけていったりとか。練習よりも話し合ったりケンカしたり、酔っぱらってメチャクチャになっちゃったりっていうのをくぐり抜けてきたから、変な遠慮なんか無い仲間なんだよ」

ただ、マーチンによると、そうした遠慮の無さは危うさと背中合わせのところもあったらしい。

「良くんと耕くんは最初から仲悪かった(笑)。八丈島で合宿したりしたけど、どっちも血の気が多いからなかなかまるまらない。だから初めはちょっと無理ある感じでスタートしました。

良くんがそれまでに作ってた曲には良い曲がいくつもあって、例えば「I Must Shoot You」って曲があったんです。資本主義がはびこっていくなかでどんどん人と人が区切られて、職場に行けば商売がたきがいて、相手を蹴落とすのが仕事みたいになってる現実を、「お互い崖っぷちに追いやられて、最後の役目は俺がお前を撃つしかないのさ」っていう言い方で描いた。もちろん「それでいいのか？」っていうことを伝えたい歌だったんですよ。だけど耕くんとしては、「俺はお前を撃つしかないのさ」って言葉に抵抗があったみたいですね。そこを僕は後ろでドラムを叩きながらなんとかまとめていこうとしたんですけど。まあ、会うたびにそんなことばかりだった。だけどお互い相手に対して「こいつは何かあるな」って感じてるから、拒否してるわけじゃないんですけどね」

また、そんなSEXのライヴをマイナーに観に来ていた客の中には、当時、日本初の女性のみによるロック・バンド、ガールズの二代目ベーシストとして活動していたAMIの姿があった。後に川田良の公私にわたってのパートナーとなる女性だ。AMIが回想する。

「SEXのライヴは良かったけど、良はチューニング合わせないし、めちゃくちゃなギターを弾くなと思った」

ロックの熱の再現

前述したようにSEXは78年9月19日の「屋根裏プレゼント・パンク・ナイト」に出演しており、その時の対バンは元村八分の青木真一（彼のことは次節で詳述する）を擁するスピードと鳥井賀句がワースト・ノイズ脱退後に結成したペインだった。このライヴについては音楽評論家の山名昇が『ニューミュージック・マガジン』78年11月号にレヴューを寄せており、SEXのサウンドがストラングラーズを志向するものと指摘、耕のことは「ズタズタに切り裂いた革ジャンにアナーキーなアクションが似合うセックスのヴォーカリスト」と書いている。

そして同じ号の投書欄には彼らのライヴを見た二十歳の女性によるレポートが掲載されているのだが、その文章は40年以上経ったいまでも、優れた同時代のドキュメントとして読むことができるものだ。この女性は、ライヴを見るまではパンクやニュー・ウェイヴなどマスコミによって踊らされた「バカなリスナー」が聴くもので、それらを演奏するバンドに対しては嫌悪感を抱き生理的に受けつけるはずはないと決めてかかっていたという。また、自身はクロスオーバー（当時のフュージョンの別称）系プログレッシヴ・ミュージックのファンで、「〝ロックも、もちろん聞かせるだけの充分なテクニックの上に快美感を追求すべきもの〟と信じていた」という。ところが実際そのステージに接すると、「口はアングリ、足はガクガク、頭はそれこそシラフでハイに」なってしまったというのだ。

これを価値観の転換などと言っては誇張になるかもしれない。しかしここにはパンクに対する無知から来ていた先入観の払拭があり、そしてそのパンクを演奏したバンドは「60年代を背負う私」というこの女性に「ここにも60年代が形をかえて生きていた！」と言わしめるものだったのである。一般読者の投書であり、全文を転載するというわけにはいかないが、ここでは、それだけでも十分にこの書き手が受けた衝撃を伝えている、SEXについて記した箇所を引いておこうと思う。

「セックスのボーカルのおにーちゃま、音程が多少はずれても心配しなくていいんだよ。あなたのボーカルは忘れかけていたロックの、ロックたるゆえんである、原始的な熱さ（そうさ、フィーバーなんて陳腐な言葉、ブッ飛ばせ！）を再現してくれたのだから」

SEXはこれ以降78年年末まで以下の3回のイヴェントに出演したようだ（スケジュールは『ぴあ』を参照した）。10月14日　吉祥寺マイナー「LIVE AT MINOR～ラジカル・ポップス」（共演：ペインほか）。11月18日　吉祥寺マイナー「ラディカル・パワー・ポップ vol.4」（共演：ペイン、スピード、自殺、8½）。12月31日　下北沢ロフト「1978年TOKYOロッカーズ大づめラストライヴ」（共演：S-KEN、フリクション、ミラーズ、ミスター・カイト、ボルシー、8½、ペイン、ボーイズ・ボーイズ、SS）。

だけど諦めるな

年が明け、1979年1月21日がSEXのラスト・ライヴとなった。「東京ニュー・ウェイヴ'79」とタイトルされたイヴェントへの出演で、会場は西新宿のビルの地下にあるライヒ館モレノという芝居の稽古場だった。

川田良によると、これは彼と鳥井賀句とで企画したものということだったが、鳥井の記憶では鳥井と『ガッデム』というパンク・ファンジンが牽引したもので、実際イヴェントの告知チラシには「主催：TOKYOニューウェイヴ'79実行委員会　協力：Gadamn」と記されており、鳥井が企画の中心人物だったことは間違いないようだ。

8組のバンドが名前を連ねたこのイヴェントには、ビクターから急遽レコーディングの話が鳥井を介して持ちかけられた。鳥井は一時期スピードのマネージャー役を買って出て音楽業界に売り込もうとするほど入れ込んでいたこともあって、トリにスピードを抜擢したが、彼らはライヴ・アルバムへの収録を拒否。結果としてSEX、自殺、ペイン、8½、ボルシーの5組の演奏からなるオムニバス・ライヴ・アルバムが制作され、4月5日にリリースされた。タイトルはイヴェントの名称そのままに『東京ニュー・ウェイヴ'79』。ジャケットのデザインは初期『ZOO』の表紙を手掛けた羽良多平吉が担当した。SEXの演奏は「TVイージー」と「無力のかけら」の2曲が収録されている。

これがSEXのラスト・ライヴなのは、すでにSEXが解散状態にあり、良のスピードへの加入も決まっていたからで、良はこの日スピードとレコーディングのために再編したSEXの両方で演奏している。また、右に名前の挙がった自殺、8½、スピードといったバンドのメンバーは、その後も離合集散を繰り返し、良や耕とも交流を重ねていくことになる。
耕の作詞作曲によるSEXの2曲は、後年のSYZEやフールズのステージでも演奏されており、彼らにとってはある種の原点ともいうべき重要なナンバーだ。ここでは「無力のかけら」の歌詞について触れる。まずは最初のコーラスの部分を引用してみよう。

俺が誰かのために　本当にやってやれることは
残念だけど　今のところ何もない
おまえが俺のために　出来ることは
正直言って　今のところ何もない

一体何が　俺達をこんなに
一人一人を　バラバラにしたのか
今じゃ俺達一人一人　無力のかけら
俺達今一人じゃ　無力のかけら

ここからは、先のタクシーの中でのエピソードが伝えるような耕の向こう見ずな一面とは異なっ

『東京ニュー・ウェイヴ '79』の裏ジャケット（上）と表ジャケット。SEXの写真で両手を広げているのが伊藤耕、その右奥がマーチン、一番右が川田良。自殺の写真での左利きのギタリストが栗原正明。8 ½の写真でのベーシストが中嶋一徳

て、意外なほど醒めた意識で現状を捉える一人の青年の姿が浮かび上がるのではないかと思う。それとともに「今じゃ俺達一人一人　無力のかけら」という一節では、かつてそうでない状況があったことがほのめかされてもいる。

共に1955年生まれの耕と良は、学生運動がもっとも高揚した60年代後半から70年代前半までの数年を思春期として過ごした世代に属する。72年の連合赤軍事件をきっかけに、現状変革の運動が後退を余儀なくされ、無力感や失望感が漂うようになった70年代半ばは、〝しらけ〟という言葉が流行した時代でもあった。熱っぽい一面がある耕や良のような人間に、しらけという言葉は似つかわしくないかもしれないが、右の「無力のかけら」の一節は、まさに連帯の不可能性に直面していた当時の時代意識の表出として、70年代末の日本のパンク〜ニュー・ウェイヴの現場で生々しいリアリティを持ちうるものだった。

ただしそれはこの時点での日本のパンク〜ニュー・ウェイヴがその程度に局所的なものだったということを示してもいる。平野悠の『ライブハウス「ロフト」青春記』や先に引いた『ニューミュージック・マガジン』への投書が明らかにしているように、そもそも日本のパンク〜ニュー・ウェイヴのバンドはある時点まで関心を持たれることがほとんどなかったのだ。だからこの「東京ニュー・ウェイヴ'79」というイヴェントもまた出演バンドのメンバーである鳥井賀句や川田良が自分たちで企画しなければならなかったのである。そして、この「無力のかけら」という歌では、そうした醒めた意識のそのまた下から突き上がってくる思いとしての一節が、最後の最後に現れる。

だけど諦めるな　最後までサジを投げるな

だけど諦めるな　最後までお前を渡すな

日本のパンク〜ニュー・ウェイヴの始まりが語られるとき、『東京ニュー・ウェイヴ'79』とともに、もしくはその一枚だけが代表的な作品として取り上げられることもままあるオムニバス・ライヴ・アルバムに『東京ロッカーズ』がある。そのアルバムの成り立ちに、したがって日本のパンク〜ニュー・ウェイヴの始まりにスタッフとして関わり、やがてはインディペンデント・レーベルの代表としてシーンを先導する役割も果たしていったカメラマンの地引雄一は、78年に初めてSEXのライヴを見た時から、耕の歌には本質的なものが感じられたと述べている。

「僕は1949年生まれ、典型的なカウンター・カルチャーの世代の人間です。70年代前半までは、何かを変えられるという空気がすごく強かった。学生運動だったりヒッピー・カルチャーだったり、アングラ・カルチャーだったり、すごく新しい若者の文化というものがいっぱい出てきて、それが時代を変えていくんじゃないかっていう力と希望に溢れていた時代だった。けれども、それがことごとく潰されていって。学生運動だと連合赤軍事件の挫折感というのはとても大きかった。だから70年代半ばは「何やっても無駄だ」みたいなそういう諦観がすごく漂っていた時代だったんじゃないかな。

やりきって挫折したんだったらまだマシだけれども、僕自身はカウンター・カルチャーの時代には何もやりきれずにそういう時代が終わってしまったという感じだった。だから余計にこれから起きることへの期待感というか、何か起きなかったら起こさなきゃいけないというくらいの気持ちを持っていた。そんな時にパンクがあることを知った。

SEXのスタイルは、昔のストーンズとかブルースを引きずった感じで全然パンクじゃないんだけれども、だけどスタイルじゃなくて本質的な意味でのパンクというか。耕の歌詞はすごく深い。年齢は僕より若いんだけど、我々の感覚を代弁しているように感じた。普段の不良然とした態度と裏腹に、世の中のこととか生き方とかを考えている人間なんだなというのが、歌詞から伝わってきた。だから彼の歌は何十年経ってもしっかりと気持ちの中に残ってるんです」

なお、正式な形で残されたSEXの音源は、この『東京ニュー・ウェイヴ'79』に収録された耕、良、日置、マーチンの4人によるライヴ演奏だけだが、マーチンによれば工藤冬里のキーボードが入っていた時期がSEXの本領だったとのことだ。

「ほんとは冬里くんがいないとSEXじゃないの。実際に冬里くんがいる頃もマイナーとかで何回もライヴをやってますよ。冬里くんは天才だと思う！　だけど僕の記憶ではやめるっていう話もないまま、ライヴに来なくなってそれっきりになっちゃったけれど」

3　SYZEが放つ生の歌

はみ出し者同士で

SEXのラスト・ライヴを収録した『東京ニュー・ウェイヴ'79』がビクターからリリースされた2週間後の1979年4月21日、新宿ロフトで3月11日に行われたライヴを収めた『東京ロッカーズ』がCBSソニーからリリースされた。こちらに収録されたのは、フリクション、ミスター・カイト、リザード、ミラーズ、S-KENの5バンドで、先にも記したように、日本のパンク〜ニュー・ウェイヴの始まりが語られるとき、そのメルクマールとして位置づけられることの多いアルバムだ。そして、そうなったのはこれが『東京ニュー・ウェイヴ'79』とともにメジャーのレコード会社から発売され、結果としてある程度の注目を集めたからだが、そのことが当時、他でもない当事者たちの活動にマイナス面を含めての影響を与えていたということは触れておいたほうがいいだろう。

もともと東京ロッカーズという集合名詞は特定のバンドを指すようなものではなかった。S-KENのリーダーで、70年代初頭から作曲家として、その後は音楽ジャーナリストとして活動していたs-ken（エスケン）こと田中唯士が名付け、78年の7月頃から使い出したそうだが、この言葉はやがて既存のミュージック・ビジネスと一線を画した姿勢を持つバンドとその関係者、さらには彼らが企画したイベントとそこに集まってくる人間たちの総称および動向を指すものになっていく。そうした過程を地引雄一はその著書『ストリート・キングダム――東京ロッカーズと80'sインディーズ・シーン』（2008年。1986年刊の増補改訂）に活写している。

同書によれば、このレコードのことがメディアで取り上げられる機会が増えるなかで「東京ロッカーズという言葉が本来の意味と違って、レコードに入った5バンドを指す派閥的な使われかたを」され始め、また、その5バンドの中ではリザードとフリクションの人気が突出したことから、それまでのようにバンド同士が対等な立場でライヴを行うことも難しくなっていったという。そのため、レコードの発売に合わせたツアーを最後に、東京ロッカーズの名称は使わないこととされた。これは東京ロッカーズという運動体に当事者として関わって来た自覚を持つ地引のような人間にとっては、その言葉とムーヴメントの実体とが解離していくことに対する危機感の表れとして受け止められたに違いない。地引はおよそ1年後、『ミュージック・マガジン』80年6月号に寄稿した「ストリート・ロッカーの精神を守りぬくために」という文章の中でこんな言葉を綴っている。

「大手のレコード会社から出た2枚のオムニバスLPによって東京ロッカーズは見事に玉砕した。それはやみくもなエネルギーの帰結だったとも言える。メジャーな世界との接触に対して有効な理念を持たなかったとも言える」

地引は「2枚のオムニバスLP」と書いた。すなわち、東京ロッカーズとは『東京ロッカーズ』に収録されたバンドだけでなく、『東京ニュー・ウェイヴ'79』に収録されたバンドとも関わりのある言葉でありムーヴメントだったのである。

さて、川田良が79年1月に加入したスピードは、ライヒ館モレノでのライヴに出演はしたものの、アルバムへの音源収録をキッパリと拒んでいる。76年結成のこのバンドは、東京ロッカーズよりも早く77年の暮れから、ミラーズ、ミスター・カイトと共に〝ジャンプ・ロッカーズ〟と銘打ったシリーズ・ギグを行っていた。オリジナル・メンバーのひとりである青ちゃんこと青木真一は、1951年生まれと世代としては伊藤耕や川田良より少し上で、チャー坊こと柴田和志と山口冨士夫が中心となって70年に京都で結成された村八分に初代ベーシストとして参加。71年に脱退してしばらくは音楽から離れていたが、ギタリストとなってスピードを結成、さらにその後の80年には耕を誘ってフールズを結成するバンドマンだ。

耕がスピードと青木のことを語る。

「青木とはスピードの最初の頃に知り合った。東京ロッカーズの頃になると、ちょっとおしゃれなパンク・ファッションのお姉ちゃんが集まってきたりしてたけど、スピードはそういう中で、「パンクであろうが無かろうが、俺たちは異端だ」ってヴァイブレーションを出してた。怖い感じだったよ。俺たちのほうが怖いって言われるかもしれないけど。でも、年上だったし、こいつらひょっとすると、いきなりマイク・スタンドを「うるさい！」って投げつけてくるんじゃないか、とかね」

人見知りをしない耕にして、スピードのメンバーには気軽に話しかけたりしにくいところがあったらしい。とはいえ、そんな耕もまたブラック・プールに出入りする人間の中で、自分と良は異質であることを自覚していた。

「ブラック・プールには毎日行ってて、パンクスの姉ちゃんをからかったりしてた。みんななんか寡黙で、黒いサングラスとかしちゃってクールにやってたけど、俺と良は寡黙じゃなくて、そういうのから外れてた。「オーイ！」ってデカイ声だして、そのへんのおっさんといっしょ。かっこわるいもん（笑）。ファッション、流行、ムーヴメントってのに一番はまらないのが、俺と良だったと思うんだよ。多分そういうのに合わせるのが無理なんだね。

良は盛り上がると暴れて、気にくわない奴がいると追いかけ回してギターでぶん殴ったりとか、さんざんやってた。それで「ボトルもう一本くれよー、ツケ！」って感じだったから、嫌がられてたね（笑）。当時よくいたニュー・ウェイヴのアートっぽくてスタイリッシュなギタリストなんかとは全然違った。音楽を高級に語ってないというか。俺と共通の反骨精神があるというか、痛い目に遭っても全く懲りずに、自分のスタイルで押し通す。そういうところは「仲間だな、いいな」って思った。

でも、うまくやっていく自信はなかったな。むしろ最初はお互いにイヤだと思ったんじゃない？だってどっちからも歩み寄ろうとしないんだもん。気を遣ったり相手に合わせたりっていうのは、めんどうだったからね。向こうもそうだったと思う」

ここで、耕の発言に出てくる「パンク」「ニュー・ウェイヴ」という言葉の持つニュアンスについて付言しておこう。70年代後半のことなので、当時中学生に満たない、２０２０年代の現在50代前半未満の人間には実体験がないことになるが、イギリスでセックス・ピストルズの登場を契機にオーバーグラウンドな場でも注目を集めるようになったパンク・ロックは、そのピストルズのスキャンダラスなイメージが先行するなか、どちらかといえば否定的に捉えられ、おそらく一過性のブームで終わるのではないかという見方が優勢だった。ところが、これが単なるブームを超えて、すなわちパンクの表面的なイメージに止まらないバンドが続々と登場するに及んで、新たなカテゴリーが必要とされることになり、そこで編み出されたのがニュー・ウェイヴというキャッチ・フレーズだった。もちろん、そうした言葉の生みの親はイギリスの音楽メディアだったわけだが、東京ロッカーズの登場に際して日本のメジャーなレコード会社が取った対応も、イギリスの「パンク」「ニュー・ウェイヴ」の用語法に概ね則っており、実際、『東京ニュー・ウェイヴ'79』と『東京ロッカーズ』のいずれのレコードの帯の文句や宣伝広告にもパンクという言葉は使われていなかったのである。

80年になるとマスメディアでは、ニュー・ウェイヴという言葉が頻繁に用いられることになる。結成当初はフュージョンのカテゴリーで売り出されたイエロー・マジック・オーケストラが、この時期にはニュー・ウェイヴ~テクノ・ポップのYMOにイメージ・チェンジすることによって露出を増やしたことなどはその顕著な事例のひとつと言っていいだろう。そこでは初期のパンクにあった粗暴なイメージは払拭されるとともに、ファッショナブルなムードが新たに付加されていったわけだが、耕の先の発言からは自分や良、そしてスピードのメンバーなどを、そうしたムードに染まることができない人間として見ていたことがうかがえるのではないだろうか。つまり耕は「パンク」を「ニュー・ウェイヴ」と言い換えるような風潮に、自分たちの資質との隔たりを感じていたのだと思う。ちなみに、良は2002年発行の音楽雑誌『INDIES ISSUE』創刊号で当時のことを振り返り、東京ロッカーズはオシャレで、自分達は雰囲気が違って入っていけないところがあったと自虐的に語っている。

この違いはけっして派閥のようなものとしてあったわけではない。ただ、伊藤耕や川田良、青木真一らの間には〝オシャレなニュー・ウェイヴ〟とは違う無骨なはみ出し者同士の連帯意識のようなものがあったことは確かだろう。

メジャー・デビューの話を断る

SEXが解散し、良がスピードのメンバーになると、残された耕、マーチン、日置の3人は新バンドのSYZEを結成、マーチンがギターを務め、ドラムに元ペインの津島ヒロ、サブ・メンバーにギターの星を迎えて、SEXのラスト・ライヴからわずか2週間後の2月3日には吉祥寺マイナーでファースト・ライヴを行っている。「寸法の意味のSIZEのIをYに変えた」とバンド名の由来を記憶するマーチンが語る。

「僕がSYZEでギターを弾いたライヴは、屋根裏とかマイナーとかでやっている。歌詞はほとんど耕くんですけど、曲は誰かが考えて出来上がってるんですよ。特に僕がギターを弾いてた時は、耕くんと二人で曲にしていたことがかなり多かったですね」

マーチンがギターを弾いたSYZEのライヴについて、「生々しさに満ちた言葉が、生々しいサウンドに乗って、生々しく歌われる」とその演奏から受けた感銘をライヴ・リポートに記したのがムーンライダーズの鈴木慶一だった（『ニューミュージック・マガジン』79年5月号）。そして後年明らかになったことによると、これの直後SYZEのところには鈴木慶一のプロデュースでビクターからデビューしないかという話が持ちかけられていた。しかし耕はその話を断った。理由は「仲間のバンドを裏切る気がした」からだという（後述の『UPPER NIGHT Revisited』ライナーノーツ参照）。

その後、スピードを抜けた良が、出戻りのような形で加入。ＳＹＺＥはヴォーカルの耕、ギターの良、ドラムのマーチン、ベースに元スクイーザーのトシオ、そしてサポート・ギタリストの星という5人編成になった。このメンバーで「DRIVE TO 80's」の9月1日のステージに出演している。

新宿ロフトで8月28日の前夜祭から9月2日まで6日間にわたって計24組のバンドが出演したそのイヴェントは、東京ロッカーズという言葉が桎梏となるくらいに拡大・多様化してきたシーンの現状を伝えようと、地引雄一とS-ＫＥＮのマネージャーで本業は建築設計士の清水寛が中心となって企画立案からパブリシティに至るまでエネルギーを注ぎ込んだものだった。結果として新宿ロフトの動員記録を更新するほどの大盛況となり、各出演者の演奏も充実したものになったという。そしてＳＹＺＥにとってはその短い活動期間の中でも、この時の演奏の評価は高く、２００９年にリリースされたライヴ音源集『UPPER NIGHT Revisited』には、そこから「STAR FUCKER」（ローリング・ストーンズの日本語カヴァー）、「I GOT NOTHIN'」（イギー&ザ・ストゥージズのカヴァー）、「COME ON」（耕によるオリジナル）の3曲が収められている。

また、このイヴェントに自殺のベーシストとして出演していたのが、後にフールズの初代ベーシストとなるカズこと中嶋一徳だった。カズは１９５７年生まれ。父親は戦前から活動する筋金入りのジャズマンだったという。カズが語る。

「最初に覚えてるのはサッチモ（ルイ・アームストロング）。六畳一間の長屋にレコード・コレクションがあった。子どもの頃からこのフレーズをやってみたいというのがあって、14歳の時にベースを弾くようになった。音楽理論は独学。キャバレーとかで経験を積んで、実戦で学んでいったんだよ」

彼はヴォーカルの久保田慎吾をフロントマンとする8½のメンバーとして『東京ニュー・ウェイヴ'79』のライヴ・レコーディングにも参加している。SEXのドラムとしてその場に居合わせたマーチンは、カズの卓越したベースに魅了されたという。その後カズは小学校と中学校で同級生だったドラムの佐瀬浩平と共に、クリがギターだった自殺に加入して、『DRIVE TO 80's』に出演。この時の自殺は、CANやノイなどパンク以降再評価されたジャーマン・ロックのバンドを彷彿させるサウンド・アプローチで、地引らにも衝撃を与えたという。後にフールズのリズム・セクションとなるカズと佐瀬在籍時の自殺の演奏は、2014年に発掘音源集としてリリースされた『LIVE AT 屋根裏 1979』で聴くことができる。そして、この「DRIVE TO 80's」の翌月カズはSYZEに加入し、スピードの前座を務めた渋谷の屋根裏でのライヴから演奏に参加している。

この前後に耕や良と知り合い、以後SYZE、フールズのスタッフを務めることになるシゲこと堀口（現・瀬川）成子は、当時の彼らのことをこんなふうに振り返る。

「「DRIVE TO 80's」の前に、屋根裏かどこかのライヴハウスに、星くんとか良がいるSYZEを見に行って、「自分が思ってても言えないようなことを、はっきりこの人は歌ってる」って感じたんです。あの頃はノイジーな爆音で歌詞が聞き取れないバンドがほとんどで、歌い方もはっきり伝えようとして歌ってる人があんまりいなかったけれど、耕ははっきりメッセージとして歌ってましたから、その辺で私にとっては別格の存在でしたね。

耕はけっこう紳士的でしたよ。今となってみれば、耕ほど愛情深い男はなかなかいないなと思います。いろんな変な友達がいるんだけど、ひとりひとりを捌くことなくちゃんと付き合ってるんですよ。どう見たってこいつと付き合ったら振り回されちゃってめんどくさいだろってタイプの人とも対等に付き合っちゃうんですよね。で、「こいつがもっとまともになるように」とか一切考えてないんですよ。それが素晴らしいなと思う。「そのままでいいよ、お前」って、相手を認めちゃってるんですよね。だからますます社会性が薄い、一風変わった人間が耕を慕って集まって来ちゃって(笑)。良は私には最初食ってかかってきましたね。なんか耕に悪知恵を授けに来たみたいに思われたのか、「新宿ロフトの回し者!」とか言われた。私もちょっとだけロフトでバイトしてましたけど、その発想自体わけわかんなくて(苦笑)。でも、まず絡んでから仲良くなるってのが良の手口かな。いったん仲良くなると兄貴って感じで、「鍋やるから来い」とか、「くさや送ってきたからあげる」とか。打ち解けると、実は面倒見がいいんですよ」

熱狂的な支持を集めて

SYZEにメジャー・デビューの誘いをかけた鈴木慶一はこの時期、自ら率いるムーンライダーズでニュー・ウエイヴのサウンドとエンジニアリングを大幅に導入、その成果を4枚目のアルバム『MODERN MUSIC』(79年10月)として世に問うている。彼はバンドのメンバーともども60~70年代のいわゆるアングラ・フォークの時代からキャリアを積んできたミュージシャンだが、パンク以降の音楽状況の変化の中である種の切迫感を抱きながらモデル・チェンジを行ったことを後年たびたび述懐しており、そのような心境をまさにその当時において吐露したのが、先にも記した『ニューミュージック・マガジン』掲載の「なまなましいサウンドが妙に新鮮に感じられる」というタイトルが付けられた文章だった。

このように、すでにキャリアの蓄積を持つミュージシャンが、パンク以降の音楽状況の変化に応じてモデル・チェンジを果たすという事例は、もちろん鈴木慶一たちだけにとどまるものではなかった。実を言えば東京ロッカーズにもそうした新規蒔き直し的な側面はあったわけだが、一応それまでメジャーなレコード会社と契約していたミュージシャンと、一方アンダーグラウンドな場で活動してきたミュージシャンが、ニュー・ウェイヴをキーワードにして一堂に会するということが、この79年は特に多い年だった。

たとえば、9月9日に日比谷野外音楽堂で行われた「OVER THE WAVE 99」では、8½、シーナ&ロケッツ、遠藤賢司、RCサクセション、リザード、ムーンライダーズ、パンタ&HALが出演。東京ロッカーズでのライヴ活動を経て、この時期、地引雄一いうところのストリート・シーンの顔役ともいうべき存在となったリザードは、登場するやいなや客席が総立ちとなる盛り上がりを見せ、地引をして「時代は確実に変わりつつある。もはや既成のバンドなど顧慮する必要はない」(『CHANGE 2000』Vol.4)と言わしめている。

そして11月17日土曜の夕方から翌18日日曜の朝まで、神奈川大学大講堂で行われたオールナイト・コンサート「ELECTRIC CIRCUIT for 80's」には、パンタ&HAL、ムーンライダーズ、シーナ&ロケッツ、フリクション、リザード、P-MODEL、ヒカシュー、連続射殺魔、吉野大作と後退青年といった顔ぶれが揃い、そこにはSYZEの名前もあった。

この時のリザードは、ファースト・アルバム『LIZARD』のリリースを4日後に控えていた。キングレコードを発売元としたこのアルバムは、彼らが7月から8月にかけてロンドンに渡り、ロンドン5大パンクの一つといわれたストラングラーズのベーシストであるジャン=ジャック・バーネルのプロデュースのもと、原盤権をバンド側が持つという形によって制作された。こうしたやり方は

『東京ロッカーズ』でメジャーのレコード会社との接触を経た彼らが、既存のミュージック・ビジネスの側からの要求に妥協を強いられることがないようにと選んだものだった。

リザードのアルバム制作の背景には、地引雄一をはじめミュージシャンではなくスタッフとして活動してきた人々の貢献もあった。そんなひとりに当時法政大学の学生で、神奈川大学に近い横浜市の白楽に実家があったことから白楽企画というイヴェント・チームを立ち上げていた森田勝がいた。白楽企画はプロモーターのトムズ・キャビンに協力する形で、リザードがフロント・アクトを務めた79年12月のストラングラーズ来日公演の警備を請け負い、「ELECTRIC CIRCUIT for 80's」にも協力している。さらに森田は80年以降、学生による自主管理で運営されていた法政大学学生会館の音楽イヴェントを企画するロックス・オフの中心人物として多くのライヴに関わっていくことになる。

こうしてミュージシャンのみならずその周辺にも既存のミュージック・ビジネスとは異なる動きが生まれ、まさにそうした動きの一環として開催されたのが「ELECTRIC CIRCUIT for 80's」というコンサートだった。これに出演したSYZEは、カズの貢献もあって各メンバーの役割分担やコーラスがしっかりアレンジされており、その演奏はワイルドでありつつ、ある種の完成度の高さすら感じさせるものだった。多くの出演者がいる中でアンコールの声が上がるほどの盛り上がりを生み、カズは良から「お前、天才かよ！」と絶賛されたという。これに前後してSYZEは渋谷の屋根裏を拠点に「UPPER NIGHT」というタイトルのシリーズ・ライヴを展開し、パンキッシュにテンポ・アップしたローリング・ストーンズやストゥージズなどのカヴァーとSEX時代からのナンバーを含むオリジナルを織り交ぜた楽曲をレパートリーとして、一部からではあったが熱狂的な支持を集めていた。

ただ、カズにとってのSYZEは、あくまでも耕から頼まれて一時的なサポートとして参加したもので、パーマネントなメンバーになるつもりはなかった。そうしたことから同年暮れには元フレッシュ（後年ヒップホップのDJ／プロデューサーとなる高木完をヴォーカルに据えたバンド）のハリーにベースを頼んだりもしたが、結局80年3月20日の屋根裏を最後にSYZEは解散することになる。この日のライヴは二部構成で、第一部では青木真一をベースに迎えて新曲を、第二部ではカズのベースで以前からのレパートリーを演奏し、彼らは13ヵ月にわたる活動を終えた。

赤いバラの花を胸に

SYZEが解散すると、耕はその直後から右記のハリーや旧友のクリとともに伊藤耕&ヘブンを結成し活動を開始している。一方、良はSYZEでドラムをやったこともある津島ヒロを中心に結成された新バンド、午前四時のメンバーとなるが、両者とも6月14日に新宿ACB会館ニューヨーク・シアターで行われたオールナイト・ギグ「ストリート・サバイバル宣言」に出演するなど、活動の現場はほぼ同じだった。このライヴには他にリザード、S-KEN、ゼルダ、ノンバンド、そして鳥井賀句とともにワースト・ノイズのオリジナル・メンバーだったジュネが新たに結成したオート・モッドなどが出演しており、地引雄一が場内でカメラを携えていた。地引が回想する。

「一瞬のできごとだったんだけど、伊藤耕&ヘブンの演奏するステージに客が投げ込んだ赤いバラの花を、耕が胸に抱いてからステージに置いた光景が印象に残ってる。耕にバラの花って意外かもしれないけど、よく似合ってたんだよね。あの時は場内もすごく平和的な良い雰囲気だった」

この日のトリを務めた午前四時は、ヴォーカル高橋均、ギター川田良、ベース井出裕行、ドラムス津島ヒロというラインナップで、その緊張感に満ちたステージが評判となり、結成から数ヵ月後の夏には吉祥寺マイナーのライヴで100人近くの客を集めるようになる。

ACBで初めてそのステージに接してインパクトを受けた地引も彼らとコンタクトを取り、地引自身スタッフの一員だった自主制作レーベル、ジャンク・コネクションからのリリースを計画した。ジャンク・コネクションはレーベル第1弾としてMOMOYO & LIZARD!名義のシングル『SA・KA・NA』を7月にリリースしており、午前四時はシングルを制作するため10月にレコーディングを行ったが、その際メンバー同士の意見が対立して高橋が脱退し、シングルの音源はお蔵入りとなってしまう。これはバンド解散後、地引が始めた自主制作レーベルのテレグラフから81年にリリースされたライヴ・アルバム『LIVE BOOTLEG』の17年後のCD化の際、ボーナス・トラックとしてようやく日の目を見るという経緯を辿った。

4　ルーツへ向かうバカ野郎ども

1曲だけのデビュー

〝FOOLS〟元サイズの伊藤耕voと元スピードの青木gによるニュー・グループが屋根裏とロフトに新登場。ベースは中島(ママ)、ドラムスはサセ。どんな音かは当日のお楽しみ！


これが情報誌『シティロード』80年10月号に掲載された、フールズの結成を伝える短いニュースである。前述したように、このとき伊藤耕を誘ったのは青木真一だった。耕が語る。

「「フールズって名前かっこいいだろ？　それにぴったりのヴォーカリストは、耕、お前しかいない！」って青ちゃんに言われたんだよ。俺は光栄だなって思っちゃって、「やるよ！」って言ったんだ。その時は伊藤耕&ヘブンをハリーとかとやってたんだけど、「ハリー、悪いけどヘブンはおしまい。俺、フールズに入るから」なんて言っちゃってさ。青ちゃんもカズも友達だったしね。ドラムも昔からの知り合いで、自殺でやってた佐瀬浩平だった」

カズによれば、彼のフールズへの参加も青木から誘いを受けてのことだったという。

「フールズは青ちゃんが耕とやるのが前提で始まった。青ちゃんは東葛飾高校の剣道部でキャプテンだったんだ。「喧嘩になったら俺に棒を持たせるんじゃないよ」って言ってた。あの人のギターはまさしく棒だよ。

ドラムの佐瀬は船高（千葉県立船橋高等学校）出身ですげえ頭いい。首相になった野田（佳彦）と同級生で、しかも同じ柔道部だったんだ。だから青ちゃんも佐瀬も体育会系だよね」

フールズのファースト・ライヴになるはずだった9月20日の新宿ロフトの公演は、財団法人じゃがたらと名乗るバンドの企画した「福祉政策ツアー」の一環として「密告の夜」と銘打たれたもので、つまり彼らはサポート・アクトだった。また当時のチラシには伊藤耕バンドと記されており、チラシ作りに間に合わないタイミングで青木によりバンド名が決定されたことが推察される。そして、このツアーをブッキングしたじゃがたらのマネージャーで、後にフールズのマネージャーを務めることにもなる溝口洋の証言によれば、伊藤耕バンドはロフトには出演しなかったという。

「じゃがたらのツアーの組み合わせをしたのは全部俺。ロフトの時はまだメンバーも揃ってないみたいだったんで、急遽、良がやってた午前四時ってバンドに代わりに出てもらった。それで同じツアーの10月9日に「やっとメンバーが揃った」みたいな感じで、（伊藤耕バンド改め）フールズで「俺の親父はムショ帰りで」とかって「バイ・バイ・ジョニー」1曲だけやったんだ。耕なりにスジを通したんじゃないかな」

また当時の『シティロード』『ぴあ』で屋根裏のスケジュールを見ると、9月29日の出演予定には「フールズ（サイズ＋スピード）」と書かれているのがわかる。だが溝口はこのブッキングに関知しておらず、この日フールズが実際に出演したかどうかの確認はできていない。そして溝口の証言からすれば、9月の時点で耕たちがステージに臨むための準備ができていたとは考えにくい。つまり確認できる限りでのフールズの最も早い時期のライヴは10月9日ということになる。

ここで溝口とじゃがたらの関係について触れておこう。溝口は78年に明治大学に入学するとその年から学園祭の実行委員となり、当時少しずつ知名度が上がりつつあったブルース・バンドの憂歌団を招いては、あたかも彼らが活動を終了するかのような噂を流して話題を作り、当日はステージの上で「誤報でした」と詫びながらも入場料で荒稼ぎするといった逸話を持つ男だった。

その溝口がアンダーグラウンド・フィルムの上映会で知り合い、やがて溝口とともにじゃがたらと関わっていくことになるのが、明治大学を中退して自主映画の監督をやっていた山本政志だった（周知のように山本はその後紆余曲折を経て2000年代以降、国際派の映画監督と呼ぶべき存在となる）。この溝口と山本、そしてじゃがたらのフロントマンでヴォーカルの江戸アケミが発案して、80年4月25日と28日の深夜、新宿2丁目のストリップ劇場モダンアートを会場に「ジュクの夜を狂わせろ！　姦、鮮血のオペレッタ」と題したイヴェントを開催する。このとき江戸アケミはライヴの最中に生きたままのシマヘビを噛みちぎり、それが彼（ら）のグロテスクでスキャンダラスなパフォーマンス（ということの言葉はその頃まだ一般的には使われていなかったが）の最初の事例とされている。

このじゃがたらの結成自体はそれよりもさらに1年前に遡るが、実質的な始まりはギターのEBBYこと永井章とベースのナベこと渡辺正巳が加わり、バンド名がエド&じゃがたらからエド&じゃがたらお春に変わった79年の夏以降のことであるのが、発掘音源として2010年にリリースされたエド&じゃがたらお春名義のアルバム『LIVE 1979』からうかがうことができる。そこに収められているのは世田谷区上馬にあったライヴハウス、ガソリンアレイで同年の9月18日に行われたコンサートだが、興味深いのはバンドの代表的なレパートリーとして後年のアルバムにも収録される「Hey Say!」「もうがまんできない」という2曲が、既にアレンジの施された楽曲として演奏されていることだ。ただし、ライヴ全体としてはこの時期ならではといったところもある。端的に言えば、聞いている方が恥ずかしくなるといった感じのする江戸アケミの冗談まじりのMCのことだが、その後のライヴではMCの際に間が持たなくなった江戸アケミが照れ隠しであるかのように自分の額をマイクに打ちつけたところ、これが客には受けてしまい、やがてそうした自虐的な振る舞いをどんどんエスカレートさせていった、とはアケミのことを近くで見ていたEBBYが後年雑誌のインタビュー(『クイック・ジャパン』vol.26、1999年)で語ったところである。

そして、そうした自虐の果てに、前述のようなストリップ劇場での行為があったわけだが、しかし、最初は照れ隠しで始まったものが、そこまで極端なところへ行き着くということがあるのだろうか。このことに関して、マネージャーの溝口は「アケミが言い出したか、俺が言い出したか、覚えてない」としながらも「初期のスキャンダラスなイメージ」は「本人が志願しているところがある」とともにその本人は「結構醒めてた感じがする」と、バンドの評伝『じゃがたら』(陣野俊史著、2000年)でなされたインタビューにおいて答えている。またシマヘビは溝口が当時中野ブロードウェイの近くにあった蛇専門店に行って2000円で買ってきたものだとのことで、つまり事前の仕込みがあった上での行為だった。そういうことであれば、そこからは、確信犯とまでは言わないまでも、子どもの頃にキリスト教の洗礼を受けたものの、宗教は違うと思って棄教した体験を経て、自身の行いを見つめるもう一人の自分というものを持つようになっていたであろう、本名を江戸正孝という哲学青年の姿が浮かび上がってくるとは言えるかもしれない。

溝口は「姦、鮮血のオペレッタ」をストリップ劇場で行ったことについて、こう語っている。

「アケミはジョン・レノンが好きだったんだよ。ビートルズといったら、原点はハンブルクのストリップ劇場のライヴであることから閃いた！ 猥雑な照明も演出上、惹かれるものがあった。だから、じゃがたらでもストリップ劇場で仕掛けたんだ」

新宿ロフトの財団法人じゃがたらのライヴでは、後に〝バルサン事件〟として語り継がれるハプニングも起きている。バンドの演奏が始まり、アケミが手に持ったフォークで自分の顔を突き刺しながら歌うと、火のついたねずみ花火が放たれ、除虫剤のバルサンも炊かれて場内は騒然となった。その場に立ち会った山本政志が語る。

「ロフトではアケミが消火器を放射した。それで消火器といえば消防車だろってことで俺が消防車を呼んで（笑）、じゃがたらは何年間か出入り禁止になったんだ」

やっぱり過激なブルースを

こうした波乱含みのツアーの後半にフールズは登場した。アケミにより「迷宮への投身自殺」と命名された10月9日の豊玉伽藍。練馬区豊玉にあるその場所は舞踏家で俳優の麿赤兒が72年に創設した舞踏集団・大駱駝艦のアトリエ兼劇場だった。そしてその日、アトリエの管理者として現場に立ち会っていた一人にNOBUこと桑原延享がいた。豊玉伽藍で79年9月こけら落とし公演が行われる直前、17歳で大駱駝艦に入り、のちにヴォーカリスト／トランペッターとして川田良がギターを弾くジャングルズ、ジャジー・アッパー・カット、DEEPCOUNTといったグループのフロントマンを務めることになる男だ。

NOBUがこの時のことを回想する。

「新人だった俺は、先輩から稽古場兼劇場の管理者として保守を任された。で、実際に言われたことは「今日稽古場でライヴを行う奴らは何をしでかすかわからない。基本はやりたいようにやってもらう。裸になろうが、血を流そうが、好きにやってもらう。だけど俺たちの作った稽古場と劇場の付帯設備が壊されそうになったら体を張れ！」というものだった。ライヴが始まった。当時パンクやレゲエを好んで聴いてた俺は、立場を忘れて楽しんだ。フールズはスリー・コードのブルースで、一曲だけ演奏して終わったけど、ぶっちぎりでいかしてた。

じゃがたらが始まり、後半、アケミが額を切って血を流すと、仕込みがあって客席の関係者が叫びをあげ暴れ出し、便乗して騒ぐ客がいた。その中に、俺たちの作った箱馬で俺たちの作った舞台を叩き壊そうとする奴がいた。止めるしかないな！　気が付いて近づくと、若い俺は気持ちが昂ぶり、いきなりそいつを殴ってしまった。胸倉を掴み、「何をやってもいいけど、俺んちを壊さないでくれ！」と告げた。で、背中を向けるとすごい力で肩を摑まれ、振り向かされた。やばいなと身構えると、意外にも「お前の家を壊すつもりはなかった。俺が悪かった」と詫びを言われた。「あぁ、こいつは俺より強い」、そう感じた。そいつはさっきまで歌ってたフールズのヴォーカル、伊藤耕だった」

このようにフールズは、じゃがたらと接近遭遇しながら活動を開始している。当時はパンクから、というよりパンクを含めてニュー・ウェイヴというカテゴリーが音楽業界に成立してきた時期で、その象徴的な事例として、たとえばＲＣサクセション、シーナ&ロケッツ、プラスチックスという組み合わせのコンサートが日本武道館で行われたのはこの年の８月。タイトルは「POP'N ROLL 300%」というものだった。果たしてＳＹＺＥの活動を経た耕に対して、そうしたブームに乗じた展開を期待する向きもなかったわけではないようだ。しかし耕が目指したのは、そんな思惑とは異なる方向だった。

「パンクはパ〜ンと流行したけど、俺なんかは一過性のムーヴメントだと思ってたから、執着が無くてバイバイって。それでルーツに戻ったんだよ。やっぱりブルース！　過激なブルースだろうと」

豊玉伽藍でのライヴの翌月、11月15日から16日にかけて、神奈川大学大講堂でオールナイト・イヴェント「ELECTRIC CIRCUIT for ストリート・シンジケート」が開催された（これには１２００人の動員があったと伝えられている）。前年はＳＹＺＥで出演したその場に、伊藤耕は結成後間もないフールズで、また川田良はギターを担当していた午前四時で、脱退した高橋均に代わり70年代初頭からアンダーグラウンドで活動してきた灰野敬二をヴォーカルに迎えて出演している。

会場には後年フールズのスタッフとなるサミー前田もいた。１９６４年2月生まれの前田は、中学生の時にパンク、ニュー・ウェイヴの登場に立ち会い、初めて買った日本のロックのＬＰは、中学を卒業した79年の4月に同時購入した『東京ロッカーズ』と『東京ニュー・ウェイヴ'79』の2枚だったという。そして入学した高校が新宿に近かったため、放課後は輸入盤店と新宿ロフトのある西新宿界隈をうろつくのが常だった。前田が回想する。

「ロフトは昼から喫茶店営業もしていたからジュースのみながら、そのうちバンドのリハが始まっても勝手に見たりしていました。SYZEは1年間くらいの活動で、多分自分が見たのはロフト、神奈川大学、屋根裏の3回くらいです。ベースが定着してなかったけどやっぱりカズが弾いている時が最高でした。ライヴは毎回オリジナルに加えてイギー・ポップを何曲か必ずやるというパターン。なぜか1曲やるたびに曲間がしばらくある。すぐ次の曲にいかないんですよ。特にMCもないんだけど、毎回、耕が「客の顔がよく見えないから客席の電気を付けてくれ」って言うんですよね。

初めてフールズを見たのは神奈川大学のオールナイトで、出演はニュー・ウェイヴのバンドだけで固められてました。フールズは、SYZE、8½、スピード、自殺といった経歴のメンバーなので、パンク～ニュー・ウェイヴ系のお客さんたちも期待してたと思います。耕がちょっと前までやってた伊藤耕&ヘブンはまだSYZEに近い音楽性だったし。だからフールズが登場したら、お客さんがうわーっと前方に集まったんですよ。チャック・ベリーの「バイ・バイ・ジョニー」の日本語カヴァーで始まって、オリジナルをやると思ったら、「わけなんかないさ」と「つくり話」くらいしか曲が無い。30分をなんとか持たせなきゃって感じで、佐瀬がずーっとビートを刻んでて、そこに自殺にいた川上(浄)が出て来たり。最後はストーンズの「アイム・オールライト」のカヴァーでお茶を濁してました。

その後のライヴもおっかけてましたけど、「スーダラ節」をやったり(山口)冨士夫の「誰かおいらに」をやったりしてましたね。耕の着てる服もだんだん変わってきて、よくインド服を着てました。じゃがたらとの共演も増えてくるとお洒落なニュー・ウェイヴ系の客はほぼいなくなったような(笑)。「つくり話」は「エルモア・ジェイムスの曲に(日本語の)歌をのせた」って言ってたけど、自分はまだストーンズとかのブリティッシュ・ビートしか知らなかったんで「エルモア・ジェイムスって？」って、そこからブルースに興味を持つようになりましたね」

これらのエピソードからうかがえるように、フールズというバンドの始まりは慌ただしいものだった。まだライヴではオリジナル曲が少なく、楽曲としてまとまる前のセッションをそのまま披露しているところがあったこともわかる。神奈川大学のライヴではいきなり「ストリップやるぞ！」と言い出して観客を笑わせるような場面もあったという。耕がヴォーカルでカズがベースというのは前年の「ELECTRIC CIRCUIT for 80's」でのＳＹＺＥと同じだが、そのＳＹＺＥによる完成度の高さすら感じさせたものとは対照的な演奏に、それまでのファンが当惑したのも当然ではあったろう。

果たしてそれは準備不足のままの成り行き任せの演奏だったのだろうか？　それとも、バンドに対してより洗練された音楽を期待するファンをあえて裏切るということ、言い換えれば彼らにデビューの誘いをかけてきたメジャーのレコード会社を始め、ブームに乗じようとする者の思惑にはあえて背を向けるということだったのだろうか？

マーチンが結成まもない頃のフールズを見た時の印象を語る。

「面白くなかった。植木等のカヴァーとかやってたけど「ダサい、カッコ悪い、もうやめて！」みたいな。ただ、「この人たちは何か突破口を開こうとしているんだろうな。お手本になるものがないようなことをやろうとしてるんだろうな」ってことはわかった。でも、ぶっちゃけ過ぎてるんですよ。そこらへんがあまりにもあからさまで、見るのが辛かった。まとまってないのにやろうとするからめちゃくちゃになる。最後までまとまってない。取り繕わない。（そういう状態のものを）耕くんは見せちゃっていいと思ってたんでしょうね。

アヴァンギャルドな音楽だったらそれもありなのかもしれないけど、僕は完成してないものを公表したくないですね。彼からしたら「カッコ悪い俺も〝俺〟なんだ」みたいなのがあるのかなと思うんだけど、やっぱりお客さんがお金を払って見にきている以上は、違うと思うんですよね……でも、どうかな？　分からなくなってきた。芸術的に考えたら耕くんも間違えているわけじゃないから」

ともあれフールズ、なかでも伊藤耕は、ある意味それまでの活動の蓄積をご破算にするような形でスタートを切ったわけだが、先の耕の言葉にもあるように、目指すべき方向はその時点ですでに見据えられていた。ＳＹＺＥのスタッフを務め、この後フールズのマネージャーになるシゲが、結成当初のバンドと伊藤耕の印象について語る。

「『フールズ作った！』って耕に言われて原宿のクロコダイルなんかに見に行ったんですけど、『かっちょええ！』と思った。その時ファンク色が出てたわけですよね。良が入る前です。ロックンロールだったんだけど、スピリッツ的にファンクな感じになってたんですね。私は、耕はロックンロールの人なんだろうなって最初に思ったんだけど、その時はなんかファンクの感覚に強く目覚めたような感じでした。ファンクで出てくる『ブラザー』『シスター』とか言い出すようになったのもその時期だと思うし。で、どんどんメンバーを増やしていったんですよ」

5　1972年の17歳

ストリートとは何か

フールズと午前四時の出演した「ELECTRIC CIRCUIT for ストリート・シンジケート」は十数組

のバンドが夕刻から明け方までの十数時間にわたって演奏を繰り広げるというものだったが、それらのバンドのうち大手のレコード会社からアルバムを出しているのはリザード一組だけだった。前年に行われた「ELECTRIC CIRCUIT for 80's」では、出演者のうちパンタ&HAL、ムーンライダーズ、シーナ&ロケッツ、P-MODEL、ヒカシューといったバンドが大手のレコード会社からアルバムをリリースしていた。つまり「for 80's」の方が〝メジャー〟なバンドが揃っていたことになるが、しかしたとえば集客の面では前述したように「for ストリート・シンジケート」は1200人の動員があったことが伝えられている（『MUNION SPECIAL EDITION 日本のパンクロック』年表・写真・証言1976〜1981参照）。今回あらためて複数の関係者に聞いてみたところ、チケットの実売数は「for 80's」の方が多かったと言う者がいれば、当日の賑わいでは「for ストリート・シンジケート」の方が上だったと言う者もいて、正確なところまではわからなかった。ただ、後者が前者に勝るとも劣らない盛り上がりを見せていたことは間違いなかったと思われる。

また、「for ストリート・シンジケート」には東京とその近郊のみならず、筑波、名古屋、京都、大阪といったところで活動しているバンドが招かれ、そうした面では「for 80's」より多様なラインナップになっていたという見方もできる。そのような顔触れを揃えることができたのは、前述した白楽企画の森田勝が、後輩の学生を引き連れて地方に赴き、東京近郊以外で活動するバンドもチェックしていたからだった。森田は1980年前後から地方にもライヴハウスができ始め、そうしたところをツアーして回るのが可能になったことが前提として大きかったと述べている。「ストリート・シンジケート」とは、そんな森田が抱いた「東京のストリートで活動しているアーティストと横に繋がっていろんなイヴェントをやっていく」「関西と関東でアーティストを紹介しあったりしてスタッフ・

ワークの効率化をはかっていく」というアイデアを端的に言い表したものだった。

ここで、その「ストリート・シンジケート」と言ったときのストリートという言葉についてもあらためて触れておこう。それは、たとえばストリート・ファッションやストリート・ミュージシャンなどと言うときのストリートとは似て非なるものだった。というのも、そこには既存の音楽産業とは異なる価値観に基づいて行動する主体とその者たちが切り開いていく場といった意味が込められていたからである。

カメラマンの地引雄一は著書『ストリート・キングダム』の1986年版のまえがきで、彼が出会いフィルムに収めたミュージシャンを「ストリート・ロッカー」、彼らの作り出した場を「ストリート・シーン」と呼び、その特質について「テレビやラジオを中心とした一般的な音楽シーンの中で決して主流となることはない。たとえメジャーに進出しても既成の音楽産業の中では収まり切れない異端的存在となる。むしろそれは、一般的な音楽シーンとそれを取り巻く日常的な制度とは全く異質な価値観のうえに成立しているといってよい」というふうに述べている。

同書によれば地引は79年の夏のイヴェント「DRIVE TO 80's」を建築家の清水寛と企画する際、二人のプロジェクト・チームの名前をストリート・サバイバーとしていたそうで、前述した80年6月のオールナイト・ギグ「ストリート・サバイバル宣言」はおそらくそれに倣ったタイトルと思われるが、森田がストリートという言葉に託していたものも基本的には同じであると言っていいだろう。さらに言えば、80年後半のこの時期にはパンクを含めてニュー・ウェイヴというカテゴリーが音楽業界に一定の地位を占めるようになっていたことも無視できない。つまりパンクやニュー・ウェイヴを標榜するだけでは最早「異質な価値観」の表明にならなくなっていたのである。

また森田は自身が在籍していた法政大学では、市ケ谷キャンパスの学生会館で80年の春から音楽イヴェントを企画するロックス・オフの中心人物として活動しており、この学生会館もストリート・シーンにとって重要な場所の一つだった。

自主管理のスペース

今はもう存在しないその学生会館が竣工したのは73年8月。以来、管理運営の主体と方針を巡って、大学側の学生会館委員会と学生側の学生会館学生連盟理事会との間で数十回に及ぶ折衝が繰り返された後、74年1月に学生が暫定使用を開始してからは学生による自主管理で運営されることになり、映画、演劇、音楽のイヴェントを催す企画集団からなる学生連盟事業委員会が構成されていった。音楽イヴェントの出演者は当初、浅川マキや南正人といったそれまでのアングラ文化やヒッピー文化の流れを汲むミュージシャンが主だったが、そうした傾向を大きく変えたのが、音楽イヴェントの企画集団にロックス・オフという名前をつけた森田らだった。彼らの企画によるコンサートは80年が14本、81年が30本、そして82年は22本と前年より減ってはいるが、その中には西ドイツからニュー・ウェイヴ・バンドのDAF（Deutsch Amerikanische Freundschaft：独米友好同盟の意）を招聘するという意欲的なものもあった（この時の来日は中止になったが、彼らに強い思い入れを持つ電気グルーヴが2003年自分たちのイヴェントに呼ぶ形で初来日を実現させた）。森田が語る。

「79年に神大で「ELECTRIC CIRCUIT for 80's」をやって、法政の学園祭でオールナイトをやれたのは80年。学園祭であれだけのものができて、それをロックス・オフとして恒常的なものにできたのは、一番の転機だったと思いますね」

森田はさらに拡大ロックス・オフという方針を立て、法政の学生以外にも協力を求めていく。そうして森田らと関わるようになった顔ぶれの中にはじゃがたらのマネージャーである溝口洋もいた。

「当時、俺は法政の学館連中、特に森田と仲が良くて、拡大ロックス・オフの一員みたいな感じで、じゃがたらの他にもいろいろブッキングしてたんだ！」

この拡大ロックス・オフには他にもフールズと浅からぬ関わりを持つようになる人間が参加していた。後にインディペンデント・レーベルのバルコニー・レコードを設立して、そこでフールズのファースト・アルバムの配給を手掛けることになる守屋正である。守屋は伊藤耕や川田良と同じく1955年生まれで、高校卒業後は新左翼系の活動家として三里塚闘争に参加していたが、やがて自分自身の問題として挫折に直面することになったという。

「(78年の成田空港開港直前に起きた）管制塔占拠の前の年ぐらいに「このまま行くとやばい！ここで骨を埋めることは出来ないな……」ってびびりが入って、観念と実践が結びつかなくなった。組織の路線とかが悪いのではなくて、そういう路線でやっていくには自分の力量が足りないと。だから自分が負けたんだって評価ですよ。実践の途中で自分は敗北した。でもマルクスとかの言ってたことを否定したくはなくて、何か別の方法を模索できないかというのが、野に下ってからの考え方でした。

で、自分の一番好きなものはなにかと考えたら、それが音楽だった。パンク〜ニュー・ウェイヴっていうのが起こっていて、これはすごく面白いと！　そんなとき朝日新聞に『ロッカーズ』って映画の上映告知が載っていて、観に行ったら腰が抜けるくらいびっくりした。「すごいことが起こってる！　これはおちおちしてられないぞ」と。それから、まず御茶ノ水界隈の本屋に行って、そこで売ってるミニコミを片っ端から買って、面白そうなのがいくつかあったから直接連絡を取っていった。そういうところから「これは自分でやった方がいいな」と思って、80年に『ニューディスクレポート』っていう雑誌を作ったんです。

当時パンクのライヴができるのは渋谷の屋根裏と新宿のロフトだけで、しかも月に2回か3回しかできないっていう縛りがあった。その時にＤＩＹ（Do It Yourself）で行こうっていう動きを始めたやつらがいて、そいつらのやり方を真似して自分たちで会場探してきてコンサートを打とうっていう流れが出来ていった。吉祥寺のマイナーがそうだし、あとは早稲田のすぺーすＪＯＲＡ、（作曲家の）いずみたくが六本木に持っていた芝居のリハーサル小屋（アトリエフォンテーヌ。実際の公演にも使用された。２０１２年閉館）とか、そういうところを借りてライヴを企画したりしてました。

その頃に森田が接近してきた。それで法政との繋がりができて、学生会館を見に行ったら、ＰＡも揃ってるし、「これが自由に使えるんだったら！」って盛り上がって、「ストリート・シンジケート」構想のために拡大ロックス・オフというのを作らないかって話になったんです。ロックス・オフは法政の学生だけだったけど、俺みたいな（学外の）やつがいっぱいいるから、そういう人間を集めてグループを拡大しよう、と。学生のスタッフは結構な数がいるし、自主管理で運営してるから、目的意識も左翼的な思想を根底に持ってる。だから俺なんかにとってはすごく入りやすい場所でした」

こうした守屋の発言から分かることは、法政大学学生会館に内側から関わってきた森田勝のような存在にせよ、外側から関わるようになった守屋のような存在にせよ、いずれも「一般的な音楽シーンとそれを取り巻く日常的な制度とは全く異質な価値観のうえに」立って活動するミュージシャンのことを面白いと感じ、これを支援してきたということだろう。また、守屋が言うように、渋谷の屋根裏や新宿のロフトが実際にパンク系のバンドに対して「月に2回か3回しか」出演機会を与えないという「縛り」を設けていたかどうかはともかく、当時のライヴハウスがバンドの出演について何らかの制限や選別を行って当然と考える程度には「既成の音楽産業の中」に組み込まれている場所だったことは事実であり、一方、SEXやSYZEがよくライヴを行っていた吉祥寺のマイナーなどはあくまでも貸しスペースで、そこには出演について制限や選別は特になかったということだ（ちなみに早稲田のすぺーすJORAは「for ストリート・シンジケート」にも出演した5人の30代女性からなる異色のロック・バンド水玉消防団を輩出した場所として知られる）。そしてもちろん法政大学学生会館、通称法政学館が後者のような機能を果たすスペースとして運営されていったことは言うまでもないだろう。

ただ、そこでは大学構内の学生施設として自ら矛盾を招き寄せるような出来事が生じていたということも触れておいた方がよいかもしれない。ロックス・オフの企画によるコンサートは学生を主体とした文化事業であることから営利を目的とするものであってはならないという〝縛り〟があり、そのため来場者には企画へのカンパを募るという名目で入場料が取られていた（当時の情報誌のコンサート欄に法政学館でのイヴェントが掲載される際には入場料にカンパの文字が併記してあったことを記憶する読者もいるかもしれない）。カンパであるがゆえに他の会場に比べてかなり低額の入場料だったことは良心的ともいえるものだったが、あるとき学館でのコンサートをレコード化すなわち商品化するという話が持ち上がったのである。それが81年12月にリリースされ39年後の2020年7月にリイシューされたザ・スターリンのファースト・アルバム『trash』で、森田の強力な後押しにより81年10月31日に学館で行われたライヴの音源が収録されたというが、森田はこれについてのちに「実はかなりきわどい企画だった」と正直なところを語っている。

もっとも、そのようにリイシューがなされたということは、このアルバムが今は昔のエピソードとして安心して〝消費〟できるアイテムになったという証左であるのかもしれない。学館自体は2004年12月に解体されてしまい、今は影も形もなく、以後法政では学生が学内の施設を自主管理するという形態も失われたまま、現在に至っている。

シンジケートの内実

さて、「ELECTRIC CIRCUIT for ストリート・シンジケート」が行われた神奈川大学のキャンパスには、無残なまでに破壊された神奈川県警のパトカーが置かれていた。もちろんニセモノである。こうした反権力的なムードは当時の法政大学学館や京都大学の西部講堂（こちらは1937年に設立された武道場を1960年代後半から学生が自主管理しており、2020年代の現在も存続している）などにも漂うもので、またこの時期のストリート・シーンとも当然ながら親和性を持つものだった。守屋正が大学とストリート・シーンとの関係を語る。

「この手のコンサートはある程度、学生運動の伝統がないとできない。周辺からの苦情とかいろいろなものを大学当局と交渉できる力関係が存在していて、なおかつヒッピーやパンクスとの横の繋がりのあるところがなんとかやってきていた」

また神奈川大学の学生として「ELECTRIC CIRCUIT」を手伝ったりするうちに、既存の音楽業界へ進んだ者もいる。近年では結成50周年を迎えた頭脳警察のスタッフなどもやっていた高橋伸一は、大学とストリート・シーンとの間で以下のような体験をしてきた。

「大学に入って最初の頃は、ロック研に入って、知り合いのバンドがロフトで自主企画のコンサートをやるチケットをさばいたりしてました。森田さんがヘッドをやっていた白楽企画が、神大の学生と組んで、大学の講堂を借りて「ELECTRIC CIRCUIT」をやった時、手伝いとして駆り出されたんです。俺自身は「面白いことやろうぜ」って発想がそこにあってのっかったというか、パンク～ニュー・ウェイヴが出てきて勢いでやっちゃったみたいな。ノンポリというか、政治的なことがあったりしても、それが主ではなかった。ただ、大学の雰囲気は左っぽかったからね。学校から学祭のお金が出てたので、コンサートをやりたいがために黒ヘルかぶって集会に参加したりしてました（笑）。

森田さんは3つくらい年上で、「ストリート・シンジケート」構想を言い出して、俺が企画書を書かされたけど、ストリート・シンジケートは、組織として行動するのは下手だった。強制力も何もなく、好きな人が集まってるだけ。だから組織というより個人が繋がっていった感じでしたね。そういうところに『DOLL』の森脇（美貴夫）さんから話があって、俺は学生のままザ・スターリンのマネージャーを2年やったんです。

その後はイヴェンターの会社に入って、1988年から98年まではパワステ（NISSIN POWER STATION。いわゆるバンド・ブームの頃、新宿の日清食品本社ビルの地下にあった収容人数830人のライヴハウス）でブッキングをやってました。パワステは東京ドームがオープンしたのと同じ年に始まったんだよね」

世界が凍りついた後で

神奈川大学のキャンパスでさらしものになっていたニセパトカーは、元々は「ELECTRIC CIRCUIT for ストリート・シンジケート」より半年ほど前の5月25日に大学構内の学生食堂で行われた「PASS TOUR LAST NIGHT IN KANAGAWA UNIV.」のために用意された中古自動車だった。このイヴェントは79年に吉祥寺で発足し、80年にメジャーのトリオレコードと配給契約を結んだ自主制作レーベルのPASSから作品をリリースするフリクション、突然段ボール、ボーイズ・ボーイズ、グンジョーガクレヨン、Phewの5組が全国を回ったツアーの最終公演で、フリクションのファンならその時の彼らの演奏を収録したライヴ・アルバムが後年になって発表されたことを記憶する人もいるだろう。そして、そのアルバムはベースの音に反応して車のクラクションが鳴らされるというところから始まることを覚えている人もいるかもしれない（もっともこの場面は再発盤で削除されてしまったけれども）。まさしくそれがこの中古車のクラクションだった。そしてこの車は横浜で70年代初頭から自身のグループを率いて活動してきた吉野大作が、当時新たなバンドとして結成したばかりのプロスティテュートのライヴを行った最中に破壊された。吉野がその経緯を語る。

「PASSツアーの時にスタッフの方から「何か（パフォーマンスのようなものを）やってくださいよ」って言われたんです。それじゃあ車を壊そうっていうことで、知り合いの自動車メーカーに勤めている人から、「廃車寸前の車があるから会社から持っていきますよ」って提供してもらえることになった。直前になって「やっぱりやめましょうよ」って話も出たんだけど、「もう車を持ってきてるからやりましょう」ということで、学生食堂での演奏中に車を破壊した、と。でも実際にやってみると、なかなか壊れなくて苦労しました（笑）。

僕は話に乗っかっただけなので、後の処理は誰がどうしたのかわからない。神奈川県警とか車に書いたのは後でやったことでしょうね。その車をどこに保管していたのかも分からない。僕はすっかり誰かが処分したものと思い込んでいました。使い道もないし。

その頃の森田さんは僕らのマネージャーのような存在でした。バンの車を運転してツアーとか一緒に行って、仙台のＮＨＫラジオの放送収録をしたのを覚えています」

　吉野大作は１９５１年生まれ、群馬出身の彼が横浜国立大学に入学した頃は、学生運動の激しい時代だった。

「僕が大学に入った時はロックアウトの状態だったから、学生運動の最後の時代ですね。当時は横浜国立大学の学生寮にいたけど、そこにもいろんな活動をしてる人がいっぱいいたし、その時代だったらそういうことに関心を持たざるを得なくなる。その最終形態みたいなのが連合赤軍だった」

　前述したように吉野は70年代初頭から自身のグループを率いて活動し（ちなみに吉野大作というのはその時以来のステージ・ネームである）、73年と74年にはレコードの自主制作を行ってもいる。後年ＣＤで復刻されたそれらの楽曲を聴く限り、政治的な題材を直接的に扱ったものは見当たらないが、79年に〝吉野大作と後退青年〟の名義で発表した自主制作シングル「ＭＩＣＨＩＫＯ」は天皇制に対するアイロニカルな心情を仄めかすものだった。

　そして80年にプロスティテュートを結成して間もなく自主制作した4曲入りのＥＰ「DAISUCK & PROSTITUTE」には、その新バンドの名前が当時イギリスで最も政治的なバンドとして知られたザ・ポップ・グループの最もラジカルな楽曲「We Are All Prostitutes」から採られたのであろうことをうかがわせるように、政治的な題材すなわち連合赤軍事件をモチーフとした楽曲「M.U.R.A.」が収録された。My United Red Armyのイニシャル4文字からなるその曲は、骨太なビートにノイジーなギターとサックスが荒々しく絡むハードで即興性の強いサウンドをバックに、日本語のイントネーションから逸脱したパンキッシュなヴォーカルでリフレインされる「世界が凍りついた　ナインティーン・セヴンティ・トゥー」というフレーズがひときわ印象的で、吉野が連合赤軍事件から受けた衝撃を物語っている（ちなみにこの曲は彼らが81年に発表したファースト・アルバム『死ぬまで踊りつづけて』で再演されている）。

「80年代までは反権力というキーワードが当然基盤にあるじゃないですか。友部正人さんの「乾杯」っていう歌があるけど（73年のアルバム『にんじん』に収録）、連合赤軍のことを直接歌っているのは、友部さんのそれと僕の「M.U.R.A.」くらいじゃないかな。歌詞は前からあったんですけど、曲を後から書き直してああいうふうになったんです。僕自身は「挫折している人たちがいる」とオブザーヴしてる感じで書いたんだけど、気分は共有している。時代の空虚感というか、何か成し遂げられなかった感じ。人間が理想を求めるんだけど、それがどっかで崩壊してしまう。そこからどう生きていくか、それを考えていくしかない。そういう、時代への問いかけというか、いまだに僕自身も答えを探し続けている感じですね……」

よこの会とその仲間たち

「保坂展人って知ってる？　俺、あいつと同級生なんだよ」

吉野大作は当時、「ELECTRIC CIRCUIT for ストリート・シンジケート」でも共演した午前四時の川田良から、そんなふうに話しかけられたことがあったという。

衆議院議員を経て２０１１年から世田谷区長を務めている政治家の保坂展人は、かつていわゆる内申書裁判と呼ばれる行政訴訟を起こし、広く名前を知られることになった人物である。１９５５年仙台で生まれ、小学生の時に父親の転勤により東京へ来て68年麴町中学校へ入学。そこで3年生だった70年に「麴町中全共闘」を結成するが、そのことを内申書に「政治活動にかかわった」と書かれ、受験した全日制の高校全てが不合格となってしまう。保坂はこれに対し「内申書に思想に関連する行動を否定的に評価・記載されたことで学習権が侵害された」とする損害賠償を求めて72年に提訴し、内申書裁判の原告となった。その保坂が進学した新宿高校の定時制で同級生になったのが、東京に出てきて間もない時期の川田良だったのである。

内申書裁判は79年3月、東京地方裁判所の一審では勝訴。80年にはそこまでのプロセスを描いた作家・小中陽太郎による『小説 内申書裁判』も刊行されており、当時の保坂は反体制の若き旗手といった触れ込みでメディアに取り上げられる機会も多かった。しかし、最終的には88年7月に最高裁が保坂の上告を棄却し、敗訴に終わっている。

一方で保坂は76年から学校批判、反管理教育の運動体として青生舎というフリー・スペースを運営。良は午前四時をやっていた時にそこを訪れ、かつてのクラスメートとの再会を果たしている。良からその午前四時というバンド名を聞いた保坂は、「不健康な名前だな」と応じたという。

そんな良と保坂が新宿高校の定時制で共に過ごしたのは72年。繰り返すまでもなく、連合赤軍事件が社会を震撼させた年だ。二人が親しくなるきっかけは、その年の11月に構内で行われたハンガー・ストライキだった。一学年下の沖縄出身の女子生徒が9月に踏切で飛び込み自殺したという出来事を受けて、26歳の生徒が「これ以上仲間を殺すな!」というスローガンを掲げ、校庭にテントを張ってハンストに突入したのである。

このスローガンは、同じ高校の仲間が自殺したにもかかわらず平然と授業やテストを受けている生徒たちへの問題提起であるとともに、連合赤軍による浅間山荘事件後に発覚した仲間同士でのリンチ殺人事件によってもたらされた衝撃に対する意思表明でもあった。ハンストを支援する生徒たちはすぐさま校庭に掘っ建て小屋を作り、有志による泊まり込みが始まった。学校は当初「何を要求しているのかわからない」と戸惑いを見せつつも、数年前の全共闘のように学校の体制を糾弾するスタイルの闘争ではないことを理解すると、事態を黙認した。

ハンストそのものは1週間ほどでドクター・ストップがかかり中止されたが、以後も掘っ建て小屋に泊まり込んで議論に明け暮れる生徒たちがいて、その中には良の姿もあった。学校の協力を得て授業を止めてのクラス討論、学年討論、さらには全校討論や全日制の生徒も巻き込んでの対話集会まで行われ、掘っ建て小屋はそうした活動の拠点的な空間となっていった。

活動の中心を担った生徒たちは、小屋の中での議論から生まれた「縦社会の序列に対して横の繋がりを作ろう」という意図と70年11月の三島由紀夫の自決で注目を集めた楯の会をもじって、自らを〝よこの会〟と名乗っていた。命名したのは3月に内申書裁判の提訴を行っていた保坂だった。ただ、その活動は、学校に対して具体的な獲得目標を設定したものではなく、この時期の社会的な状況への複雑な想いを抱く者同士が語り合うというのが実情だったため、当事者の意識が弱くなれば、直ちに行き詰まってしまう。結局掘っ建て小屋は、ハンストの始まりから約2ヵ月後その存在がマンネリ化する前に、よこの会自らの手で解体されることになった。小屋の柱や板を火にくべてキャンプファイヤーを行ったところ、新宿消防署から保坂が叱責されるというオチもついたが、その後も〝よこの会〟の顔ぶれは、良を含めて保坂の下宿で、60年代後半からの政治的高揚が、内ゲバや総括という名の仲間殺しの影響によって一気に退潮してしまったなかで、どこに展望を見出せばよいのかという議論を続けたという。

短くも濃密な時間を共にした若かりし日の良のことを、保坂が述懐する。

「ひと回りぐらい年上なのではないかと思うほどふてぶてしい顔つきでしたが、話してみると実は人懐っこかった。普段は寡黙で、彼から何かを提案するようなことはなかったと思いますが、ペラペラ喋るのではなくしっかり考えている感じで、いざ話すとなると言うことは理路整然としていました」

挫折という体験をめぐって

80年に良と再会した時の保坂は、沖縄出身のシンガー・喜納昌吉のコンサートを柱とするイヴェントの企画を精力的に行っていた。「ハイサイおじさん」や「花」などの曲で知られ、後に参議院議員になったこともある喜納は、沖縄の本土復帰直前の72年1月に麻薬不法所持の容疑で逮捕され、本土復帰当日の5月15日を刑務所で迎えている。日本政府下の刑事告訴第1号として、実刑1年半という、アメリカ施政権下の頃の判例に比べて非常に厳しい判決だったとされる。

喜納の服役中、彼が中学生の時に作ったという「ハイサイおじさん」が沖縄では大ヒットしていた。この曲を最初に本土に紹介したのは当時アーシーなロック・バンド夕焼け楽団を率いながら沖縄音楽にも強い関心を抱いていた久保田麻琴で、75年発表の『ハワイ・チャンプルー』にカヴァーを収録した。76年には大阪のラジオ・パーソナリティによる「ハイサイおじさん」のカヴァー・シングルが発売されるなどして話題が高まり、77年喜納昌吉&チャンプルーズとして全国デビューを果たす。

ところが、メッセージ色を強く打ち出した彼の言動に難色を示した所属事務所と決裂。すると79年には横浜の日雇い労働者の街である寿町を訪れ職安前広場で歌い、これをきっかけにその後夏の恒例イヴェントとなっていく「寿町フリーコンサート」にも出演するなど（80年と81年。なお、83年と84年にはフールズが出ている）、既存の音楽業界とは異なる場所での活動を展開していった。80年2月22日には、リザード、白竜、パンタ&HALと共に日比谷公会堂で「アジアの鼓動」と銘打ったイヴェントを行うなど、東京のストリート・シーンとリンクする動きもあった。

ちなみに喜納昌吉&チャンプルーズが77年12月10日に中野サンプラザで行った東京での初めてのコンサートは、アンコールを求める声がいつまでもやまないほどの盛り上がりを見せたというエピソードが伝えられるが、喜納は自身のホームページに「体中に『マイナス』のエネルギーの傷を受け一度死にそうになった。あそこに集まった人は、挫折したりドロップアウトした人達だったように思います。60年・70年安保が挫折した時代で、ヒッピーや革命家、カウンター・カルチャーの人達が、方向性を失った時期だった。その時彼らの思いが委託されたような感じがしました」という当時の感想を掲載している。これなどは先に引いた地引雄一の発言にある、挫折感を抱えた人々がパンク・ロックのような既成の音楽産業の外側にあるものに期待を込めてリンクしていったことを、その負の側面を含めて見ていた事例のひとつと言えるかもしれない。

ここまでに触れてきた人々の生年をあらためて確認すると、喜納昌吉は1948年、地引雄一は1949年、吉野大作は1951年であるのに対し、伊藤耕、川田良、守屋正、保坂展人は1955年。あとになってみればそれほど大きな違いには感じられないかもしれないが、1972年を何歳で迎えたかという観点で考えると、そこからは挫折という体験をめぐっての小さな、しかしまた決定的な差異が浮かび上がってくるようにも思われる。

新宿高校の掘っ建て小屋にこもった時の良は17歳。その若さゆえに鮮烈な記憶を残すものとして体験された出来事を、吉野大作&プロスティテュートの「M.U.R.A.」によって想起され、だからこそ誰よりもまず吉野にそのことを伝えたいと思ったのではないだろうか。

6　両雄並び立つ

メンバー全員ぶっ飛んで

結成直後のフールズのステージは、前述したサミー前田の証言にもあるように多分に未完成なものだったが、それでもリハーサルとライヴを繰り返すうち、徐々に態勢を整えていった。伊藤耕が語る。

「最初、練習するにも金がなくてね。中野と高円寺の間にあるスタジオを使ってたんだけど、そこは〝お姉さん〟って感じの人がやってて、待ってる間にお茶請けとかが出てくるんだ。本当にすごく安かった！　都内で一番安いスタジオだったんじゃないかな。そこですらお金を払えずに「逃げろ！」って時があって、「待ちなさい！」って追っかけられたりした。それでも後から「あの時はすいませんでした」って言って、また使わせてもらったりしてたんだから、信じられないくらいおおらかだよね。今だったら警察に突き出されちゃう。それからトラッシュっていう新宿の地下にあるディスコにもコネがあって、タダで練習してた。だって練習しなきゃ上手くならないじゃない？」

耕はステージ上での身のこなし方も重要と考え、青木と連れ立って踊る機会を作っていた。

「青ちゃんが「ミュージシャンは遊ばなくちゃダメだ」って言って、夜はダンスの練習！　青山のキラー通りで店をやってたサディって人が、「夜はここで遊べ、ロック・バンドは部屋にこもっていたらダメだ」って言ってくれてね。サディは東大の哲学科で学生運動をやって、成田闘争にも絡んでた人で、そこには青ちゃんの知り合いの店の女の子たちが流れてきてた。かっこいい溜まり場だったね」

この時期のフールズのライヴの様子は、カズの監修により２０１５年にリリースされた発掘音源集

『On The Eve Of The Weed War』で確認することができる。その中でもっとも古い1981年4月8日、新宿ロフトのステージは、耕、青木、カズ、佐瀬浩平というラインナップで、84年のファースト・アルバム『Weed War』に収録されるナンバーが原型的な状態で演奏されていることが分かる。

そして半年後の11月3日、千葉大学のライヴからはセカンド・ギタリストとしてクリこと栗原正明がバンドに加わっている。当時クリは青木の家に居候していたそうで、メンバーの間では日常的にもかなり濃い付き合いがあったようだ。

「フールズに誘われた時は気楽な感じで受けた。「ふ〜ん、いいよ!」みたいな。音を厚くするために呼ばれたんだと思う。だからあんまりソロは弾かなかった。バンドで鎌倉へ海水浴に行った時に「これ、楽じゃん」みたいな感じで、みんなで海水パンツを脱いじゃったことがある。昔のヒッピーみたいに太陽の下で素っ裸! そうしたら海岸にはものすごい数の人がいたのに、俺たちの周り20メートルくらいだけ誰もいなくなっちゃった(笑)。メンバー全員……いや、青ちゃんだけは海パン脱がないで、サングラスかけてたな。彼は骨っぽい男だったし、それにすごいシャイだったから」

こうした振る舞いは当然のようにステージにも持ち込まれたらしい。すると、たとえばかつてのじゃがたらのように、バンドに対して音楽ではなく珍奇なパフォーマンスを期待する雰囲気が生じてくることは避けられない。クリが回想を続ける。

「メンバー全員ステージでぶっ飛んでた時もあった。青ちゃんはグラサンかけて関係ないとこ見てるし、佐瀬は酔っ払ったセイウチみたいにグラグラしてるし、耕はヒラヒラ踊ってるしで。僕もあるときあんまりキマりすぎて、ギターが弾けなくなっちゃったことがある。ギターの弦がゴムみたいにビヨ〜ンと伸びるのをただ見ているのね。どんな音が鳴ってるのか、感覚が麻痺しちゃって分からなかった。観てる方からしたら、「ぶっ飛んでる人間が何をやらかすか?」って感じだったと思うよ。ああいうのって人を呼んじゃうんだよね。一度ステージに（観客が）20人くらい乗っちゃって、もう訳が分からなくなって、「あんた誰?」みたいな（笑）。音楽じゃなくて、フールズが何かやらかすんじゃないかってみんなが楽しみにしてる感じ。ただ、耕がそういうことに怒っちゃって、ロフトだったと思うけど、「俺たちは見世物じゃないんだから、やらねえよ!」って言って金返して、ライヴをやらなかったことがある。

Pファンクの要素を取り入れたりしたのは、カズのおかげだね。カズはやっぱりベーシストで、ベースとドラムでリズムを作ってく。僕はギターがメインのロックをずっと聴いてきてたから、リズムのかっこよさみたいなのにはその頃はまだ気づいてなかった。

僕がいた頃に一度レコーディングしようって話になって、千葉のヤマハで録音したんだけど、ノリが悪くって。耕が「やめだやめだ」って言って、結局やめちゃってる。カズの調子が良かったときは「MR. FREEDOM」とかの曲ができてきたけど、でも、僕はそういうダンス・ナンバーをやったことがなかったから、だんだんついていけなくなったんだよね」

81年7月25日屋根裏のライヴを告知するフライヤーには、「理由（わけ）なんかないさ」の「17inch（ママ） EP」が「8月リリース予定」と書かれており、中止になったレコーディングはそのためのものだったと思われる。リリース元は財団法人じゃがたらのマネージャーだった溝口洋が江戸アケミと共に立ち上げ、じゃがたらのシングル「LAST TANGO IN JUKU / Hey Say!!」をレーベル第1弾として発表した自主制作レーベルのアグリー・オーファンで、フールズのシングルはその第2弾として計画されていたことがわかる。

ジャングルズ登場

このように初期のフールズは、徐々にファンキーな要素を強めてはいたが、まだ全体的な方向性が定まるというほどではなかったようだ。一方では、特に耕がステージに上がる前から奔放な振る舞いを見せてはトラブルの種を蒔いていたという。

たとえば、81年5月13、14日に新宿ロフトで行われた「ノンセクションヘルパーク・ジョイントLIVE」というイヴェントは、フールズが初日はシャンソン歌手、2日目はブルースのミュージシャンと競演するという趣向のものだった。ところがシャンソン歌手は出演せず、そのことがライヴの様子を見に来たオーナーの逆鱗に触れてしまい、以後しばらくの間出演禁止になってしまったという。この時客席にいたサミー前田が回想する。

「マネージャーのシゲさんが「耕が風呂から戻って来ない」とか言ってて、何も起こらないのをただ待ってたんですよ。やっと9時頃に耕が現れて40分くらい演奏して終わるという……。まあ、普通に考えるとめちゃくちゃですよね。だけど、その頃はもう曲も揃ってきてライヴは感動的によかった。ルーツ・ミュージックというか日本語のロックンロールをやってる。ポスト・ニュー・ウェイヴを狙ってるような連中とは別の次元というか、そういう世間とは関係無いところでの風格がありました」

また、こうして蒔かれたトラブルの種から新たな出会いが生まれるということもあった。SYZEで耕と活動を共にしていたギターの良とドラムのマーチンが、フールズのライヴの現場に顔を出していた時のこと。例によってフールズの演奏がなかなか始まらなかったため、良が楽屋にあったフライングVを持ち出し、マーチンがドラムの前に座り、ゲリラ的に演奏を始めたところに、飛び入りをした観客がいた。それがＮＯＢＵだったのである。

「「フールズが始めないんだったら俺らがやっちゃうよ」みたいな感じで、良とマーチンが演奏してたんだけど、途中でマーチンが前に出てきて「誰か歌う奴いないのか？」って言うんで、俺は「やってやろうじゃないか」って出ていった。で、歌ってる最中に「お、フールズ来たぞ」「じゃあ終わりね」ってことになったんだけど、それが多分、俺と良がいっしょに音を出した本当の最初だね」

良がギタリストとして在籍していた午前四時は、80年の大晦日に新宿ＡＣＢで行われたオールナイト・イヴェント「TOKYO LAST」への出演を最後に解散し、良は午前四時のベーシスト井手裕行とジャングルズを結成。81年の夏には雑誌『ＤＯＬＬ』が主宰する自主制作レーベルのシティロッカーから3曲入りＥＰ「BREAK BOTTLE/COUNTRIES/JUNGLE BEAT」を、リザードのモモヨのサウンド・コーディネイトによりリリースしている。ジャングルズはインスト中心のスリー・ピース・バンドとして始まり、良のソリッドなギター・ワークはライヴハウス界隈で次第に評判を呼ぶようになった。江戸アケミも良には一目置いていたという。81年11月22日深夜、ジャングルズ、じゃがたら、そしてフールズが出演した法政大学のオールナイト・コンサートにはＮＯＢＵも居合わせていた。

「じゃがたらのライヴでは客が飛び入りするのをアケミが許容してくれてたので、「あわよくばじゃがたらで暴れよう」みたいなつもりで、法政学館でフールズとじゃがたらとジャングルズが出た時に俺も遊びに行った。そうしたら良が俺のことを見つけてくれて、「俺はジャングルズってバンドをやったりしてるんだけど、ヴォーカリストがいた方がいいって思って、お前のことを探してたんだよ」って言われて。「じゃもう今日やろう！」って俺が言ったら、良から「ちょっと待てよ、それは早いよ」って言われたんだけど、結局ジャングルズのステージの後半に何曲か飛び入りした」

NOBUが参加した法政大学でのライヴは、2008年にリリースされたジャングルズの2枚組『LIVE BOOTLEG』で聴くことができる。その後NOBUが正式にジャングルズに加入すると、彼も良も70年代のマイルス・デイヴィス、いわゆるエレクトリック・マイルスのアルバムが好きだったことから、バンドはジャズ・ロック寄りのサウンドを打ち出し、NOBUはヴォーカルとトランペットを担当することになった。

「ジャングルズに入った俺が『何か楽器をやろうと思ってるんだ』って良に相談したら、『お前はトランペットだよ』って言われた。俺は中学の頃トランペットを持ってたことがあったんだけど、途中で手放しちゃって、それっきりになってたんで、『実は昔やってたんだよ』って言ったら、『ほら！だろ？』って、自分が言ったことの偶然性を面白がってた。それで一緒にトランペットを買いに行ったんだ。良はあの頃飯田橋に住んでたから、御茶ノ水とか水道橋とかの楽器屋に行って見てみたんだけど、高くて手が出ない。でも質屋で見たら1万5000円のラッパがあって、『まあ手始めにはいいんじゃねぇ？』っていうような感じで、それを買ったんですね。で、早速ジャングルズのライヴで、良に聴かせてもらったマイルスのワウワウ使ったトランペットの吹き方で色々試行錯誤しながらやったりしてた。とりあえず音は鳴ったから、ピッチさえ合えば音楽に加わることはできた。良は『時間かけてもいいから練習した方がいいよ』って言ってくれた。彼には教師のような側面があって、別にトランペットのことは知らないし、ギターだってアカデミックなことは知らなかったけれども、練習することだったり基本がどれだけ重要かっていうことは結構言ってくれたね」

NOBUはジャングルズで活動していくうちに、川田良と伊藤耕が以前一緒にバンドをやっていたことを知る。だが当時のNOBUの目には、耕に対する良の態度は、妙によそよそしいものに映っていたという。
「その頃はフールズとジャングルズとじゃがたらっていうのは年がら年中一緒にいた。俺も伊藤耕っていうすげー奴がいることは、大駱駝館の時に知ってるわけですよね。俺は「良と耕のコンビ、いいんじゃない?」って良に言ったことがある。そうすると良から「なんでお前がそんなことを言うんだ。お前とやってるんじゃないか」って言われたこともあったかな。俺の印象としては、ジャングルズをやっている頃の良は、SYZEで一緒にやっていた耕と別れたばかりだったから、あえて顔をそむけていたんでしょう」

アグリー・オーファンの奮闘

このようにジャングルズ、じゃがたら、フールズの3バンドは互いに近接したところで活動していたが、その中で、スキャンダラスな路線から音楽で勝負することに方針を改めたじゃがたらが新たな展開を見せるようになっていく。きっかけは81年8月、ジュネのバンドなどに在籍していたギタリストのOTOこと村田尚紀の加入だった。

そこからの彼らは、バンド名の冠を〝財団法人〟から〝暗黒大陸〟に変更、音楽的には(当時まだ日本ではそれほど知られていなかった)ナイジェリアのカリスマ的ミュージシャン、フェラ・クティが編み出したアフロビートの導入を図り、82年2月からレコーディングを開始したファースト・アルバムにその成果を結実させる。それが5月、アグリー・オーファンからリリースされた『南蛮渡来』であった。

このアルバムは『ミュージック・マガジン』編集長の中村とうようや『ロッキング・オン』編集長

の渋谷陽一から高く評価され、渋谷は自身がＤＪを務めるＮＨＫ－ＦＭの音楽番組「サウンドストリート」に、江戸アケミをゲストとして招いたりもした。ちなみにアルバムのラストを飾る「クニナマシエ」には、ジャングルズがコーラスでクレジットされている。

ジャングルズも82年6月にアグリー・オーファンからシングル「Hey! Child / 21Century Arabian Night」をリリースしているが、それから間も無く活動を休止してしまう。当時井手に代わってベースを弾いていたのは良のパートナーであるＡＭＩだったが、彼女が産休のため、演奏を続けることが困難になってしまったのだ。ＡＭＩが回想する。

「良は人と人を会わせるのが好きで、うちにみんなを呼んでしょっちゅう宴会をしていたけれど、子どもの頃にお誕生会とかクリスマスとか、そういうことをしてもらえなかったんじゃないかな。マイルスとかは良から教わった。

でも困った時は謝ったり泣いたりして大変だった。「別れたい」と言うとバールで暴れたりするし。当時は「私がいないと困る」と言われたら、こっちもそうなんだと思っちゃったけど、今で言ったらＤＶ男だよね。

結婚式は１９８２年12月12日。入籍は10月8日、これは自分の誕生日なんだけど、「これでお前は離婚しても自分の誕生日のたびに俺を思い出すんだ」って言うの。バカじゃねえの？　って思うけど、小さい頃にお母さんに折檻されて女を憎んでる部分があった。そういう意味ではかわいそうだよね。そして同志社大学のライヴを最後にジャングルズは動かなくなった」

またこの時期はＮＯＢＵにも子どもができて生活を見直さなければならなくなったことが大きかったという。

「あの時はまだ二十歳にもなってなかったんですよね。子どもが生まれた時には二十歳になってたけど。自分の気持ちの中でも、子どもが生まれてくるということに対応できるのかとか、いろいろ迷ってたから、全力でバンドをやっていられる感じではちょっとなかった。そんな中でフールズはガンガン勢いを増してった。やっぱり良もそれにワクワクしてたところがあったし、かつての仲間だった耕のやってるフールズにものすごく魅力を感じていて、「ちょっと手伝ってもいいか？」みたいな話になった。もちろん「いいんじゃないか」って答えましたよ。「ジャングルズを解散する」っていうようなことは、はっきりとは言わなかった。ただ、もう良はフールズに一所懸命だっていうことと、AMIができないっていうのがあったので、俺も音楽からちょっと離れようという感じ。ジャングルズが活動しなくなって以降の俺は、ほとんどマイクの前に立たなかった」

NOBUが音楽活動を再開するのは1990年、江戸アケミ追悼コンサートへの出演を機に結成された新バンドによってである。一方、川田良は吸い寄せられるようにフールズ、伊藤耕のところへと向かっていくのだが、その件については後述する。

伝説のギタリストとともに

この頃、溝口がフールズのマネージャーに就いた。いきさつを溝口が語る。

「ガレンっていうヒッピーの画家と耕と佐瀬と俺の4人で、フールズ号って名前のボロボロの車で「俺らはWeed Armyだ！」みたいな感じで、大麻を刈り取りに北海道に行ったんだよ。川でその車が沈みかけたりしたな。重機みたいのを見つけて引っ張ってもらって、間一髪で水没せずに済んだんだけどね。あの旅行ではある種のロックの化学反応みたいなのを体験した感じがあって、フールズに深入りするきっかけになった気がするな」

溝口は耕や良より4歳年下だったが、押しの強い性格もあり、良などは最初溝口が年上だと勘違いして敬語で話していたという。耕が語る。

「溝口は山師的なところがあって、でもそういう人ってなかなかいないじゃん。最初から(セックス・ピストルズのマネージャーだった)マルコム・マクラレンを目指してたんだよ」

ただしこれは溝口によれば、耕と出会ったばかりの頃に「日本のマルコム(・マクラレン)になってくれ!」と耕から言われたのが始まりだったそうだ。とはいえ溝口も「ロックは社会性がないと面白くない、意味がない」というポリシーを持っていて、じゃがたらの知名度を上げるために『週刊プレイボーイ』や「独占!おとなの時間」(テレビ東京が前社名の東京12チャンネルだった81年9月まで放送していた土曜深夜の情報バラエティ番組)などといったところに露出させようとしていたこともあったという。

溝口をマネージャーに迎えたフールズが出演した、82年11月22日法政大学学生会館でのオールナイト・コンサートは、後々まで語り草となっている。山口冨士夫とのセッションが実現したのだ。

山口冨士夫はヴォーカルの瀬川洋をリーダーとする5人組ダイナマイツのギタリストとして登場する(ちなみに溝口の前のフールズのマネージャーだったシゲこと瀬川成子は瀬川洋のパートナーである。もちろんそれはずっとあとになってからの話だ)。モンスターズのグループ名で米軍キャンプやジャズ喫茶などを回るなか注目され、67年11月ダイナマイツに改名して日本ビクターからデビュー。5枚のシングルと1枚のアルバムを残して69年末に解散するが、当時のグループサウンズの中では実力派として一目置かれ、後年いわゆるガレージ・パンクの文脈で再評価されることになるのはよく知られるところだ。

ただし80年代前半、彼らのレコードはすべて廃盤で、当時その音楽を聴くことのできる機会は極めて少なかった。

そして70年、冨士夫が知人の青木真一、京都出身でアメリカ帰りのチャー坊こと柴田和志らと前身バンドを経て結成した村八分は、その突き抜けた存在感からそれまでの日本にはない本物のロックの感性を持ったバンドとして評判を呼び、また京都を中心に活動していることで東京のマスコミにはなかなか実態が伝わらないことも相まって、さまざまな噂とともに語られる存在となる。しかし、そんな彼らも73年にライヴ・アルバムをレコーディングしたのち冨士夫が脱退して活動を休止。3年後にはアルバム発売元のエレックレコードが倒産し、同作は希少盤と化した。

その後冨士夫は東京に戻り、ソロ・アルバムを制作したり（74年エレックレコードから発売。同社の倒産とともに廃盤）、元ゴールデン・カップスのベーシスト、ルイズルイス加部とリゾートというバンドを結成したり、79年には活動を再開した村八分に一瞬関わったりといった紆余曲折を経て、80年にはその村八分とは浅からぬ因縁を持つ裸のラリーズに加入する。60年代後半から活動しながらほとんどレコードを出していないこのバンドの音楽に接するにはライヴの場に足を運ぶ以外に術がなく、彼らもまた伝説のバンドという扱いがなされていた。そこに冨士夫が加わったことは、だからちょっとした事件でもあったが、渋谷の屋根裏、神奈川大学、法政学館での都合7回のライヴでギターを弾いたのち、81年春には脱退してしまう。それからの1年半、人前に現れるということはなかった。

ようするに山口冨士夫という存在がまさしく伝説だったのである。片やフールズは、その山口冨士夫と村八分で活動を共にした青木真一をギタリストに擁し、冨士夫のソロ・アルバム『ひまつぶし』に収められた「誰かおいらに」をレパートリーにしていた。言うなれば彼らは山口冨士夫という伝説を迎え入れるのにどのバンドよりもふさわしい存在だったのである。それだけに、この両者の共演が情報誌などで告知されると、ストリート・シーンに関心を寄せる人間たちは敏感に反応した。ただ、そうした告知は冨士夫本人の承諾なしになされたもので、いかにも溝口らしいやり方にも見えるが、実際は少し違ったようだ。溝口が言う。

「あの頃、俺は西麻布に住んでたんだけど、冨士夫が遊びに来たりするっていう関係性があった。それで『フールズと一緒にやるんじゃないかな?』って法政の学生に言ったんだ。そうしたら、やつらが告知したんだよ」

この時、冨士夫が身を寄せていた鎌倉の知人、トシこと粕谷利昭は事態を知ると、冨士夫に「怒りに行こうよ!」とけしかけ、「じゃあトシはマネージメントの役をしてくれ」ということになり、法政大学学生会館へ殴り込みに行った……はずだったが、いざ着いてみるとどうも勝手が違った。

受付に行くと、その場にいた学生から「山口冨士夫さんですね、お待ちしておりました!」という言葉で迎えられ(と、山口冨士夫の語りおろしによるバイオグラフィ『So What』には書かれているが、この「学生」というのが実はサミー前田のことで、彼が『山口冨士夫　天国のひまつぶし』に語った証言によれば、多少ニュアンスの違いがある)、楽屋に向かうと、形ばかりのチューニングをしている青木の姿が目に入る。実は冨士夫は以前高円寺界隈に出向いた時、この青木を介してフールズのメンバーとは面識ができていたのだ。とはいえ彼らもこの時は何やら神妙な面持ちをしていたのだが、そんな中でただひとり陽気な笑い声を上げている男がいる。もちろんそれは耕だった。

急転直下の一件落着と言っていいのだろう。乗り込んだ時の激しい剣幕はどこへやら、そばにいたトシが「文句言わないの?」と言うのを制して、冨士夫は「いいんだよ、やろうやろう」と破顔一笑した。すると、このオールナイト・コンサートの出演者であるじゃがたらの江戸アケミが、冨士夫のそばに寄って来て、ステージで使うようにと赤いギターを差し出したという。

　こうしてフールズ＋山口冨士夫のライヴは、無事行われることとなった。この時彼らが演奏したのはすべてフールズのオリジナル・ナンバーで、アレンジは異なるが「つくり話」「GIVE ME 'CHANCE'」「空を見上げて」「わけなんかないさ」「MR. FREEDOM」などファースト・アルバム『Weed War』に収録される主要な楽曲と、また「COME ON BOOGIE」「まるで宝物のように」などセカンド・アルバム『憎まれっ子世に憚る』に収録されることになる楽曲も披露している。

　ぶっつけ本番でステージに上がった〝伝説のギタリスト〟にカズがコードを伝えるのを受けて、冨士夫は久々のライヴに没頭していく。その姿は1年半以上音楽活動を休止していたとは思えない迫力で、立ち会っていたトシも文字通り仰天したという。

「多分俺が見たミュージシャンの中で誰が一番かと言ったら、あの時の冨士夫！「みんなそういうこと言うんだぜ」って冨士夫は言うけどね。でも、フールズはそれよりもっと凄かった！耕と俺は同い年で、耕とカズのサウンドが、僕らの通ってきた道だった。昭和30年生まれの耕とか俺たちは、いろんなものを聴くわけ。ロックも聴けば歌謡曲も聴いて、いろんな音を自分の中に吸収してきた。で、そうした音楽がフールズの中には全部あった。ようするにカズがファンク、耕がいろんなパフォーマンス。こんなかっこいいことがあれば俺もやりたいなっていうのをやってるのがフールズだった」

　伊藤耕を始めフールズのメンバーと山口冨士夫がこの共演をきっかけに交流を重ねるようになっていく経緯については後述する。ちなみに、2016年のフールズのアルバム『REBEL MUSIC』のジャケットを飾るヴォーカリスト伊藤耕の顔面アップの写真を撮った福田真によると、この共演の直後冨士夫が耕を連れて福田の自宅を訪れたことがあったという。福田が語る。

「耕とは82年からの付き合い。初めて来た時は、なんか表でトランペットの音がしてうるせえなと思って見てみたら、下手くそなトランペットを吹きながら歩いて来るやつがいて、それが耕だった。第一印象？　ただのバカですよ（笑）。一言で言うと大バカ者でひどいやつなんだけど、優しいんだよね。その優しさに触れるとみんな彼のことを許しちゃう。あれは耕のワザなんだよ（笑）」

SEX、SYZEの継承

そして川田良がフールズに加入するのは、ちょうどこのセッションが行われた時期のことだった。10月29日、東京・芝のABCホールで『ロッキング・オン』の主催によるコンサートが開かれた。出演バンドはじゃがたら、フリクションを脱退したツネマツマサトシ（現・恒松正敏）がギターとヴォーカルを務める3人組のE・D・P・S、そしてジャングルズである。ジャングルズへの出演依頼は良のギターに惚れ込んでいた渋谷陽一からなされたものだったが、良は当日になってジャングルズのドラマーの中村清と共にフールズのライヴに参加するという形にしてしまった。ちなみに、この時マネージャーの溝口は佐瀬と一緒に行っていた北海道旅行からの帰りが遅れてコンサートには間に合わず、終演後に渋谷から「違うバンドじゃないか」と文句を言われたという。AMIが語る。

「ジャングルズは渋谷陽一とかから評価されていていろんな仕事があったんだけど、良はそれをフールズに回して、自分がフールズに入っちゃった。でもジャングルズを呼んだ人からしたら、それは話が違うと思うよね」

良は5日後の11月3日、千葉大学でのフールズのライヴにも参加しており、2012年リイシューの『Weed War』初回盤限定ボーナス・ディスクに収録されたこのステージの音源では、観客が「ジャングルズの川田良だ！」とざわついている様子を確認することができる。また『On The Eve Of The Weed War』のＤＶＤには、12月18日、目黒のライヴハウス鹿鳴館で青木と良の二人がギターを弾いたステージの映像が収録されている。

こうしてＳＥＸ、ＳＹＺＥのいわば両輪であった耕のヴォーカルと良のギターという組み合わせは、フールズにも継承されることとなった。その良と入れ替わるようにバンドを脱退したクリが語る。

「良は八丈島から出て来て勝負するみたいな迫力があった。耕とやりたいと思ったら、相手を血だるまにしようがなんだろうが、絶対にやるからね。耕もそれをわかっていた。僕はどちらかというとお気楽な方だから、全くタイプが違う。

僕は前にクロコダイルのライヴでビロ〜ンとなっちゃった時に、「ダメだ！　俺は何やってるんだ？」と思っちゃってさ。迷ってたんだよね。あの頃は内装の仕事をしてたんだけど、新宿のディスクユニオンの入り口の扉か何かの工事で行ってたら、ちょうど冨士夫が「おう、クリ！」って顔を出したんだよ。それで「クリってバンドやってる時より、仕事してる時の方が生き生きしてるな」って言われたんだ。それが辞めるきっかけだよね。僕はもともとギター少年だったから、ギターを弾いて自分が楽しければいいやって感じだった。耕みたいな特別なメッセージが自分の中にあるわけではないってことが、いろいろ経験する中でわかってきたんだよ」

加入直後の様子を良が語る。

「高円寺ですごく練習してた。俺はガキが生まれてその世話でたいへんだったから、夜はウチに帰らないといけなかったんだ。それでわざわざ午後の練習にしてもらってさ。あの頃は耕が住んでた近所のスタジオでやってたんだけど、逆にそれであいつが遅れて来やがって。その間に俺とカズと佐瀬で、セッションしてたな」

こうしてフールズは、スタジオに入る時間を増やし、バンドとしての力量をめきめきと上げていった。また、冨士夫は良にとっても深く敬愛するミュージシャンであり、良はこれ以降、冨士夫のライヴやレコーディングに参加する機会を何度も迎えている。フールズはじゃがたら、そして山口冨士夫ともお互いに影響を与え合うような関係になっていくのだった。

7　ファースト・アルバム誕生

生き物だったライヴ

1982年12月、日本のロックを扱うカルチャー誌としてストリート・シーンのことを積極的に取り上げるようになっていた『宝島』が、『ロッカーズ1983』という臨時増刊号を出した。サブタイトルには「アンダーグラウンドからメジャーまで日本のロッカー300バンド全カタログ」とあり、アンダーグラウンドとメジャーを区別せずにカタログ化することで、前者のミュージシャンの存在感がむしろ際立つような作りになっていることがページをめくるとよくわかる。編集と監修はこの時期ライターの活動に比重を移していた鳥井賀句が担当。十数名の執筆者の中には地引雄一の名前もある。

その地引はフールズについて、以下のような文章を書いている。

「ロックすることに対し真摯であろうとするほど、今の日本のロック状況からははみ出してしまう。

そんな連中が吹きだまりの様に集まったのがフールズだ。東京の街の底の深みへ限りなく下降しながら、彼等は動かしがたい生身の存在感を身につけた。ロックをとったらただのコジキだという開きなおりとロックへの愛着。どうしようもない不良バンドの様だが、フールズこそまぎれもない生粋のストリートロッカーだ。(中略)彼等の音楽に説明はいらない。もっと広く注目を集めていいバンドだ」

このフールズの紹介記事には小さいながらステージ写真も添えられていて、写っているのはヴォーカルの伊藤耕、ギターの青木真一、パーカッションのマーチンの3人。写真がいつ撮られたのかは明記されていないが、そのようにしてマーチンはふたたび耕と合流していたわけだ。マーチンが語る。

「フールズに入った最初の頃はコンガを叩いたりとか、あるいはツインドラムの時もあって、自分としてはこのまま佐瀬くんといっしょに演奏活動を続けたいと思ってたんだけど、佐瀬くんとは多少揉めたりもしてたんだ」

この後マーチンは、個人的な事情で一時活動を休止し、85年から改めてフールズのドラマーとなっている。そうした経緯はこの時期のフールズがバンドとしてはなおまだメンバーが固定しない試行錯誤の途上にあったことを示すものでもあるだろう(ちなみに山口冨士夫と共演した時のフールズにマーチンはいなかった)。「もっと広く注目を集めていい」と書かれた先の地引の文章からは、そのあたりにまつわるもどかしさが伝わってくるようでもある。

だが、そこにこそ反応した一人の少年がいた。80年代末には〝バカロック〟を自称し、ある意味フールズ的なるものの継承を掲げてもいたロックンロール・バンド、グレイトリッチーズのワタナベマモルである。彼がフールズのライヴを見たのは、この記事を読んだことがきっかけだったという。

「83年に18歳で静岡から東京に出て来て初めてバンド(グレイトリッチーズ)を組んで、でも何をどうやったらいいのかわからなくて、方向性も何も定まってない時に、フールズを屋根裏に見に行ったら、ものすごいカルチャー・ショックを受けた。東京でしか見れないバンドでしたよね。歌詞も毎回変わるし、ギターのインプロも多い。ようするに何も決まっていない。他のライヴは決め事で固めた、いわゆるコンサートだよね。でもフールズのライヴは本当に生き物だった。俺はアメリカのブルースマンに会ったことはないし、ジャマイカに行ったこともないけど、フールズからはそういう世界レベルなものを感じる。だからフールズ知ってれば大体わかるよ、みたいなね」

名付け親の脱退

『宝島』ではその後もフールズのことが取り上げられた。83年4月号掲載の鳥井賀句による「ロックＮＯＷ」という特集記事で、これはページごとにストリート・スライダーズ、爆風銃、メロン、Ｅ・Ｄ・Ｐ・Ｓ、フールズ、ザ・バッヂ、ザ・シェイクス、コリーナ・コリーナ、ハート・ビーツ、ＢＯＴＳ、オート・モッド、暗黒大陸じゃがたらという全12組のバンドをテキストと写真で紹介したものだ。フールズの記事には、2月10日原宿クロコダイルのステージで山口冨士夫とのセッションを行ったことの報告に加え、「春には自主制作ＬＰの予定もある」との予告もなされている。

前年11月の法政大学でのフールズとの共演をきっかけに活動を再開した山口冨士夫は、83年の元旦にはダイナマイツのギタリストだった大木啓造がヴォーカルを取るＫＩＺＵというグループのライヴでクロコダイルのステージに立ち、この時フールズはゲストで出演している。2月のセッションはそれに続くもので、こうしたところからもフールズと冨士夫の交流が深まっていったことをうかがうことが出来るだろう。

そして、フールズがアルバム作りを始めるのは結局秋にまでずれ込むのだが、その前に冨士夫の方がレコーディングに着手した。これがテレグラフ・レコードを主宰する地引雄一からの依頼を受けて制作した4曲入り20センチEP『RIDE ON!』である。

この時冨士夫はバンドを組んでいなかったため、EPはソロ名義となった。レコーディングに参加したのはハード・ロック・トリオ外道のベーシストだった青木正行、70年代初頭に活動したヘヴィ・ロック・バンドTOO MUCHの元ドラマー小林秀弥(ちなみに青木正行も元TOO MUCH)、そして青木真一がもう一人のギタリストとして名を連ねている。レコーディングは3月下旬に東京・国立のマーズ・スタジオを使って三日間で録り終え、4月からはレコーディング・メンバーによるライヴ活動もスタートさせた。ただしパーマネントな活動を考えていたわけではなく、レコードの発売に連動して3ヵ月ほどを見越したものだったという。

実際に動き出すと、まず4月を予定していたレコードの発売が遅れ、ライヴ会場での先行販売が5月、流通を通しての販売が開始されたのは6月頃になった。とはいえ、それまでレコードで聴くことがほとんどできなかった〝伝説のギタリスト〟がついに新作を出したということもあって、冨士夫たちの活動はにわかに関心を集めるようになっていく。

そして、それを受けて『RIDE ON!』のレコーディング・メンバーの間では、冨士夫をフロントマンとするパーマネントなバンドとしてやっていこうという機運が高まり、青木はかつて自分が結成を呼びかけたフールズを脱退、6月から冨士夫との活動に専念する道を選んだ(その直前の5月22日法政学館で行われた山口冨士夫バンドとフールズのジョイント・コンサートにおいて、青木は両方のバンドでギターを弾いており、青木脱退直後の6月1日屋根裏のライヴではクリが臨時のギタリストとして参加している)。こうして生まれた山口冨士夫の新バンドはタンブリングスと名乗るようになる。

一方、青木脱退直前のフールズの活動を見てみると、5月10日に新宿ルイードで、安全地帯との対バンという今から見れば意外としか言いようがない組み合わせのライヴを行っていたことがわかる。ルイードはメジャーのレコード会社やプロダクションに所属する新進のミュージシャンが登竜門的に出演していたライヴハウスで、マネージャーの溝口洋は、「安全地帯という井上陽水のバック・バンドと対バンしないか」とこのライヴのオファーを受けた際に伝えられたという。

ヴォーカルの玉置浩二を中心とする5人組の安全地帯は、81年9月から83年1月まで井上陽水のバックを務め、その1月にキティレコードからアルバム・デビューしていたが、まだ一般的な知名度は獲得しておらず、レコード会社のスタッフがブレイクのきっかけを作ろうと試行錯誤を重ねている最中だった。それは同年11月にリリースしたシングル「ワインレッドの心」が、翌84年3月オリコン・チャートで1位を獲得したことによって報われるわけだが、このような時期にフールズに対バンのオファーがあったということは、そうしたメジャーの音楽業界のスタッフの中にも、フールズの存在を意識する者がいたということの証左と言っていいかもしれない。

この時サミー前田は、チケットの手売りの協力を溝口から頼まれていたという。先の『宝島』の記事にあったように、すでにフールズにはアルバム制作の構想があった。溝口はそうしたことを念頭に置きつつ、メジャーの音楽業界にフールズを印象付ける機会としてこの対バンを考えていたようだ。

上り調子の勢い

さて、この時期のフールズにとってむしろ重要な出来事は、ジャズ・サックス奏者の植松孝夫が加入したことだろう。１９４７年生まれで60年代からプロとして活動し、70年と78年にリーダー・アルバムを発表している植松は、耕たちからすれば大先輩と呼ぶべき存在だったに違いない（ちなみに後者のアルバム『ストレイト・アヘッド』は近年になって高い評価が定着した）。だがフールズにはそんな植松を惹きつける磁力があったのである。彼をバンドに紹介したのは佐瀬だった。耕が語る。

「サックスで植松さんが加わったのは、東中野にジャズの店があって、元々ジャズをやってた佐瀬がそこに行ってるうちに知り合って、友達になったのがきっかけ。それで、屋根裏でライヴをやるって時に「今日、吹いていいかな」って言うから、「いいよ」って。で、やってみたら、ウマが合ったんだね。良とも仲良くなって「イエー！」とか言っちゃって。それで「ジャズ方面で気の合うヤツいないんだよ。これからフールズに入っていいかな？」って言ったかと思ったら、「俺がバンマスだ」って仕切り出しちゃったりして、凄かった（笑）」

発掘音源集の『On The Eve Of The Weed War』には83年5月11日、つまり新宿ルイードの翌日のステージから2曲が収録されているが、その会場は渋谷屋根裏。ということは耕の発言にある「屋根裏でライヴをやるって時」がこれだと思われる。そして、山口冨士夫のスロー・ブルース「誰かおいらに」のカヴァーでは、雰囲気十二分といったテナー・サックスのオブリガートと間奏でのソロを聴くことが出来る（CDではこの日の演奏にはサックスで植松孝夫、トランペットでＮＯＢＵこと桑原延享が加わり、ギターは川田良と栗原正明の名前がクレジットされているが、栗原の参加は前述したように6月1日のライヴであることから、この5月11日のギターは良と青木だったのではないかと思われる）。

また、植松が参加しているライヴでは、８月21日に日比谷野音で行われた「天国注射の昼 Vol.4」に出演した時の３分程度の映像が、ＶＨＳビデオ『回転禁止の青春シリーズ 天国注射の昼 ライヴ・

イン・日比谷野音 1983.8.21/9.17』（１９８４年）に収録されている。嬉々として踊りまくる女性客を前に演奏するフールズの姿は、確かに上り調子の勢いを感じさせるものだ。溝口によると83年から84年にかけてのフールズのライヴの集客数は２００人を上回っていたという。

こうして耕、良、カズ、佐瀬、植松の５人となったフールズは、コンスタントにライヴ活動を展開していったが、83年の暮れに植松が薬物がらみのトラブルにより参加できない状態となってしまう。そこで彼らは新たにギターを加えることを考え、迎えたのは70年代にルージュで活動していたギタリストのオスこと尾塩雅一だった。

オスは年齢では耕や良よりひとつ下だが、キャリアでいえば先輩格で、スクイーザー時代の耕、マーチン、クリは、毎回のように連れ立ってルージュのライヴを観に行っていたという。ルージュは、彼らにとっても不本意な出来だというスタジオ・アルバムを一枚残しただけで、後の世代にその名前はあまり浸透していないようだが、ローリング・ストーンズ直系とも言えるツイン・ギターを軸としたアンサンブルは70年代半ば当時の日本のロック・バンドの中にあってほとんど唯一と言えるものだった（それを80年代になって受け継いだのが例えばストリート・スライダーズのようなバンドだったということも付け加えておこう）。だからこそ彼らはまがりなりにも大手のレコード会社からアルバムを出し、その本領を発揮していたライヴの場には耕たちが通い詰めていたのである。そんなオスと良とのフールズでのやり取りについて、耕が回想する。

「良は面白いやつが好きだけど、自分の言う通りにいかないやつは嫌い、でも奴隷みたいに言いなりになってペコペコするやつはもっと嫌いなの。「もう一人ギターが欲しい」って言って、「じゃあ誰か入れるか」ってことになるんだけど、入ってくると「どっちがギターの速弾きがすごいか競争しよう」

みたいなことを言い出して、すぐ揉めるんだ（笑）。でもオスはさすがにただものじゃなかった！良とも全然平気だったね。良が「ギターが2本だとジャマな時がある」って言い出すと「俺は昔からそういう時は弾かないよ。弾いたふりしてる」って、ヌケヌケと言ってやってみせた。「音を出したい出したい、俺だ俺だ！」って、テンパってるミュージシャンが多かったけど、オスはそういうところはクールだったね。それで、いざってところでガーッと弾くからダイナミズムが生まれるんだよ」

オスを加えたフールズは、リハのあとすぐに平塚のライヴハウスで演奏し、さらに大晦日の京大西部講堂でのイヴェントに出演しているが、そこでいったん活動は中断してしまう。オスが語る。

「83年の暮れに電話で誘いを受けて、リハは2、3時間くらい1回だけ。音を合わせてみたら一発で空気が一緒だなってわかったんでやりやすかった。カズのことはすごく印象に残ってる。あんなベース弾くやつ、他にいなかったから。佐瀬は面白いやつだったし、良も面白い。良は、俺には酔ってからむようなことは全然なかった。耕はね、いつもくだらない話ばかりしてるんだけど、それが最高に面白かったし、くだらない話の中に本音を入れてくるんだ。で、こっちとしてはそういうところに愛を感じるわけだよ。これは俺の感じ方だから、合ってるかどうかわからないけど。でも、結局2回のライヴだけで、あとは途切れちゃった」

葉っぱ戦争勃発

話は前後するが、フールズは83年の10月から目黒のマッド・スタジオで、ファースト・アルバムのレコーディングに着手していた。この段階でレコーディングに参加していたのは、耕、良、カズ、佐瀬、植松の5人のメンバーだけで、リズム・セクションを先に録音するようなオーソドックスな方法は採らず、スタジオ・ライヴ形式による一発録音だった。溝口によるとこの頃はほとんど毎日一緒に過ごしていた耕が、レコーディングへの強い意欲を見せており、溝口の目には楽曲の完成度も熟してきたように映っていたという。

そしてこのアルバムのタイトルの発案者が、実は溝口だった。大麻を刈り取りに行った82年の北海道旅行の際、画家のガレンがつぶやいた「Weed Army」という言葉を思い出した溝口が、エグゼクティヴ・プロデューサーの権限で『Weed War』に決定し、レコーディングに臨んだとのことだ。雑草を意味するWeedがマリファナのスラングであることは大抵の英和辞典に載っており、そのタイトルを日本語にするなら「葉っぱ戦争」とでもいったものになるだろうか。なお、2013年リリースの発掘音源集『Weed War Party!』には、ずばり「Weed War」とタイトルされたミディアム・テンポのジャム・セッション風ファンク・ナンバーが収録されているが（クレジットによると84年の横浜国大でのオールナイト・ギグだという）、スタジオ録音は残されていない。

すると、この〝Weed War〟という言葉が招き寄せたかのように、それからわずか2ヵ月の間に、バンドのメンバーをはじめ、関係者、知人などが次々とドラッグの容疑で警察沙汰のトラブルに見舞われることになったのである。溝口が語る。

「タイトルはスラングなんで、メジャーでも問題になるとは思っていなかった。でも警察沙汰があったんで、メジャー展開は無理になっちゃったんだよな。年末の京都の時は、「年が明けたら俺ら逮捕されるんじゃないかな」って雰囲気になっていた。オスは突然スポットで加入しただけだからそんな事情には関わってなかったけど」

そして、実際に年が明けてからレコーディングは相当困難な状態になってしまっていた。耕が語る。

「大麻を作っているところがあって、それを取りに行ったんだ。で、売ってスタジオ代にしようとしたら逮捕された。でも無属性大麻だったから、起訴にはならなかった。刑事が凄い悔しがってたのを覚えてる。「ついてるな、この野郎。でも、お前がやったのは窃盗だ!」って。ただ、作ってたのが良い人で「あれは捨てたもので、なくてもわしは困らないから」ってことで窃盗もつかなかった。「朝見るときれいになくなってるんで、持っていったんだなって思った。けど、あれは吸っても効かないのに」って。成分が無いんだから効く訳が無いって、それで初めて知ったんだ。本当バカだよな(笑)」

逮捕後の経緯について、溝口が明かす。

「あの時は良以外、みんな芋づる式に捕まって、俺がマネージャーだったから、頂点で全部指示してやったみたいなことにされた。でも俺は救援関係の連絡先も知ってたんで、「そこに電話してくれ。黙秘権使うから」と。耕は無属性大麻だったんで大丈夫だった。ただ、念のため弁護士の方からも手を回しておいた。たまたま担当の検事が顧問弁護士の教え子だったんだ。そうしたら電話一本で不起訴になった」

ただ、そうは言ってもこれはこれでトラブルというほかない出来事ではあり、ファースト・アルバムのレコーディングも当然ながら中断してしまった。しかし、そんな状態の彼らの前に、〝救世主〟が現れる。81年夏じゃがたらにギタリストとして加入し、82年のアルバム『南蛮渡来』のレコーディングにも大きく貢献したOTOこと村田尚紀である。

豊かなアプローチでロックンロール

じゃがたらは『南蛮渡来』によって得た収入(2500円のアルバム3000枚を売り尽くしたという)

で機材を購入、渋谷区松濤にある4階建ての雑居ビルの屋上に構えた事務所内のスタジオ、通称じゃがスタを、リハーサルやセッションだけでなくレコーディングも行えるように改装し、83年2月から稼働させていた。OTOはそのじゃがスタに、アルバムの制作途中で放置されていたフールズの音源を持ち込み、彼のプロデュースで完成にまでこぎつけたのだった。OTOが回想する。

「じゃがスタでTEACの80-8ってレコーダーを買って、卓（ミキシング・コンソール）も買って、僕はそのセットがすごく好きだったので、よくスタジオに一人で行って録音してたんだよね。フールズが目黒のマッド・スタジオでベーシック・トラックをレコーディングしてた時、僕はタッチしてないけど見に行ったことはあるんです。それはフールズのライヴのエンジニアだった磯野ジュンがやってたんだけど、途中から「エンジニアとバンドの意思疎通がうまくいってないんで手伝ってくれない？」って感じでお呼びがかかった。それで、じゃがスタだったら機材もあるし、お金もかかんないじゃないですか。僕はエンジニアの基礎なんか全然わからないし、今でも素人みたいな感じだけれども、それでもミックスするのはすごく好きだった。ロックのレコードを聴いて「なんかバランス違うな」とか、よく思ってたんですよ。だから自分でそういうことができるっていうのがすごく嬉しかった」

フールズとじゃがたらの結びつきということに関していえば、耕が当時の彼女と住んでいたマンションが、偶然にもじゃがスタのビルの隣だということもあった。そうしたことからフールズは、じゃがスタでライヴのリハーサルを行うようになっていたという。

だが、この時期のフールズとじゃがたらをめぐる出来事のなかで、特筆すべきものといえば、やはりじゃがたらのフロントマンである江戸アケミが精神に変調をきたしてしまったことの他にないだろう。じゃがスタでレコーディングした音源からなる20センチ3曲入りEP『家族百景』を83年5月にリリースした後、ほぼ毎月首都圏のホールやライヴハウスでのステージをこなしていた彼らは、11月初旬に関西から北陸へと回るツアーを敢行。その3日目となる京都精華大学の学園祭に出演する直前からアケミは精神に変調をきたし始める。翌日同じ京都でのライヴハウスに出演したのち、アケミはバンドと別れて東京に戻るも、症状はおさまらず、11月末には統合失調症により精神科の都立松沢病院へ入院することとなった。

しかし、そうした経緯は当時一切報じられていなかった。たとえば『南蛮渡来』に対して好意的な反応を示した『ミュージック・マガジン』や『ロッキング・オン』といった音楽誌を見ても、アケミが入院したことについてはプライヴァシーに関わる問題ゆえに公表されなかったとしても、じゃがたらが活動休止を余儀なくされたことや、OTOをはじめとするアケミ以外のバンドのメンバーの動向についてはまったく取り上げていなかったことがわかる。

そして、それにもかかわらず、こうしてここに当時の経緯を記すことができるのは、アケミが精神に変調をきたした、まさにその時のじゃがたらのステージを収めたライヴ・アルバム『君と踊りあかそう日の出を見るまで』（発売は85年10月）と、そこに同封されたヤギヤスオ（当時の名義は八木康夫）による詳細なライナーノーツが残されているからだ。アルバムは前半（アナログLPではA面）がアケミ入院直前の83年11月23日、法政大学学生会館大ホールで行われたオールナイト・コンサートへの出演、後半（同B面）が84年2月25日、渋谷・屋根裏での単独公演にアケミが病院から外出許可を得て出演したものから構成されている。ライナーノーツによれば、屋根裏ではアケミが3曲歌ったところでステージから楽屋へ引っ込んでしまったため、急遽OTOがフールズの、『Weed War』にも収録された「いつだってそうさ」を歌ってライヴを終えたという。そして84年3月末、アケミは病院を退院し、実家のある高知県中村市（現・四万十市）に静養のため帰郷する。

OTOが『Weed War』の制作に関わるようになったのは、じゃがたらがこうした厳しい状況に直面している只中のことだった。彼が屋根裏のライヴでフールズの「いつだってそうさ」を歌ったのは、そうした中にありながらもフールズのレコーディングに相当のエネルギーを注いでいたことの表れだったのかもしれず、フールズというバンドがそれだけOTOを惹きつける存在だったということなのかもしれない。ちなみに、「いつだってそうさ」の中には「今が最高なのさ」という一節があるが、これはじゃがたら後期の代表曲のひとつとされる江戸アケミ作詞の「つながった世界」に、「今が最高だと言えるようになろうぜ」「今が最高だところがって行こうぜ」というふうに加筆されつつ転用されることになる。

OTOが回想を続ける。

「バンドって録音してミックスを一緒にやっていくと、すごく上手くなっていくんですよ。『Weed War』を録音していく間にフールズのライヴを見ていると、ものすごくクオリティが上がっていくのがわかった。練習だけするよりも、レコーディングしてミックスをやっていくことで自分たちを客観視して、バンドの一体感というか音の混ぜ方が上手になっていくもんだなぁというのをすごくリアルに感じた。あの時のフールズのクオリティが上がっていく感じは、「かっこいいなぁ」と思いましたね。

僕はカズのベースが大好きで、「なんてセクシーなんだろう！」と思ってました。リズムの取り方がチャーミングで、足は三連でハチロク（8分の6拍子）気味に取ってて、でも指は違う。アフリカンに近い、みたいな。ようはスウィングということなんですけど、「MR. FREEDOM」とか「WASTIN'

TIME, OFF YOUR BEAT」とかのファンク・ビートならば、多少スウィングするのは当たり前ですが、カズのベースは「空を見上げて」のようなエイト・ビートのロックンロールの中でスウィングするセンスがずば抜けていたんです。

プログラミングで音楽を作る場合、スウィング感を出すには音を発するタイミングだけでなく、出した後に音を切るタイミング、それと音の強弱が重要な要素になりますが、本当は他にも要素があるんです。例えば4小節ループのフレーズがあるとすると、3小節目の1、2拍目は溜まり気味に弾くとか。これはもうフレーズの歌い方次第ですよね。で、それは本当にセンスによると思うんです。カズの場合はドラムと共にリズム隊として正確なバッキングをするというのではなくて、むしろドラムをバックに、常に独特に〝歌ってた〟ように思います。良のギターの方がきっちりタテを揃えるようにリズムを刻み、カズのベースの歌い方で曲のグルーヴを作ってたように感じます。

そんなグループ、他に見なかったですもん。黒人音楽のアーシーな感じとかセクシーな感じっていうのは、当時のフールズがナンバー・ワン！ 音楽の成熟具合が全然違って聞こえるんですよ。他の音楽がペラペラでガキっぽく聞こえて、それがどんなに技術が高くて世間で注目されてるとかって言っても、フールズとは全然違うなぁと。

それから、あの頃じゃがたらとフールズの間でマイルス・バンドがちょっと流行ってたんです。マイルス・バンドのギタリストのジョン・マクラフリンとか、レジー・ルーカスとか、良はとにかくそれが好きでね。じゃがたらも「BIG DOOR」（前述の『君と踊りあかそう日の出を見るまで』にA面2曲目、B面1曲目として収録。前者は15分12秒、後者は14分5秒）なんかには、ちょっと近いような感じがあった。良はエイト・ビートのロックンロールにマイルス・バンドのギタリストがやるようなフレーズを入れたりするんです。リフ作り、アルペジオの使い方、ソロのギターとバッキングのギターとのバランスの良さ、ロック、ファンク、ジャズのフレーズの空間のミックスの仕方等々。常に呑んだくれてるように見えて、実は構成、編集を俯瞰して考えてる。そんな広がり方ってすごく魅力的じゃないですか。だから「豊かなアプローチでロックンロールやってるなー」って思ってましたね」

OTOはまた『Weed War』のレコーディングに、彼の人脈を使って何人かのゲストを呼び寄せている。じゃがたらからはもう一人のギタリストであるEBBYをはじめ、トランペットの吉田哲治、コーラスのYUKARINが参加。他には当時実力派プレイヤー揃いのバンドとして注目され始めていたPINKからキーボードのホッピー神山とパーカッションのスティーヴ衛藤（現スティーヴ エトウ）、さらにじゃがたらとも仲の良い（85年にEBBYとベースのナベこと渡辺正巳がメンバーになっている）ブルース・バンドTOMATOSのフロントマンでギタリストの松竹谷清といったミュージシャンが招かれた。そうしたなかでEBBYは、このレコーディングに参加したのち、フールズのメンバーとなってステージを共にした時期もあった。EBBYが振り返る。

「いつかアケミさんがじゃがたらに戻ってくるっていう思いがあったので、どっちかっていうと手伝いって感覚だったね。でもフールズは青ちゃんがいる4人の頃に見た時から、「こいつらめちゃかっこいいロックンロール・バンドだな」って思った。最初に見たのは80年か81年、屋根裏とかに出てた時。あの頃は紋切り型のパンクみたいなやつかニュー・ウェイヴが主流だったけど、フールズはありがちなパンク・バンドと違って、全然違う抜けた感じなの。グルーヴが他のパンク・バンドにはない〝横ノリ〟というか、ロール、スウィング感があった。ドラムの佐瀬とカズのリズム隊が他にはないほどかっこ良かったんですよ。俺もその頃はアフロやファンクに興味があったんで、エイトのドタバタのパンク・ビートは好きになれなかったわけ。当時のフールズの印象も、もはや音楽性としてはパンク・バンドではなかったんだよ」

そのEBBYと良との間には、こんなエピソードがある。リハーサルで良がEBBYにギターの腕前を競おうと持ちかけ、「つくり話」で交互にアドリブを弾くということになった。立ち会っていた耕やカズが「この勝負は引き分け。仲良く好きなだけ弾きまくればいい」とその場を収めようとしても、良は「ギターで勝負がつかなかったら次は喧嘩だ！」と言い出す始末。フールズ加入直後の良は、生まれたばかりの子どもの世話で時間の余裕がなかったという事情もあり、『Weed War』のレコーディングに関しては、どこか外様のような距離感を覚えていたらしい。良が回想を残している。

「レコーディングにOTOが関わるようになったきっかけは知らない。その頃の俺は様子見してるみたいな感じ。俺がじゃがスタに行くと「何しに来た？」って感じだった。俺はふらっと遊びに行って、「空を見上げて」とかで（レコーディングが）済んでないところを付け足したりしてた。でも、そうしたらエビゾウ（EBBY）が「俺も録音したんだよ」って言って、いつのまにかメンバーになってたんだ」

一方、耕は『Weed War』のレコーディングに関して、ゲストを招いたことを含めOTOに対する感謝を率直に表明している。

「警察沙汰があったから、取りかかってから完成するまでにすごく時間がかかった。やりっぱなしだった音源をそろえてくれたのはOTO。だから『Weed War』はOTO、もっと言えば場所を提供してくれたアケミ、じゃがたらとフールズの合作。OTOは耳が良くてさ。バカみたいに32チャンネル（のミキサー）なんて要らないじゃんって。仲良かったし、やってくれたんだよ。やっぱり持つべきものは友だね」

瞬間のドキュメント

こうして、難産の末、フールズのファースト・アルバム『Weed War』はリリースされた。結成から丸4年を経た84年9月10日のことだ。制作は溝口洋がフールズのマネージャーとなってから立ち上げたドクター・レコード、配給はこのアルバムの発売と時を同じくして設立されたインディペンデント・レーベルのバルコニー・レコードが担当、すなわち『Weed War』はそのバルコニーの発足第1弾でもあった。溝口はメジャーのレコード会社からのリリースも考え、エピック・ソニーやキティといったところにプレゼンをかけていたが話としてはまとまらず、バルコニーに落ち着いたという。

バルコニーを立ち上げたのは、先に触れたように法政大学学生会館の企画団体ロックス・オフのスタッフとして活動していた守屋正だった。守屋は彼を含む数名のディレクターによる運営体制を敷き、音源の制作はミュージシャンとプロデューサーに任せ、レコードのパッケージングや流通には守屋たちディレクターが主体となって関わるという基本軸を設けた。それによってバルコニーはインディペンデント・レーベルにありがちな特定の音楽ジャンルへの偏りに向かうことなく、結果として多彩な作品をリリース／ストックしているレーベルという評価を自他ともに認めるようになっていく。そうしたいわゆるレーベル・カラーの形成にフールズのこのアルバムが与(あずか)っていたことは言うまでもない。守屋が語る。

「フールズのライヴは法政で見ていた。学館によく出てたからね。でもメンバーとの直接の面識はなくて、完全にOTOを介してって感じでした。バンドとしてはもうみんなが承知してたから、今更音がどうのこうのということにはならなくて、「これは出せるのなら、うちでやるしかないでしょう。

いい話だよね」ってことになった。あのリリースはOTOがいたからこそ成り立ったんだと思うよ。あのレコードができたってこと自体もね」

ジャケットのデザインは、バルコニーのディレクターの一人であるヤギヤスオが担当した。周知のように彼は細野晴臣の『トロピカル・ダンディー』『泰安洋行』や矢野顕子の『JAPANESE GIRL』といった日本のロックの異色作のレコード・ジャケットを手がけてきたデザイナーでありイラストレーターで、そのヤギのアイデアにより『Weed War』のジャケットには、いわゆる昭和モダニズムのタッチによる女性の顔の絵が大きくあしらわれた。ヤギが語る。

「最初は聖徳太子が大麻を吸ってるイラストだった(ガレンの手になるもので、86年まで使われていた五千円札のパロディ。ジャケット裏面に掲載された)。あれをジャケットに使いたいって持ってきたんだよ。でもこっちはアート・ディレクターだから、やっぱりインパクトを持たせたい。これじゃ話題にならないからって変えちゃったんだよね。それで日本の戦前のグラフ雑誌からとってあれにした。あの頃はもう版権が切れてたから、天国注射のヴィデオのパッケージとかにも使ったんだよ。

「なぜ微笑んでいる女性なのか」って聞かれても……なんでかな？ 感覚のノリみたいな。なんか日本の母みたいなイメージが潜在意識にあったと思うんだよね。パンクやロックをやってるやつにしても、お母さんがいるわけで、それぞれのお母さんへの想いってあるじゃない？ 逃れられない〝マザー〟って存在が、耕にしても良にしてもいるわけだ……。それで、耕は最初嫌がったけど、「これは日本の母だよ」って言ったら納得した。ジャケットってアイコンだから、顔になるわけじゃない？ あれで成功だったと思うよ」

ＬＰを収める内袋に印刷されたグループ・ショットは、身体を寄せ合った素っ裸のメンバー5人が写っている。これは演出ではなく、当日カメラマンがちょっとした事故に遭って現場に遅れて着くと、すでにメンバーがベロベロに酔っ払って裸になっていたので、それをそのまま撮ったものだという。場所はフールズが常連だった原宿のバー、WC?の店内。カメラマンはじゃがたらを初期から撮り続け、2000年には『じゃがたら写真集　1980-1989』を発表している松原研二だった。

このように『Weed War』には、曲作りからレコーディング、そしてリリースまでに多くの人間が関わり、その試行錯誤の跡が刻まれていることがわかる。結成から4年という長い時間を経てアルバムが出来上がるまでの間には、バンドの名付け親である青木真一をはじめ、何人かのメンバーがそこから去って行った。が、収録曲の多くは初期からのレパートリーだったものだ。また、曲が生まれてからレコーディングまでの間に時間が開いてしまうと、ともすれば演奏から瑞々しさが失われてしまうことがあるが、本作の場合はOTOのプロデュースによるゲストの起用なども奏功して、レコーディングの現場での一瞬の閃きが曲をリフレッシュする、そのドキュメントとして聴くことができるものにもなっている。

アルバムの幕開けを飾る「MR. FREEDOM」は、良の刻むギターで始まる16ビートのファンク・ナンバー。耕が「自由が一番」「自由が最高」といったフレーズを繰り返し歌いながら、演奏のたびに即興的な展開を見せる、フールズのライヴになくてはならない代表曲で、ここに収められているのはその基本形といったヴァージョンである。

また、シャッフルのブルースを基調とするB面1曲目「いつだってそうさ」の歌詞については、ロック詩人としての伊藤耕が成し遂げたひとつの達成としてあらためて述べておきたいと思う。冒頭、「頭の中でタイクツなゲームをするのはこれでおしまいにしよう」と自己を縛り付ける意識から

『Weed War』の表ジャケット（上）、裏ジャケット（左下）、内袋（右下）。
メンバーの写真は左から川田良、佐瀬浩平、伊藤耕、中嶋一徳、植松孝夫

の解放を宣言し、「ガラス窓たたき割って　今すぐココから飛び出すのさ」と現状からの脱却を遂行したのち、「今が最高なのさ」という確信をつかみ取る。そこに込められているのはものごとの認識をひっくり返すことによって全肯定の境地へいたるというメッセージだ。この認識の逆転は「心の持ちようさ」というフレーズを持つじゃがたらの江戸アケミ作「もうがまんできない」の歌詞を、より能動的な形に展開したものと見ることもできる。そして、前述したように、じゃがたら後期の江戸アケミ作「つながった世界」の歌詞に「今が最高だと言えるようになろうぜ」「今が最高だところがって行こうぜ」とあるのは、江戸アケミからの伊藤耕への応答と見ることもできるだろう。

なお、この歌詞の中のキーワードと言える〝今〟〝ゲーム〟といった言葉は耕が愛読していたという『ビー・ヒア・ナウ』から採られていると感じられる点も興味深い。アメリカの思想家ラム・ダスによるこの著作は71年に出版され、「対抗文化の聖書のような役割を果たしていた」（87年復刻版の日本版訳者あとがきより）とされている。

ベースのカズは、『Weed War』の収録曲について、耕と部屋でじっくりと向かい合ってその骨格を作り上げていったという。

「俺がブルースとかファンクとか好きだったから、そういうレコードをかけて、そこに「こういう感じだよ」って歌を乗っけたり。それが基本だったかな。例えば「いつだってそうさ」は、ジミー・リードみたいにやると「♩Hey Baby～」って耕が歌うんだよ。そこからまとめていった。いいフレーズ持ってくるんだよな、センスいいよ、あいつ！　あのアルバムを作ったのは俺と耕だよ。「MR.FREEDOM」は何も決まってない時に耕といっしょに部屋にいたら思いつきで出来た。だからスタジオでやる前に、もう頭の中で出来上がってたんだ」

ジミー・リードは1950年代から60年代にかけてシカゴで活動した黒人ブルースマンで、曲調からすると彼らが手本にしたのは「She Don't Want Me No More」あたりのように思われるが、そこでのフレーズがフールズの曲の中に直接トレースされたわけではない。少なくとも『Weed War』の収録曲にそうしたものは見当たらない。ただ、これは彼らが当時かなり熱心にブルースやファンクのレコードを聴き込んでいたことをうかがわせるエピソードであることには違いない。

そうしたマニアックなリスナーとしての資質は、内袋の全裸写真の下に印刷された、耕や良よりひとつ年上の音楽評論家・山名昇によるライナーノーツにも記されている。音楽ソフトがアナログからデジタルへ移り変わるなかでリイシューが活発化し、またヒップホップの登場とその影響により過去のレコードが創作のための重要な素材と化していくことで、やがて日本ではいわゆる渋谷系と呼ばれるアーティストが登場してくるわけだが、それより幾分か前の時代にあって耕とカズが音楽的中心であった時期のフールズはすぐれて直感的な編集感覚を発揮していたと言うことができるだろう。

そして特筆すべきは本作の演奏が、そうした編集感覚と同時に、肉感的とさえ言える即興性を有していることだ。アルバムの幕開けを飾る「MR. FREEDOM」が9分4秒、2曲目の「GIVE ME 'CHANCE'」が8分8秒、最も短いB面3曲目の「つくり話」でも4分45秒という長さのある演奏を、だれることなく聞かせてしまう。各々のメンバーが発するヴァイブレーションによって触発し合うことから生まれる濃密な空気感には、ある種の秘儀めいた気配すら漂っている。EBBYによればフールズはリハーサルの時間の多くをセッションに費やしていたというが、この空気感こそ彼らがそうしたセッションを重ねることで到達した境地だった。

また、そうした即興性は、耕が歌としての言葉を発するその瞬間にも訪れていることを見逃さずにおきたい。耕は「WASTIN' TIME, OFF YOUR BEAT」のヴォーカルを録音する際には歌詞カードを用意せず臨んだというが、その時の様子が以下のように書き残されている。

「ばく然と言いたい事の〝種〟が、シャブ コカインのボール プラス ハッパがジャストバランスで作用し、あれはみごと一発即興がそのまま録れた。「あーこれはコイツはハマッタ うまくいった!!」そのあふれる言葉をコントロール いやコントロールしない? その両方のびみょうなフィーリングその瞬間の感覚 メロディーとリズム たくらむ事なくまとまってゆく音楽の持つ魔法 ジミヘンもマーク・ボランもジム・モリソンやジャニスもその〝力〟にとりつかれた それを発見しちゃったのでしょう!! 今となってはシラフでも脳がその体験を覚えているので限りなくそこに近づこうとするのです」（カナ使いを含め原文のまま）

語られたものと語られなかったこと

最後に、『Weed War』に対する反応や反響について触れておこう。本作は、『ミュージック・マガジン』や『ロッキング・オン』、またこの2誌と並んでその頃は内容的にほぼ音楽誌だった『宝島』などにレコード評や紹介記事が掲載された。ただ、バルコニー・レコードが『ミュージック・マガジン』84年11月号に出した広告には、「84年1月 大麻不法所持により全員逮捕にもかかわらず、衝撃のデビュー!」というキャッチコピーが打たれており、こうしたドラッグがらみのイメージを売りにするプロモーションがマイナスに働いた面はあったのではないかと思われる（そもそもそうしたイメージは前述のようにヤギヤスオが「話題にならない」として一蹴したものだった）。

しかも「全員逮捕」というのは事実ではない。したがってそれはまず逮捕されていなかった川田良のような人間にしてみれば、なんとも迷惑な話だったに違いない。ところが、この文言は『宝島』84年10月号の記事の中では間違いのまま引用されていたのだった。

先の『ミュージック・マガジン』の号には、伊藤耕や川田良と同世代の音楽ライター、鷲巣功によるアルバム評が掲載されている。丸1ページが充てられたその評文は当時『Weed War』について書かれた文章の中では最も長いもので、全体としては厳しく叱咤しつつ激励するというふうに受け取れる内容だった。が、その前半に「今年の4月に、渋谷のライヴ・インで彼等を垣間見た。ブルース系のバンドがいくつか出たフェスティヴァルのトリを務めた時だ。その状態は、よくある自己破滅型バンドの馬鹿騒ぎ、という感じで、惨めなものだった」とあるのは、鷲巣が意図しなかったにしても件の広告と同じ号に掲載されることで、フールズに付加されるスキャンダラスな印象をより強く読者に与えたかもしれない（おそらく鷲巣が接したフールズの演奏は〝最低〟の部類に入るものだったのだろう。だが、前述したように、そういう時があることを含めて「フールズのライヴは本当に生き物だった」とむしろ肯定したワタナベマモルのような人間がいたことも事実である）。ただ、それよりも残念なのは、このアルバム評では、OTOやEBBYが先の発言の中で指摘していたカズのベース、つまりバンドがそのアンサンブルを通じて生み出すグルーヴの特異性について一切触れられていないことだ。

一方で〝絶讃〟をしたメディアもあった。東京とその周辺のストリート・シーンの動向に最も関心を払っていた情報誌の『シティロード』である。

同誌は84年9月号で「じゃがたらスタジオからの待望の2枚」という見出しのコラムを設け、『家族百景』のプロデュースと録音を務めたギタリスト和田哲郎（彼は山口冨士夫の『RIDE ON!』にも1曲だけ参加している）が率いるロック・バンド連続射殺魔の12インチ『Pimp Mobel』とともに「敢えてこの2枚のレコードに最大級の讃辞を贈ることで読者の購買意欲をそそりたいと思う」と『Weed War』のことをプッシュし、フールズの音楽を説明する言葉として「ルーツをたどればブラック・ミュージックへとたどりつくロックの王道を正統的に継承したファンキーなサウンド」と記した。これはライヴハウスという音楽の現場を可能な限り追いかけていた『シティロード』ならではの着眼点からなる言葉といえるだろう。なお同誌の読者投票による「Best10 1984 Music」（85年3月号掲載）の「イキイキミュージシャン」部門ではフールズが34位（ちなみに1位は松田聖子、33位はさだまさし、35位は田原俊彦）、「ベスト・アルバム国内盤」部門では『Weed War』が37位（ちなみに1位は松任谷由実『ノー・サイド』、36位は越美晴『パラレリズム』、38位はビートたけし『AM3:15』）にランク・インしている。

また、本作は『宝島』85年11月号の特集「ロック新世代　噂のインディーズ・ムーヴメントを徹底分析」に設けられた「自主製作名盤カタログ」で、48枚の「名盤」の一枚に取り上げられた。さらに時を経て98年に『ミュージック・マガジン』の増刊として出された『ニュー・センセイションズ　日本のオルタナティヴ・ロック　1978―1998』では、音楽評論家の湯浅学によって「粘着質で乱雑さが強引だが抗いがたいグルーヴを生み出すステージでの荒ぶる仕儀を、繰り返し楽しめる録音作品としてまとめたこと自体が功労である」と評されている。このように、『Weed War』はそのリリースから時間を経ていくなかでグルーヴの魅力が言語化されることによって評価も高くなっていった。

OTOをはじめ、マーチン、オスなど、カズのベース・プレイに魅せられたミュージシャンは数多い。またミュージシャンではないトシこと粕谷利昭も、前述したようにフールズのライヴを初めて見た時カズのベースのファンクネスにインパクトを受けている。こうしたフールズの音楽そのものの魅力は、踊りながらベースを奏でるカズの身体を目の当たりにすることができるライヴの現場でこそ、より受け止められやすかったことは明らかだろう。例えば「天国注射の昼Vol.4」の映像で心地よさそうに身を揺らす女性客の姿を見れば、それは一目瞭然とも言える。だが──筆者自身への自戒を込めて書くが──当時フールズのように〃パンク上がり〃のミュージシャンからなるバンドを扱う音楽雑誌界隈では、グルーヴの魅力をOTOのように分析的に言語化できる書き手は少なかった。結果としていくつかの記事では、バルコニー・レコードの広告のステレオタイプなキャッチコピーに倣う形でドラッグがらみの話題に触れることになったのではないだろうか。

守屋正によると、このアルバムのプレス枚数は2000で、「地味に売れてって在庫がはけた感じ」だったという。3000枚を半年以内で売り切った暗黒大陸じゃがたらの『南蛮渡来』には及ばないが（さらに言えば『南蛮渡来』はその後ジャケットを変えて2度リイシューされている）、まだインディーズというよりは自主制作レコードと呼ばれ、1000枚を売り切ることが目標とされていた時代にあっては十分に成功した事例といえるだろう。ただ、初動の段階でじゃがたらの『南蛮渡来』のように音楽性によって注目を集めるプロモーションがなされていたなら、フールズの存在がもっと広く知られる可能性が開かれたのではないかと思わずにはいられない。

8　ほんとだと感じさせる何か

自由が最高

『Weed War』のリリース前後から、フールズはライヴの場ではパーカッション、ホーン、ダンサーなどとゲスト参加のメンバーを増やすようになっていった。

たとえば、１９８４年11月17日、当時渋谷で最も多くの観客を収容できるライヴハウスだったＬＩＶＥ-ＩＮＮを会場に「Weed War Party!」と銘打って行ったアルバム発売記念ライヴは、トランペットに吉田哲治、サックスに篠田昌已、トロンボーンに佐藤春樹というじゃがたらのホーン・セクション、そしてパーカッションにＹＡＳＵこと木戸靖を迎え、文字通りパーティー感のある編成がなされていた。前述した発掘音源集『Weed War Party!』はこのライヴの映像を収録したＤＶＤとの2枚組だが、それを見るとステージのセンターで耕、カズ、ＥＢＢＹの３人がまるで舞い踊るかのような身のこなしで演奏していることが確認できる。

このライヴに参加したＹＡＳＵは、耕や良と同じく１９５５年生まれ。耕とは70年代の初め、16歳の時に知り合ったという。ＹＡＳＵが語る。

「あの頃は日比谷の野音のコンサートで、入り口の横のトイレのところから塀を越えて突破して、ただで入ったりしてたんだけど、突破族はだいたい客席じゃなく壁際にいたから、それで知り合ったの。目が違うんだよ（笑）。マーチンも来てた。それでマーチンともダチになったんだ。

70年代の終わりに耕がＳＥＸ作って歌ってる頃に、俺はアメリカに行っちゃった。一応３ヵ月で帰ってくるとは言ってたんだけど、行ったら居着いちゃって、ベースでハコバンやったりしてた。最初はリーゼントだったんだけど、どんどん伸ばしてパーマにしてた。そんなんでシスコと行ったり来たりしながら楽しくロサンゼルスで過ごしてた。ヒッピーがちゃんといたよ。みんなでネイティヴ・アメリカンと一緒にチャンティングして。ナバホ、アパッチ、シャイアンとか、６部族くらいいたな。

ロスからは80年に帰ってきて、その後81年から82年にインドへ行って、戻ってきてからフールズに入った。入れよって言うからベースかと思ったら、ベースはカズだった。それで俺はパーカッションとコーラスをやってたんだ。でも法政の（84年11月の学園祭の）時には、カズの調子が悪かったんで、俺がベースを弾いた」

また、84年の秋からはヴィブラフォンのＳＡＢＵことさいとうひろみもメンバーに加わっている。彼を誘ったカズが語る。

「ＳＡＢＵを呼んだのは「MR. FREEDOM」にヴィブラフォンが欲しかったから。俺のイメージではヴィブラフォンがあるの。だからあの曲ができた時、もう頭の中にはヴィブラフォンの音が鳴ってたんだよ」

さらに85年の春にはメンバーの交代があった。かつて何度かパーカッションでライヴに参加したマーチンが加入すると、オリジナルのドラマーの佐瀬が辞めてしまったのである。結果としてマーチンがドラマーとなったことが4月11日新宿ロフト出演の情報告知で伝えられた。マーチンが語る。

「あくまでも佐瀬くんのドラムがあって、そこにパーカッションで絡んだり、ツイン・ドラムにしたりっていうことを考えてたんですけど、佐瀬くんから断られた。そんなに俺って嫌なやつなのかなってかなり落ち込んだね。結局、佐瀬くんが辞めちゃったんだけど、俺とやりづらかったんだと思う。人の事情っていうのはわからないけど」

これと前後して、溝口洋がフールズのマネージャーを退き、後任にはかつて法政学館でのフールズのライヴに山口冨士夫とともに現れたトシが就いた。トシは冨士夫が青木真一らと結成したタンブリングスのマネージャーをやっていたが、この時期冨士夫にトラブルが生じ活動できない状態だったため、期間限定の形でフールズのマネージャーを引き受けたのだという。トシが振り返る。

「マネージャーをやる以前にも溝口からはフールズのチラシをデザインしてくれとかってやりとりがあったんです。フールズは82年に知ってから追っかけましたよ、クロコダイルとかロフトとかに行って。で、ある時フールズのライヴを見た音楽事務所の連中が「手に負えません」って言ってるのを聞いて、何言ってるんだよって思ったんだけど、結局規格外ってこと、「こういう〝フリー〟な人間は、芸能界では扱えません」っていうことだったんだなって、後になってわかった。
溝口がマネージャーを辞めるってことになった時は、カズが来て「1年でいいからやってくれ」って頼まれたんです。この時は話をしに来たカズが仕切ってたんだろうね。その頃見たフールズのライヴは、よかったんだけど、お客さんはあまり入ってなくて内輪の人間ばっかりだったので、それをなんとか変えたいって思ったことを覚えてます」

フールズのマネージャーとしてのトシの初仕事は、8月17日、横浜・寿町の職安前広場で開催された「ヨコハマ寿町フリーコンサートvol.7」だった。ところがこの日は、土地勘のないマーチンが道に迷って大幅に遅刻してしまい、結局彼が到着したのは、コンサート全体が終わって、すでに撤収が始まっている時間だった。「今からやるぞ!」とメンバーは意気込むが、まともな演奏などできるはずもない。なんと楽器もマイクもないままステージに上がって「自由が最高!」とまくしたてるという、バカ野郎（フールズ）どものバカ騒ぎを始める始末である。当然のように怒り出す主催者やスタッフ。一方でまだその場に残っていた観客の中には、野次馬となって囃し立てる者もいる。それまでどうにかして穏便に事を収めようとやきもきしていたトシは、その様子を見ているうち、あまりのバカバカしさに笑い出してしまったという。

「俺はマネージャーだから、ほんとだったら現地に来る段取りもつけて、メンバーを連れてこなきゃいけなかったんだよね。ただ、タンブリングスのマネージャーをやった時は、メンバーが大人だったから、全部冨士夫たちがやってくれてたの。車だってドラマーが運転してたし。だからこの時も、俺は一人で現場に行けばいいんだって思ってたんだけど、フールズは違ったんだよね」

伝説のライヴ・パフォーマンス

トシは、この寿町でのコンサートからひと月後に行われたイヴェントの際にはフールズのマネージャーとしての役割を果たすべく尽力している。そのイヴェント――9月15日に日比谷野外音楽堂で行われた「アースビート伝説85」は、病気療養中だったじゃがたらの江戸アケミをカムバックさせるためのコンサートとして映画監督の山本政志が発案したものだった。当時、山本はレイラインという映画製作会社を立ち上げており、このレイラインが主催して「世界あちこちのビートをひとつにしたいという主旨」(87年リリースの暗黒大陸じゃがたら『南蛮渡来』3RD REISSUEに同封されたヤギヤスオ作のブックレット「黒い種馬」より)のもと、以下のアーティストがピックアップされていった。八丈太鼓、スーダン出身のウード(アラブ古典音楽の弦楽器)奏者でこの時期は日本に滞在していたハムザ・エル・ディン(2006年に76歳で死去)、ブラジル出身のパーカッション奏者で東京在住のフランシス・シルヴァ、レゲエのイザバ&ワールド・ニュース、ネパール民俗舞踊団、津軽三味線奏者の佐藤通弘など。そしてそこにいわゆるロックから、じゃがたら、町田町蔵+人民オリンピックショウ、フールズの3バンドが組み込まれたのである。

トシはこの頃フールズのために自由に使えるスタジオを提供していた。高円寺にあるそのスタジオは主にBOØWYが使っていたところで、彼らが所属事務所を移籍して使わなくなるのを機にトシが借主となり、そこで時間を気にすることなくリハーサルをするよう、耕たちに声を掛けたのである。

なお、BOØWYはデビュー以来メジャーからレコードをリリースしていたバンドだが、それとともにギターの布袋寅泰とドラムの高橋まことはジュネの率いるオート・モッドのゲスト・メンバーとして活動していたことがあり、ストリート・シーンとも無縁というわけではなかった。トシが語る。

「BOØWYの事務所が入っていたビルの地下にスタジオがあって、普段は彼らが使って、貸し出しもしてたんです。冨士夫は高円寺に住んでたから、個人練習で使ったりしていた。で、BOØWYが大きなプロダクションに入るってことになった時に、スタジオの契約金150万円を払って、丸ごと借りる形にしたんです。その時は冨士夫がいなかったから、フールズに、ここを使えよと。イヴェントの前の夜は、「ここでドカンといってくれよ！」って期待を持って、俺はそのスタジオでリハに励むメンバーを残して帰った。でも翌朝、機材をピックアップしにスタジオに寄ったら、鍵が開いてる。エッ?と思ったら音も聞こえて来て、中に入ってみたら、ゾンビみたいになったメンバーがいた。「何やってんだよ?」って言ったら「一生懸命やってんじゃないか」って言うけど、もう呂律が回ってないんだ……」

リハをしているうちに、興がのりすぎてしまったフールズのメンバーは、なんと夜通し演奏を続け、そのままの状態でイヴェント当日を迎えることになったのである。野音に向かう車の中で眠りこけるメンバーを見ながら、トシはなんとか彼らが無事にライヴを乗り切ることを願ったが、本番はどうにも冴えないものだったという。

「始まった時に良のギターの音がしないんだ。アンプはフルなのに良のギターの手元のつまみがゼロだった。それに気がついてから音が出て、お客さんは前の方に寄って来たけど、「どうなってるの?」って感じだった。あそこでボーンと行けばすごいことになったのに」

このライヴの様子の一部がYouTubeにアップされている（2012年1月27日の投稿で、「1985年9月15日の日比谷野音『アースビート伝説'85』／こんなビデをが出てきた。／曲は"Let's get stone brother, Let's get stone sister"／伊藤 耕に捧げます。」とある。この投稿者すなわち撮影者は70年代初頭から80年代後半までの間に裸のラリーズのオン・ステージとオフ・ステージを撮り続けたカメラマンの望月彰と思われる）。耕が恍惚とした表情で「Let's get stone brother, Let's get stone sister」というフレーズを繰り返すミディアム・テンポのレゲエ・ナンバーだが、トシの心配と落胆をよそに、耕は耕で自らのことを少しもごまかさずあっけらかんと歌っているのがわかる。

そしてそんな彼らのステージには以下のような感想も残されている。『Weed War』については辛口のレコード評で応えた『ミュージック・マガジン』の85年11月号に掲載された「アースビート伝説85」のコンサート評の前半部分で、署名は山本透馬とあるが、この山本こそ当時高円寺で、ワールド・ミュージックという音楽の捉え方の先駆をなすような品揃えのレコード店アミナダブを営みながら『ミュージック・マガジン』などにも寄稿していた、知る人ぞ知る人物である。

フールズのヴァイヴ奏者SAVを見るために出かけた。このお祭り自体には何の期待も持ってなかったが、それが良かったのだ。1時間ばかり遅れて午後2時頃、八丈太鼓の演奏からスタートしたが、酒や食べ物を持ち込んだ観客などでほぼ満席。9人連れで出かけたのだが酒を飲みながらの祭太鼓は楽しい。次がフランシス・シルヴァ&ゾナ・ソルというサンバの演奏で、3番手がお目当てのフールズである。

ここから演奏が本格的な流れに変わる。神妙に席に着いていた観客が前の方にワーッと集まって踊り出す。友人たちはこの日の演奏を良くなかったと言う。SAVの音は確かに小さかったが、バンドとしては私は悪くなかったと思う。特にリード・ヴォーカル、耕の動きは素晴らしくシニカルで面白かった。歌詞がとても良く聞こえた。

文章はこの後、イザバ&ワールド・ニュース、ハムザ・エル・ディン、町田町蔵に対して好意的な評価がなされる一方、「最後のじゃがたらはつまらなかった。アケミというオジサンのヴォーカルが無個性だ」などと、これはこれでなかなか手厳しいことが書かれている。もっとも、ヤギヤスオによれば、この日「オトの用意した御遍路さんの衣装を着たアケミは、治療薬によって運動神経が弛緩しているためか、まだ思うように舌が回らなかった」(「黒い種馬」より)とのことで、そうした事情を知らなければ覇気のないパフォーマンスのように見えたであろうことは想像に難くない。そして「コンサートの最後では出演者全員参加によるじゃがたらの佳曲〝クニナマシエ〟が演奏され、壮絶な盛りあがりとなった」とヤギヤスオが記した場面は、山本透馬によるコンサート評でも「フィナーレはこの日出演したメンバーが一堂に会して奇怪なスーパー・セッション。アケミが作った曲みたいだがこれは盛り上がった」とあり、結果としてこの「アースビート伝説85」は江戸アケミのカムバックとじゃがたらの新たな展開の始まりを印象づけるイヴェントとして記憶されることになった。

で、フールズだが、トシがマネージャーを担当していたこの時期の彼らのライヴには妙齢の女性の観客も少なくなかったという。そこであらためて、YouTubeに上がったフールズの「Let's get stone brother, Let's get stone sister」に目を向けてみよう。カメラはステージの後方からバンドと客席の両方をフレームに収めていて、しばしば客席の方にフォーカスが当たっているが、曲に合わせて身体をくねらせているのは、なるほど妙齢の女性ばかり、というか、いい表情をした女性の観客をレンズは追っていることがわかる。フールズは「アースビート伝説85」でトシが期待したほどには「ドカン」と行かなかったのかもしれないが、江戸アケミが伊藤耕の「いつだってそうさ」からインスピレーションを得て詞を綴った「つながった世界」の中の一節を借りるなら、彼らの音楽は「次々へとわき出るリズムが前に進めとささやく」ようにして、その場に集まった観客の身体を突き動かしていたのだと思う。

甲本ヒロトも誘われる

さて、「アースビート伝説85」などが行われた1985年は、いわゆるインディーズ・ブームの始まりの年であった。もちろん、インディーズ、と略さずに言えばインディペンデント・レーベルすなわち自主制作レコードの世界はそれ以前からあったわけだが、これがインディーズという呼称で世間に知られていくようになるのが85年だったということだ。

象徴的な事例を挙げれば、8月8日の午後10時からNHKで「インディーズの襲来」という30分の番組が放送されたことと（この映像もYouTubeにアップされている）、同じく8月に『宝島』の版元であるJICC出版局（現・宝島社）がキャプテンレコードを発足させたことといったあたりになるだろうか。前者は当時話題だったバンド（なかでもフィーチャーされているのはその年の4月に新宿アルタ前でのソノシート無料配布を告知して1000人以上のファンを集めたラフィン・ノーズ）の演奏シーンとインタビューを無造作につなげて流行現象としてのインディーズを紹介したというだけの番組であり（ちなみに視聴率は2・7%だったという)、後者はそれなりの資金を持った出版社が雑誌の販促を兼ねるような形で自主制作レコードのマーケットに参入してきただけ——と今なら言えるだろう——のものだったのだが、ようするにその程度にはブームと化してきていたということなのである。

ではフールズはそうしたなかでどのような位置づけにあったのかというと、前節に記したように『宝島』85年11月号の特集「ロック新世代　噂のインディーズ・ムーヴメントを徹底分析」(先の「インディーズの襲来」の視聴率はこの特集内のコラムで報じられている)に設けられた「自主製作名盤カタログ」で、48枚のレコードの中に『Weed War』が選ばれている。ほんの1年ほど前に出たレコードがさっそく〝名盤〟と呼ばれていることには違和感を覚えないでもないが、これも前節に記したように、2000枚のプレスが「地味に売れてって在庫がはけた」ということであった。ところが、マネージャーのトシによれば「フールズのライヴを見た音楽事務所の連中」からすると「こういう〝フリー〟な人間は、芸能界では扱えません」ということになってしまう。それでも、いや、それだけにいっそう、地引雄一が言うところのストリート・シーンが現れて以来の日本のロックに関心のある音楽関係者や音楽ファンにとって無視するわけにいかない——そういうバンドでフールズはあった、ということにはなるかもしれない。

その頃のフールズのライヴの観客の中に、若き日の甲本ヒロトの姿があった。彼が大学に入って上京し、いくつかのバンドを経てザ・ブルーハーツを結成することになる前後の時期にあたるが、フールズ初体験のその感触は今も鮮明のようだ。

「僕が東京に出て来たのは80年とか81年くらい。フールズを見たのは84年とか85年頃のライヴハウスで、一番近くで見れたのが(渋谷・道玄坂の)ラ・ママだった。その前からもうライヴハウス界隈では、

「伊藤耕かっこいい」「フールズかっこいい」「とにかくかっこいい」っていうのが聞こえてきて、見れるチャンスがあったら見たいと思ってた。

ラ・ママはどこからがステージで、どこからが客席だかよくわからないような感じでウワーっとなってて。直感的にかっこよかった。なんかすげーなぁと思った。本物というか〝ほんとな感じ〟がした。歌の内容がどうとかそういうことじゃない。音楽がどうとかでもないし、直感的に「あ、これほんと！」って。何がすごいのかわからないけどすごい。何が本当だかわからないけど、〝ほんとだと感じさせる何か〟がそこにあった」

このようにフールズはヒロトが言うところの「ライヴハウス界隈」で注目を集めていたわけだが、その頃はバンマスがカズから良に代わることで音楽性がさらに変化した時期でもあった。良が語る。

「前にバンマス決めようってことになった時は、俺も子育てに追われてたりしたからカズに押し付けたんだよ。でも、その後で俺がやるって言って、バンマスになった。その時に作り方が変わって来たんだ」

ＹＡＳＵが補足する。

「耕は誰でもすぐ誘っちゃうでしょ。誰でも出入りできるオープンな感じにしたかったんだと思う。でも良はもっときちっと決めたくて、４人にしたがってたんだ。最初は耕がやりたいことをやらせたいっていう気持ちもあって、我慢してたんじゃないかな」

86年になるとフールズはＹＡＳＵとＳＡＢＵが脱退して、良の仕切りによる４人編成のアンサンブルを打ち出すようになった。この時のメンバーは、耕、良、カズ、マーチン。かつてＳＹＺＥで一緒だったラインナップである。良にしてみれば、それまで歯がゆい思いをしてきた果てに、ようやく全面的に手腕を発揮する機会を掴んだということになる。

そしてこの年の7月26日、渋谷のLIVE-INNで、フールズがゲストとして出演したライヴには、ブルーハーツも出演していた。このライヴは「JUST A BEAT SHOW」というシリーズ・ギグの一環として行われ、フールズとブルーハーツの一度だけの対バンの機会となったものだ（ちなみに「JUST A BEAT SHOW」を主宰していたザ・ジャンプスのリーダーである島キクジロウは、このフールズのドキュメントの終盤であらためて登場してもらうことになる）。

ヒロトが語る。

「LIVE-INNは対バンだったからリハーサルから見れるわけ。むちゃくちゃかっこいいんですよ！　もうしびれちゃって、「やばいよやばいよ、フールズ最高だな」と思ってたんだけど、本番始まったらヘロヘロなの。多分、リハーサルから本番の間に何かがあったんでしょう、何かが（笑）。それが何かわからないけれど、声は出ないし、ぼんやり立っていたりする時間もあったりして、「なんだこれ？　全然リハーサルと違う」ってびっくりした。「何やってんだよ？」と思ったけど、それでもかっこいいんですよ。なんかかっこいい。何かができるということを自慢するバンドではない。ものすごいテクニシャンだし、上手なバンドなんだけど、テクニックとか、練習の成果を発表する発表会じゃない。さっきのリハの方が格段と良いんだけど……でもかっこよかった」

ではヒロトにとってフールズの、とりわけ伊藤耕の魅力とは何だったのだろう？

「ヴォーカルがプロの歌手の声じゃない。僕はプロの歌手の声が嫌いなんです。なんか音楽（の試験）で良い点取りそうな声、全然好きじゃない。例えば僕、ローリング・ストーンズを聴いてミック・ジャガーのことをかっこいいと思ったのも「こんなのでいいのかよ？」っていう、プロの歌手のレベルじゃないと思えたところ。実際は上手いんですよ、でも僕にはそう感じたんです。伊藤耕の歌を聞いた時も、プロの歌手になれる人じゃないと思った。それがすげーかっこよかった!」

そしてその時耕と交わした会話の内容を、ヒロトは克明に覚えているという。

「終わった後で飲みに行ったら、伊藤耕が僕らのことを見てたみたいで、「ヒロト、お前はわかってるんだよ。俺はわかってる。俺の真似したいんだろ」って言ったの。「そんなの全然してないですよ」って言っても、「いやいや隠してもダメだ。お前は俺の真似がしたいんだ。お前、伊藤耕ヴォーカル同盟に入るか?」って。「何それ? 何すんの?」「いいから黙って、俺が認めたやつしか入れないヴォーカル同盟ってのがあるから、お前は入ればいいんだ」って言うから、嫌だなどうしようかなと思ったら、横にいた川田良か誰かが「ヒロト、やめとけやめとけ」って僕に言ったの。

「伊藤耕のヴォーカル同盟っていうのはな……こいつがパクられた時に代わりに歌うやつのためなんだ。できそうなやつに声かけといて、自分が捕まったらそいつにライヴの穴埋めさせるためのそういうやつを集めてるんだ、こいつは」って言われて、「冗談じゃやねえ!」と」

実を言うと耕は85年4月、マーチンがドラマーとして加入した直後に逮捕され起訴されていた。その時は有罪判決が下されたものの執行猶予となったため、バンド活動に大きな支障をきたすことはなかったが、そうした経緯を考えると、こうした酒の席の冗談めいた話の中にも、たとえ自分が逮捕されてもフールズの活動に影響が及ばないようにしたいという、耕なりの切実な気持ちが込められていたことがうかがえる。

この出会いから4年後の1990年、フールズの結成10周年『リズム&トゥルース』発売記念コンサートを告知するチラシに、ヒロトはこんなコメントを寄せている。

「ＦＯＯＬＳを聞くと、不良になるよ♡」

伊藤耕逮捕

86年の後半になると、耕が警察からマークされているという噂が流れ始める。耕は当初それに対して無責任な噂話だと腹を立てていたそうだが、バンド内に緊張が高まるなかで、カズはフールズから脱退する決意をマーチンに明かしていたという。マーチンが語る。

「カズは耕くんのことに対して「俺はもうあいつとやるのは無理だと思う」って言って辞めていった。逮捕される前の耕の周りには、〝悪魔のお供え〟みたいのがチラチラいたんだ。俺は嫌な時は逃げるから、それ以上そこにはいない。でも逃げるのは卑怯だと思ってしまうタイプのやつもいる。カズがそうだった。「俺、どうしたらいいんだよ?」ってなっちゃって、最後は耐えきれなかったんだろうな。なぜか俺だけに辞めるってことを訴えてきてね。その何週間か後に耕がパクられた……」

11月21日の新宿ロフトでのライヴが、カズ在籍時のフールズ最後のステージとなった。良がバンマスとして手腕を振るい、ブルーハーツとの対バンでヒロトを感嘆させたフールズの結束は、それから4ヵ月後にもろくも崩れてしまったのである。この時、良と軋轢があったことをカズが明かす。

「フールズを辞める時に俺は冨士夫といっしょにやろうって決めていた。良は怒ったよ。良は自分のバンド（ジャングルズ）があったのに、それを辞めて耕と組んだんだから、それは怒るよ。だけどしょうがなかったんだ。俺だって考えたよ。ミュージシャンとして自分の能力を試したかったというのもあったけど、耕がまた（ドラッグを）やっちゃうとまた同じようなことになっちゃって、どうしようもないなと思ったんだ、あの時は。良との間に感情的なシコリは残った。俺の部屋で良の膝蹴りくらって、俺は目が腫れちゃってさ。突発性難聴で、左耳が聞こえなくなっちゃったんだ」

「冨士夫といっしょにやろうって決めていた」と言うカズだが、これには布石がある。86年にトシが山口冨士夫のマネージャーに復帰すると、フールズと冨士夫との距離が再び接近するようになっていった。この年冨士夫はシーナ&ロケッツのライヴとアルバム『ギャザード』のレコーディングに参加し、ロケッツのギタリスト鮎川誠との交流を深めていた。5月6日には、冨士夫がLIVE-INNで鮎川を迎えてライヴを行っている。メンバーは、冨士夫と青木真一がギター、フリクションのチコ・ヒゲがドラムで、ベースはカズだった。このライヴの模様は2017年にリリースされたアルバム『FUJIO & MAKOTO/1986 SESSION』にも収められている。そしてこのセッションへの参加がカズを冨士夫のところへ向かわせる契機となったのだった。

そして、カズがフールズを去った翌12月、耕はパートナーの京子と高円寺にあるシゲの自宅にいたところを逮捕された。シゲがその時の様子を語る。

「耕は自分に逮捕状が出ているらしい、と聞いて、京子とウィークリーマンションを転々としていましたが、私は当時妊娠していた京子の体調が心配で、自分のアパートに来るように勧め、彼らが滞在していたんです。

するとある日の朝早く、激しくドアをノックする音で目覚めると、数人の私服の刑事がドアのチェーンを切断して部屋にどかどかと入って来た。そしてそのうちのひとりが「伊藤耕発見!伊藤耕発見!」と叫びました。その間、私には捜査令状を見せることも、家宅捜索の理由を告げることもありませんでした。その場では微量の大麻樹脂が見つかったんですが、所有者を聞かれても誰も自分のものだと答えませんでした。私は家宅捜索中に、その大麻樹脂を私のものということにするようにと、捜査員にわからないように耕に手で合図を出したんですが、耕は拒否しました。すると所有者不明で私と京子も共に逮捕されました」

大麻取締法違反の容疑で神奈川県警戸塚署に連行された3人のうち京子だけはその日のうちに帰ることができたものの、シゲは耕と共にそのまま身柄送検され、勾留された。

「10日ほど勾留されてから検察で「京子も逮捕されて可哀想ではないか？ 大麻樹脂が誰のものか言ったらどうなんだ」と言われて、「私の部屋から出たなら私のものということで構わない」と応じたら検察官は呆れた顔をしていました。つまり「耕のものだ」と言わせたかったんですね。私はその日に釈放されましたが、検察の地下の廊下ですれ違った耕はそのまま収監されました」

こうした捜査のやり方は、耕の闘争心に火をつけた。

「あの時は別に刑が軽くならなくてもいいから、憎たらしい警察に仕返しがしたいと思った。それは本心だよ。神奈川県警の××っていうのがとんでもない捜査をするひどい野郎でさ。俺の彼女が妊娠中だったのを楯にされたんだ。そんなこともあって、もう裁判で負けてもいいから、5〜6人道連れにしてやるくらいの気持ちになったんだよ。「お代官様、お許し願います」ってへつらって、権力にやられっぱなしにされるのは嫌なんだ。俺はファッション・パンクじゃないから、そういうことを曖昧にしたくない。俺とか良にはファッションは似合わないでしょ。その時の俺にはバビロンって語彙は無かったけど、大掛かりなインチキをやられてることに対して、俺の目の黒いうちは絶対許さないって決めたんだ！ たいていのバンドはそんなこと考えてないからね。そのあたりで、どうやら俺は普通のミュージシャンとは合わないんだな、じゃあそれはそれでいいや、それが現実だからしょうがないって開き直ったというか、自分のつたない人生経験の中で自覚していったんだね」

法廷でのWeed War

闘う決意を固めた耕の弁護を担当したのは、この頃すでに大麻解禁論者として積極的に発言を行っていた丸井英弘弁護士だった。1944年に名古屋で生まれた丸井は、人権と環境問題に強い関心を持ち、74年から弁護士としての活動を始めている。75年からは大麻取締法という法律そのものに疑問を持つようになり、特に77年から京都の画家、芥川耿を被告として行われた裁判における「大麻取締法は憲法違反であり無効である」という主張は、新聞や週刊誌にも大きく取り上げられ、希望者多数で傍聴の整理券がなくなるほどの注目を集めた。京都地方裁判所で公判が開かれた78年4月5日には、それと連動するシンポジウムとコンサートが京大西部講堂で開催され、この時には南正人と喜納昌吉がコンサートに出演するとともにパネラーとしてシンポジウムにも参加して支援している。

丸井が語る。

「大麻は縄文の古代から日本人に親しまれてきました。また大麻の中で、特に有効成分が多く含まれているインド大麻は、昭和27（1952）年までは「インド大麻煙草」と呼び、喘息の薬として市販されていました。それにもかかわらず大麻が規制されたのは、第2次大戦後の占領政策の中で神道との結び付きの深い大麻に対して占領米軍が危惧を持ち、また当時発達しつつあったアメリカにおける石油化学産業や木材パルプ産業の意向をうけて、その市場の確保という経済的思惑などを背景として行われたのではないかと思っています。

そもそも犯罪とは、具体的に人の財産とか、身体の安全を脅かすものだと思います。例えば、人の物を勝手に取れば窃盗罪になりますし、人を傷つければ傷害罪になります。すなわち、具体的な保護法益の侵害があったものが犯罪です。しかしながら、大麻取締法におきましては、守るべき法益が不明確で、これは根本的な問題点です。そういう意味から、大麻取締法は、実体としての犯罪を取り締まるものではないのに、刑事罰でもって大麻の取り扱いを規制するもので、憲法で保障されている幸福追求権や平等権、さらには職業選択の自由などに違反するものだと思います」

マリファナ規制に対する違憲判決としては、アメリカ合衆国のアラスカ州最高裁判所が75年5月27日に下した「成人が住居内で自己使用目的でマリファナを所持することがアラスカ州憲法により保護されている」とする先例があり、丸井は自分の主張を、「極端なものでも過激なものでもなく、法律家として当然のことを行っているに過ぎない」と述べている。

丸井の主張は、単に嗜好品としての大麻使用の容認を訴えることにとどまるものではない。その重点は、大麻をむしろ積極的に食料、エネルギー、医薬品などの資源として活用することで、アメリカの占領政策の都合で押し付けられた制約から日本が脱却し、環境破壊に対応し得る持続可能な文明のあり方を、近代以降の法治主義の枠組みの中で提示することにあり、本質的な意味でラディカルなものだ。80年代に入ると『マリファナ・ナウ』(81年)などの出版物を通じて積極的に発言を展開するようになった丸井は、〝70年代の挫折〟を乗り越える文明観を提示しうる論客でもあったのである。

丸井は現在もネット上で麻と人類文化をキーワードに掲げたホームページの運営や動画のアップなど、精力的な情報発信を継続している。その後の世界各国での大麻解禁から産業化への動きや、石油資源の濫用が原因である海洋プラスチック汚染問題などに鑑みても、丸井が提示する視点は、21世紀の現時点で、さらに重要になってきていると言えるだろう。

丸井が弁護を担当した裁判の様子を、耕が語る。

「丸井さんとは、「とことん闘おうか？」「いいですよ」って、大麻の取り締まり自体が違法だと主張していっしょに闘った。裁判の最初の頃は、周りも凄かったし、ひっくり返せそうな勢いだった。あの時は感激したな」

こうした最中の87年1月、耕と京子は入籍し、2月に長男・大地が誕生している。本書の終盤に登場するこのひとり息子の名前を耕は〝大麻〟にしようと考えていたこともあったという。しかしその年の5月に耕は覚せい剤取締法違反に関する別件の容疑で、警視庁石神井警察署に留置されてしまう。裁判ではこの件についても争われたが、丸井が得意とする大麻取締法でなく、覚せい剤取締法に関する容疑も加わったことで、法廷の形勢は不利になっていった。

「そんな感じでずっと裁判をやってたんだよ。その間に執行猶予は切った（満了した）けど、結局長い時間がかかった裁判の判決は2年の懲役だった。

刑務所は人間関係が悪い。バビロンの権力に媚を売るファックな野郎の集まりだったね。俺は浮いてた。2回目からは「関係ねえよ。やるならやれよ」みたいな、俺のような考えを持ってるヤツも結構いたけどね。俺はそっちのがいいな。だってもう懲役くらった囚人なんだもん。バカはバカなりにやってやろうじゃないかってなってくるよ。物事を突き詰めていくと、根底から違う。あっちの言うことなんて信用できない。疑り深いのかもしれないけど、俺はそう思った。間違いかもしれないけど、思っちゃったものはしょうがないよね。間違いだとはっきり気がつくまでは、それは通さないと。

刑務所に行くと法律が何なのか、法律を破るとこういうことになるんだよってことが体で分かる。アメリカの人たちやヨーロッパの人たちは、そういうことをオープンにしようってなるよね。でも日本はダメ。すぐ隠すのは嫌いだね。人間は絶対人間から逃げられないんだから、密室っていうか、不健康な方にいくのは、良くないよ……なんて俺が偉そうに言えることじゃないけどさ（笑）。刑務所の中には1年4ヵ月くらいいて、ヨンピン、四分の一をカットして仮釈放された」

以後、耕の作る詞と曲には、この時の体験が色濃く反映されていくこととなる。

バンマスの使命

カズがフールズを脱退することになる経緯については前述した。だがこの時活動を共にしようとした冨士夫の方にもトラブルがあり、87年1月から年末にかけて活動できない時間が生じてしまった。冨士夫とタンブリングスをやっていた青木は、その時間を活かして、自殺でギターを弾いていたことがあるジョージと二人でヴォーカルとギターを担当するウイスキーズという新バンドを結成。

ジョージの誘いを受けてドラムで参加したマーチンが、S・E・Xレコードというインディー・レーベルのディレクターであるACT（ハードコア・シーンでは世界的に知られるドラマーのPILLとかってBODIEというバンドを組んでいた彼もまた知る人ぞ知るミュージシャンの一人だ。第2章で再登場する）に話を持ちかけたところ、4曲入りのEPをさっそくリリースできることになった。

そしてツアーを始めることになり、マネージャーとして付き添ったのが、トシだった。

「青ちゃんからバンド結成の話を聞いて「見に行くよ」って言ったら、「トシはマネージャーだよ」って言われた（笑）。ジョージとのコンビネーションで見るウイスキーズの青ちゃんは、すごくかっこよかった」

しかし青木は87年の暮れにはウイスキーズの活動を終えてしまう。マーチンが経緯を語る。

「ウイスキーズは青ちゃんとジョージくんと僕と宮岡くんってベースがいたんですけど、冨士夫さんが帰ってくるってなったら、青ちゃんが「もうできない」っていうんです。それには俺もジョージもがっかりしたんだけど、青ちゃんは冨士夫さんに対して本当に義理堅いっていうのかな、操が固い人だと思う」

冨士夫は活動再開に際して、青木、カズと共に新しいバンドを結成することになり、ドラマーに佐瀬を推薦したのはカズだった。こうして冨士夫のところに青木、カズ、佐瀬というフールズのオリジナル・メンバー3人が揃うことになった。新バンドは、佐瀬の提案によりティア・ドロップスと命名され（このバンド名は桑名正博&Tear Dropsとかぶることから、メジャー・デビューに際してTEARDROPS／ティアドロップスに表記を変更した）、87年のクリスマスに「いきなりサンシャイン」ほか全3曲入りのEP、さらに翌88年5月にはファースト・アルバム『TEAR DROPS』を、ウイスキーズと同じくS・E・Xレコードからリリースしている。

このアルバムの3曲目「運命のいと」には、川田良がゲストで参加しギターを弾いている。彼の起用を冨士夫に提案したのは、カズだった。良にとってもゲストに招かれたのは嬉しい出来事だったようだ。ただし、その時の良の心を占めていた一番の問題は、フールズの新たなベーシストを探すということに他ならなかった。それが結成から2年ほど遅れて加入し、外様のような立場から遂にバンマスとなった良にとって、89年に帰ってくる耕とフールズを再建するための使命だったのである。

第2章

再生

1　異世代から来たベーシスト

――ふたりは、昔からの知り合いというか、広島で一緒だったんでしょ？

民生「昔、広島で高校が一緒だったんですよ、広島皆実高校という」

まもる「甲子園には出た事無いよね？」

民生「野球部無い」

誠二「そんなものは無い」

――いつから知り合いなの？

民生「高校の時、少し知ってて…それからすぐ、こっち（東京）だから…」

誠二「まさかユニコーンとは知らんやろ。半年ぐらい前かなあ、雑誌にプロフィールが書いてあって、こいつら広島の人間かいって思うとったら、皆実高校って書いてあるやろ。で、よくみたら、まてよ、こいつ、ケンのバンドにおったなあ思うて」

――誰？　ケンって？

民生「オオサキケンという人で、俺が一緒にバンド演ってた人なんだけど、誠二君も一緒にバンド演ってた人なの」

（中略）

――高校出てすぐ東京に来たの？

誠二「オオサキケン以外のメンバーはみんな東京来て（笑）。少しオシャレなバンドになったんよ。

あの〝安全地帯〟みたいな（笑）。でも俺は、手首の骨折っちゃって、スケートボードで。それで広島帰っとったから入院しとったんよ半年くらい。で帰ってきたら、誰もいなくなってた（笑）。その頃はユニコーンは花よ、もう」

民生「いや、デビューするか、しないかの頃ですね」

誠二「いつ出てきたんよ」

民生「22の頃ですね。高校出て、バンドやってて、ユニコーン結成してから1年くらいで東京出てきましたから。あのストリッパーの川西さんて知らない？ あれドラムですよ」

誠二「ああ、そうなんだ」

まもる「誠二のベースってどうだったの」

民生「ハデだった（笑）。アクションとかもすごくてね。アイアン・メイデンのスティーブ・ハリスみたいだった」

誠二「今はもうまるくなった（笑）。浮かない様に努力してる（笑）」

以上は雑誌『月刊オンステージ』（少年出版社）1992年5月号に掲載された、「暴✕笑対談パラダイス　馬並五人男　今さらなんで⁉の瀬戸際座談会　民生、故郷の友に会う！」という記事からの引用である（一部に修正を加えた）。「民生」とあるのは言うまでもなくユニコーンの奥田民生。「馬並五人男」とはこのコーナーを持ち回りで連載していたユニコーンの5人のメンバーのことを指しているようだ。そして、「今さらなんで⁉の瀬戸際座談会」というのは、バンド・ブーム最盛期の88年秋に刊行の始まったこの音楽雑誌が3年半余で休刊を迎えることになり、つまりこれがその座談会の最終回だったことを示している。

そんなある意味記念すべき回に招かれたのは、奥田民生と高校時代にバンド仲間だったベーシストで、そこには彼がこのコーナーのマンスリーホストであるミュージシャンのバンドに少し前から在籍していた縁も働いていたようだ。文中に「まもる」と記されているこのマンスリーホストは、グレイトリッチーズのワタナベマモルである。そして、ゲストの「誠二」、フルネームで記すと福島誠二というその男は、グレイトリッチーズのベーシストであるとともに、いや、それよりも前に、フールズの二代目ベーシストとして、当時大車輪の活躍をしていたといっても過言ではないプレイヤーだった。

そうした点でもこのように福島誠二が取り上げられたことはタイムリーなものだったはずだが、結果として彼への関心が高まること、すなわち彼が属していたバンドであるフールズへの関心が高まることにはつながらなかったようだ。そもそも雑誌は休刊したのだから、露出の機会はこの後も続くようなものではなかったということだろう。また、福島誠二は奥田民生の知り合いであることをひけらかすような真似をする人間ではけっしてなかったということでもあるだろう。

ここでは、フールズというバンドにとってかけがえの無い存在となった福島誠二がどのように音楽と、それから彼の周囲の人間と関わってきたのかについて、触れてみたいと思う。

ベースを選んだスケボー少年

福島誠二は1964年12月19日に神戸で生まれ、高校を卒業するまで広島で育った。彼が音楽に興味を持つより前に熱中していたのはスケートボードだった。今ではオリンピックの競技種目ともなったスケートボードだが、発祥の地とされるカリフォルニアでは60年代にサーフィンのトレーニング用として使われたことから流行し、日本でも当初はサーフショップで扱われていた。誠二はローティーンの頃からサーフショップに入り浸り、パークと呼ばれる競技用の施設で、年上の人間に混じって滑っていたという。

中学生になるといとこの影響でキャロルやＫＩＳＳなどの音楽を聴くようになり（ちなみに先に引用した記事のプロフィールにはキャロルのベーシストで広島出身の「矢沢永吉を敬愛」しているとも書かれている）、そのいとこからベース・ギターの存在を教えられる。そしてベースという楽器のことをだんだんと意識するようになっていったところ、たまたまテレビでロッド・スチュワートの武道館公演（79年3月）が放映されているのに出くわし、そこでバンドのベーシストも自ずと目に入ってきた。

この時ベースを弾いていたのはフィル・チェン。ジャマイカ出身だが名前からうかがい知れるように中国系で、ジェフ・ベックの『ブロウ・バイ・ブロウ』（75年）への参加などから注目を集めるようになったセッション・プレイヤーである（２０２１年12月に闘病の末75歳で他界した）。当時はロッド・スチュワートのバンドで活動し、世界的にヒットしたロッドのディスコ・ナンバー「アイム・セクシー」のプロモーション・ビデオでもチェンの演奏する姿を見ることができる。誠二は、このベーシストのステージングに魅了された。

「小柄で一人なんか派手な衣装を着て、やたら目立ってた。ライヴでベースとドラムで掛け合ったりするのよ。ベース・ソロとかやってるでしょ。だからベースはこういう指で弾く派手な楽器やなーって思ったんだ」

ギター小僧、という言い方があるようにロックを始めようとする少年にとって魅力的に映る楽器はギターだが、誠二は迷うことなくベースを選び、高校に進学するとバンドを組んで活動を開始した。

「ライヴハウスはあったけど、そういうところに出ようとかいうんじゃなくて、1年2年は学園祭ばっかり。あとヤマハの「WEST WAVE」ってコンテストとか、ポプコンとかいろいろあったでしょ。そういうのに出る。高校バンド合戦とかのコンテストで優勝するっていうのが夢でもあった。コンテストは結局、高校3年の時に賞を獲ったんだよ」

ヤマハ主催のロック・バンドのコンテストというとサザンオールスターズなどを輩出した「EAST WEST」が知られていたが、「WEST WAVE」はその中国地方版である。ポプコンは同じくヤマハ主催の「ポピュラーソングコンテスト」の略称で、そうした略称が通用する程度には〝大衆的〟なコンテストだったわけだが、それはともかく、ベーシストの誠二が当時もっとも入れ込んでいたバンドは、アイアン・メイデンだった。ちょうど彼が高校に入った80年にアルバム・デビューし、その頃勃興した〝ニュー・ウェイヴ・オブ・ブリティッシュ・ヘヴィ・メタル〟を牽引していくことになるロンドン出身の5人組である。誠二にとってベースを弾くことは、アイアン・メイデンのリーダーでベーシストであるスティーヴ・ハリスの速弾きのフレーズをマスターすることと同義だった。

「今思うと、多分もう高校の3年間で基盤ができちゃったんだと思う。アイアン・メイデンにしても、速弾きとか難しいからね。いかに速く弾くかとか、そういうのをずっとやってた。何も知らないから、それを当たり前なんだと思い込んでやっていた。ただ、メタルといっても俺が好きなのは、初めからパンク寄りだった。アイアン・メイデンも、なんで俺が飛びついたかというと、最初のヴォーカルのポール・ディアノっていうのが、いわゆるハイトーン・ヴォーカルじゃなくて、ダミ声でパンクっぽいのよ。そういうのが好きだったんだね」

高校3年になり、それまで一緒にバンドをやっていた同級生が受験の準備などで辞めていくなか、誠二の音楽活動への意欲は衰えることがなかった。そんな時、他の高校の生徒がやっていたバイブレーションというバンドから誘いがかかる。コンテストで上位入賞が常連のメタル系バンドとしてその名前を知っていた彼は、迷うことなく参加し、夏までコンテスト荒らしをやっていたという。

秋になる頃にはこのバンドのメンバーも辞めていったが、なおまだ意気込みを持つ地元の高校生同士で呼びかけ合って、新たにミッショナリースタイルというバンドを結成。結局、83年春の卒業直前まで、そのバンドでコンテスト荒らしを続け、高校を卒業すると、メンバー4人で揃って上京しようという流れになった。

それぞれが新聞奨学生として住み込みで働きながら武蔵野音楽学院（この後の誠二の発言にあるようにジャズ系の専門学校だった。90年代前半に閉校）に通い、ある程度落ち着いたら集まってバンド活動を再開するという計画で、これが冒頭に引いた座談会で誠二が言った「少しオシャレなバンド」にあたるが、実現に至るまでにはいろいろと大変だったようだ。

「当時は携帯電話なんかないでしょ。だからお互い、どこに住んでいるのかがまずわからなかった。自分の部屋に電話なんてないから、実家に連絡し合って、住所がわかったら手紙を出し合って、『スタジオに入ってみようか』みたいなやりとりを文通でして、それからアパートの共同電話を使ったりするようになったんだけど、結局、4人全員が集結するまでに半年くらいかかった」

当時電話を引くためには8万円の設備料が必要で、新聞奨学生だった彼らにはハードルが高く、お金を出し合って手に入れた1台の電話を誠二の部屋に置くことで、ようやくメンバー全員と連絡が取れるようになったという。

武蔵野音楽学院での経験についてはこう語る。

「あの学校はジャズとかフュージョンとかをやる人たちのための学校だったのね。ロックとかは皆無だった。けれど当時ってそこしかないから、全国から来ちゃうんだよ。ロック・バンドとかパンクとかメタルとかやってる連中は、ついていけないからどんどん辞めちゃう。落ちこぼれたやつもいっぱいいた。俺も音楽理論とかの授業にはついていけなかったんだけど、個人レッスンの先生とは仲良くなって、いろいろなことを実技で教わった。あと落ちこぼれちゃう子たちを相手に、俺が頼まれて講師としてレッスンしたりとかいうのもあったね。俺がいたのは2年ほどだったな」

ミッショナリースタイルは、目黒のライブステーション、新宿のJAM（2017年に閉店し2018年に西永福JAMとして再開している）などのライヴハウスに出たものの、活動は精力的と言うまでには至らず、上京5年目の87年には解散状態となっていた。それでも誠二はめげることはなかったという。

「バンドのメンバーはメンバーだけで固まる傾向があったんだけど、俺は割と社交的だった。東京で知り合った人たちにセッションに誘われたりとか、一緒に遊びに行ったりとか結構やっていて、そういうのが縁でよくいろんなバンドやってたので、知り合いは多かった」

また、誠二が音楽よりも前からずっと続けていたスケートボードの世界では、80年代後半大きな変化が訪れていた。

「その頃からスケートボードが、音楽と結びつくようになって、あれが今でも原点になってる。ファッション、カルチャー、音楽。スイサイダル・テンデンシーズが流れてるなかで滑ってるとか、ああいうのにカッコよさを見てたんだろうね。俺も高校出た後もずっとスラッシャーだったし、基本のノリは全然変わってない。あの頃のスケートボーダーってガラ悪かったからね（笑）。街中を平気で走り回る暴走集団、ギャングのはしりみたいなところがあったわけよ。俺も練馬のチームにいてそういうことやってたけど、若かったから楽しかったよね。当時はファッションなんかにしても、まだあんまりああいうのってなかったから、「何、あの小ぎたない集団?・」って感じで目立ってたし。まぁ若気の至りといいますか、どこかそういうのに快感を覚えたんだろうね。この頃はスケートボードの方も結構本格的に極めたいと思ってたんだよ」

ロサンゼルス西部のヴェニスから登場したスイサイダル・テンデンシーズは87年のセカンド・アルバムによって日本に紹介された。たとえば『宝島』87年9月号では「西海岸の逆襲　スケート&ロックン・ロール」という特集が組まれ、バンドへのインタビューとともにスケートボードとパンクやメタルが混ざり合ったアメリカ西海岸の状況がリポートされている。が、面白いのは同じこの号の「インディーズ・トピックス　ハード・コア健在」という記事の中に、日本のハードコア・パンク・バンド、LIP CREAMのベーシストが「スケート・パンク＝ハードコアなんてのは嘘だ!!」というタイトルのコラムを寄せていることだ。その趣旨は、スケボー・ブームにかこつけるような形でしかハードコアのことを取り上げられないメディアの姿勢に苦言を呈するといった至極真っ当なものだが、だとすれば誠二のような人間は、それこそブームのずっと以前からスケボーとハードコアに共通する、たとえば猛スピードの滑走／演奏の中でもブレることのないバランス感覚といったものをすでに会得していた稀有な事例にあたると言えるかもしれない。

楽しき週末のセッション

さて、そんな時期に誠二は友人から「フールズの川田良って人がベーシストを探してるんだけど、セッションやってみない?」という話を持ちかけられる。雑誌というと『宝島』より『ミュージック・ライフ』『ロッキンf』『ギター・マガジン』などを情報源としていた彼は、フールズというバンドについては何の知識もなかったが、その川田良という人物が自分より10歳ぐらい年上というところに興味を持った。電話で話した時は、「なんか怖そうな声だな」と思ったが、とにかくスタジオでセッションしようと誘われ、これを了承した。

ところが誠二はセッションの約束をした直後に、スケボーで事故を起こし、左手首を複雑骨折してしまう。手術で骨を移植しなければならないほどの大怪我となり、治療にはかなり時間がかかることもわかったため、やむなく東京を離れ、地元の広島大学病院に入院した。ジャズ演奏の心得もあるという主治医からは、「回復の可能性は30%。そうとう頑張ってリハビリしないと前のようにベースを弾くのは難しい」と告げられたという。

「わしもカタギな人生を考えなきゃいけない潮時ってものが来たのかって思ったよね」

入院中はセッションで知り合った連中からの連絡も途絶えてしまったが、そんなところに川田良から手紙が届く。ギプスを装着した手で開封すると、「俺は完全なる復活を待っている」と力強い励ましの言葉が書かれていた。まだ顔すら見たこともない相手から、そんな手紙を受け取るのは不思議な気がしたし、自分がこの先どうなってしまうのかもわからない状態だったが、誠二はこの時「頑張ってリハビリに専念して、この人とのセッションだけは、一回やらないとな」と心に決めたという。

ギプスがはずれてからは、おそるおそるベースを手にするようになり、プロダクションの知り合いからもらった仕事をこなしたりながら、プレイヤーとしての勘を徐々に取り戻していった。やっと感覚が戻ってきたと思えるようになったところで、良に電話を入れ、ようやく会う約束を果たせる運びとなった。

良から「ゲストでギターを弾くからライヴにおいでよ」と言われ、初対面の場所として指定されたのは、山口冨士夫の新バンド、ティアドロップスのファースト・アルバム発売記念ライヴが行われる88年4月29日の渋谷LIVE-INNだった。10歳ぐらい年上のロックンロール・ギタリストということから、誠二はキース・リチャーズのようなイメージを思い描いていたが、MCで紹介されてギターを弾きながら登場したのは、恰幅の良い…というよりも相撲取りかと見紛うほど逞しい男だった。白いスーツの上下できめた姿は、ヤクザの親分のような貫禄もあり、つい先ほどまで頭にあったイメージは、あっけなく崩れ去った。しかし、その男、川田良が曲の中でギター・ソロをとり始めると、誠二は一瞬にしてその演奏に惹きつけられてしまった。

「メタルやハードコアのようなスタイルとは全然違うんだけど、すげえ！　かっこいい!!　この人とセッションしてみたいっていうのが、第一印象だったね」

この出会いからほどなくして誠二と良のセッションが実現した。リハビリを経てようやく良と会えた誠二は張り切っていた。一時は二度と弾くことができないかもと思っていたベースを再び弾けるようになったことも嬉しく、派手な技を次々と繰り出してみせると、良もそんな自分のことを面白がってくれていることがわかる。そして、良のギターは、いざ一緒に音を出してみると、誠二にとって未知の世界と言いたくなるほど新鮮だった。ジャズの影響を受けたというフレーズの数々やヴァラエティに富んだカッティングのリズム感も魅力的で、そんな体験を一回限りのものとして終わらせることなどできるはずもない。それからは週末にスタジオでセッションをするのが恒例になっていった。

誠二は良とスタジオに入る日が楽しみになった。プロダクションから来る仕事もこなしてはいたが、そのように仕事として指定されたとおりに行儀よくベースを弾くよりも、誠二のやんちゃなところを面白がってくれる良とのセッションの方が、比べものにならないくらい楽しく刺激的だった。

セッションが終わると、良は誠二を自宅に招いて夕食を振る舞ってくれるのが常だった。いたせりつくせりとも言うべきもてなしを受けて、誠二はまだ幼い良の息子とゲームで遊んだり、音楽の話を聞いたりして過ごす時間が増えていった。良は、面白いと思う音楽はなんでも分け隔てなく聴いていた。ブルース、ボサノヴァ、クラシック……かと思うと「やっぱりパンクはピストルズだな」とか、「ウルトラヴォックスの速さは凄いぞ!」などと、年上なのに若さ剥き出しといった感じの好奇心の旺盛さで誠二を驚かせることもあった。

また、良は「最近、これ聴いてるんだ」と言って、誠二にドッケンのアルバムを差し出してみせたという。LA出身の正統派メタル・バンドで、88年4月に行われた2度目の来日公演がメタル・ファンの間で話題になったばかりだったことから、誠二も関心を持っていたグループだった。「ドッケン? へぇ~、意外っすねぇ!」と返すと、そんな反応に気を良くしたのか、今度はスウェーデン出身の速弾きギタリストとして注目を集めていたイングヴェイ・マルムスティーンのアルバムを引っ張り出してきて、「これも良いよな。今、こういうの研究してるんだよ」と笑う。最初のうちは自分が知らない音楽を次々と教わっていくような状態だった誠二も、そうしたやりとりを経て良のことを「完全に畑違いってわけでもないんだな」と思って安堵したという。

昭和最後の大晦日に初登場

誠二が良とのセッションを始めてから半年ほど経ったある日、いつものようにスタジオ終わりの後でなごんでいると、良からこんな話を切り出された。

「実は俺にはもうひとつ別のバンドがあるんだ。わけあって、今ヴォーカルはいないんだけど、もうすぐ復活する。でもベースがいないんだよ。やってみないか?」

すっかり良に馴染んでいた誠二としては、断る理由などあるはずもない。即座に承諾すると、「じゃ、フールズっていうバンドだから、よろしくな」と、そもそもセッションに誘われる目的だったにもかかわらず誠二の頭からはまったく記憶が飛んでいたそのバンド名を伝えられた。そして、カセットで受け取ったフールズの曲を覚えた誠二が、リハで入ったスタジオに、良が連れて来たのは、マーチンというニックネームのドラマーで、彼からは「そのGパン何ていうメーカー?」などと気さくに話しかけられることもあれば、スタジオに入るたびに「これ聴いてごらん」と言ってカセットを手渡されることもあった。良より少し若くてちょっとおしゃれな雰囲気のそのマーチンにも、誠二はすぐに打ち解けるようになった。

この時期フールズのヴォーカルは良が担当していた。その良を通じてファンクなどのブラック・ミュージックのノリにも馴染み始めていた誠二は、まだ入ったばかりのバンドでありながら、そのアンサンブルのなかで伸び伸びとベースを弾くことができると感じていた。

そしていよいよ誠二がフールズのベーシストとして人前に立つ機会がやってきた。88年12月31日、半年ほど前にオープンしたばかりの渋谷クラブクアトロで、じゃがたらが主催した年末イヴェント〝BLACK MARATHON〟二日目のステージだ。満員となった場内にはおよそ2年ぶりとなるフールズの登場に驚いた観客も少なくなかったが、それは誠二の知るところではない。ただ、ライヴの終盤に良があらたまって観客に誠二を紹介するのを受けて始まった「MR. FREEDOM」の中間部で、ドラムとの掛け合いから入ったベースのソロは誠二にとっても思い出深い体験となったようだ。

「この時はハーモナイザーとかぶっかけて、長々とクラシックみたいなフレーズを入れた速弾きとか、とんでもないソロをやるわけですわ。一発目がそれだったから、いまだに覚えている人いるみたいね。見方によっては新しいブーツィー・コリンズみたいにとられたのかな？　この時期の俺の中ではフールズは面白いけど、ずっといるという発想はなかった。交わりたい気持ちと反発したい気持ちが両方あった。当時は若かったから、自分のアピールも半端じゃなかった。最初はリハビリやって、ここ（フールズ）しかないんだと思ったけど、ある程度感覚が元に戻ってきたら、また〝我〟が出てくるわけですよ。その後3人でライヴをやってる。確か代チョコだったと思う。マーチンも1、2曲歌ってたかな。だから3人フールズって実は昔からあるんです。当時の良の人気ってのは凄かった。ちょうどバンド・ブームが始まりましたってぐらいの時で、3人フールズやったって客が200人ぐらいいるんだから」

88年の年末といえば、昭和天皇の病状悪化にともなう自粛ムードに日本全体が覆われた時である。ほとんど誰もがそれにはうんざりしていたが、ほとんど誰もがそうした不満を表に出そうとはしなかった。江戸アケミに言わせれば、これこそ「日本人てくらいね」「せこく生きてちょうだい」というものに他ならないわけだが、そうした気分を吹き飛ばし活を入れるかのようなこの日の誠二のパフォーマンスに煽られた観客の中には、大喜びで喝采を贈る者もいれば、客席からステージに上がってくる者もいて、まだ本来のヴォーカリストである伊藤耕が復帰していないにもかかわらず、終わりゆく昭和をよそにフールズの活動再開を祝うお祭り騒ぎのような状態になっていたという。

なお、右の誠二の発言に「3人フールズ」とあるが、大晦日のクラブクアトロのステージは良のパートナーのＡＭＩと耕のパートナーの京子がコーラスで加わった5人編成だった。フロントマンが獄中にいて、他のメンバーのいずれも男性３人がステージに立ち、しかもそのバンドの名前がフールズとくれば、ヘヴィでむさ苦しいイメージが浮かぶかもしれない。が、この時は二人の女性コーラスの存在もあってむしろ華やいだ雰囲気だったのである。それはこの場に居合わせた観客に、フロントマンが復帰してきてからのバンドの躍進を予感させ期待させるには十分なものでもあっただろう。

彼ら自身もそんな手応えを感じたらしく、約２ヵ月後の平成元（１９８９）年2月22日に新宿のライヴハウス、アンティノックで行った「帰ってきたウルトラマンライブ」と銘打ったステージにも、ＡＭＩと京子の二人を参加させている。そして文字通りの３人フールズによるパフォーマンスは、それからひと月後の3月18日、誠二が言う代チョコこと代々木の（今は無き）ライヴハウス、チョコレートシティでのステージだった。

ちなみに、誠二の発言に出てくるブーツィー・コリンズは、フールズがその初期から音楽的な影響源のひとつとしてきたブラック・ミュージックの異能集団Ｐファンクのベーシスト。88年にソロ・アルバム『What's Bootsy Doin'?』をリリースし、そこから日本での知名度も高まって翌年7月に初来日を果たしている。また、チョコレートシティは、遠藤賢司にとってのホームグラウンドであれば、ＥＣＤにとってのホームグラウンドでもあり、渋さ知らズにとってのホームグラウンドであれば、フールズにとってのホームグラウンドでもあったところだが、このハコの名前自体はＰファンクのグループ、パーラメントによる75年のアルバムでブーツィー・コリンズも参加している『Chocolate City』に由来するものだ。そうした、先鋭的であるがゆえにマニアックでもあるブラック・ミュージックに日本のロック・ミュージシャンが関心を向けていく動きにあって、じゃがたらとフールズが先駆をなしていたことは先にも記した通りだが、ようするに、その点でもフールズはルーツを重視していたが、だからといってけっして十年一日のごとく同じようなロックンロールをやっているバンドではなかった、ということはここであらためて記しておこうと思う。

ヴォーカリストの一言を合図に

3人フールズによるライヴの5日後、3月23日に伊藤耕は仮釈放となり、川田良たちのいるところに戻ってきた。「今から耕が来るぞ!」と伝えられ、胸を躍らせて高円寺高架下のスタジオに向かった福島誠二は、そこで五分刈り頭にした耕と初めて顔を合わせ、「よーっ、お前が誠二っていうんだ? 良から話は聞いてるぜ、よろしくな!」と威勢良く声をかけられた。つい先日まで塀の中にいたのだから、長髪であるわけがないことは当然だったが、それにもまして胸板の厚い耕の逞しい肉体は、ロック・バンドのヴォーカリストというより格闘家を彷彿させるように誠二の目には映った。

そんな耕を前にして、誠二はそれまで良やマーチンと3人でセッションしていた時と同じようにベースを弾き始めた。が、これは耕を大いに驚かせた——というよりむしろ呆れさせた。

「ええっ! これギターかよ?」

そしてその耕の一言が合図であったかのように、バンドの中での誠二の待遇はガラリと変わった。ついこの間まで3人で和気藹々とやっていた雰囲気は消え去り、週2~3回のペースで入るスタジオでは、次々にダメ出しをされ、しごきにしごかれる地獄の特訓の場と化したのである。「オヤジども、好き勝手にわしのことをいたぶりやがって!……ブチ殺して(◀Ⅲ◀♯)やる!!」と、その時の誠二の胸の内には殺意すら芽生えたという。

しかし、そんな憤りを抱きながらも、彼はフールズのしごきを通じて、音楽の世界がかつてなく深く広くなっていくのも感じていた。誠二は、初めてフールズの一員となった前後のことを、こんなふうに振り返る。

「今思えば良は俺がフールズをやれるくらいの引き出しを、多分最初の半年で一生懸命植え付けようとして様子を見ていたんでしょう。徐々に徐々にこっそり洗脳してたのかもしれない(笑)。それで、これだったらいける、と思ったのかな？　そうしたら今度はフールズのメンバーとしてのしごきが始まったんだよね」

こうしてフールズは、伊藤耕、川田良、マーチンに新世代の福島誠二をベーシストに迎え、ハードコアのミュージシャンからも熱烈な支持を受けるバンドとして新たな局面を切り開いていくことになるのだった。

2　愚かなるブルース

カムバックに向かって

「懲役は雑居がいい。でも拘置所は独居がいい。俺にとっては勉強できる貴重な時間。すごく有効に使ったね。歌詞書いたり本を読んだり、女や友達に手紙を書いた。

あと、仕切り直しというか、誰に言われたわけでもなく、自分の意志でやってきたことの積み重ねが、アドリブでやってる流れの最中にいる時には見えなかったことが、バチンと切られて思い出してみると「あの時はこうすりゃ良かった、ああすりゃ良かった」って、自分の人生がよく見えてくる。

それは良かったことだね」

伊藤耕は後にこう振り返っている。ただ、出所してしばらくは、そうしたある種の心の余裕ができていたというわけではなく、むしろ急な環境の変化に対応できない状態が続いていたようだ。

川田良、マーチンとともに新しく事務所を立ち上げて耕の帰りを迎えたマネージャーのシゲは、耕が本来の調子を取り戻すのに苦労していたことを覚えている。

「戻ってきたばかりの時は、お辞儀が直角になってたりとか、動きがちょっと奇妙だったんですよ。その時の耕は「生まれて初めて落ち込んだ」って言ってました。出てきたら子どもが生まれて大きくなってたりして、責任とかいろんなことをたぶん考えたんだと思うんですけど、そのセリフを聞いた時に私は「やっぱりこいつはいかれてる！」と思いましたね。今頃になって生まれて初めて落ち込んでるのかって（笑）」

マーチンが当時の耕の様子について語る。

「刑務所にいると、毎日同じことを繰り返すから、それが染み付いちゃうんだ。俺の部屋に来た時も、最初そわそわして落ち着かなくて、「マーチン、ちょっと頼みがあるんだけど」って言うから、「どうしたの？」って聞いたら、「便所掃除していいかな？」って言うんですよ。刑務所で毎日トイレを掃除していたのが、癖のようになってたんですね。朝はこうさせられて、昼はこうやって、夕方はこうしてってなってるから、例えば夜8時頃になると「もう8時か、マーチン、俺眠いや。布団敷いて寝ていいかな？」って」

こうした日常を取り戻していくなかでの苦労の一方、それと同時に、耕がフールズのリハーサルで、新しくベーシストに迎えた福島誠二をしごきにしごき抜いていたことは、前節に記したとおりである。そうしたリハーサルを経て、耕がライヴの現場に戻ってきた時のことについて誠二が回想する。
「俺の記憶では、耕のステージ復帰一発目はその時期のクロコでやったティアドロップスのライヴへの飛び入りだったんじゃないかな？　スタジオを終わって、4人でクロコに行って、軽い顔出し挨拶程度のつもりだったんだけど、耕は勢い余って飛び入りで何か歌ってたよ。復帰時期に慎重だった良がヒヤヒヤしてたのを覚えてます（笑）」
当時のスケジュールを『シティロード』89年4月号で確認すると、4月14日と15日に原宿クロコダイルで山口冨士夫&ティアドロップスが「レコード発売記念パーティー」と銘打ってライヴを行ったがことがわかり、この二日のうちのどちらかに耕が飛び入りしたということのようだ。また、『シティロード』89年6月号の「トピックス　JAPAN　マイナー」という情報欄には、こんな一文がある。

フッフッ…フールズが遂に伊藤耕の帰還により、全面カムバックだあ。4、5月中はバンドとのリハーサル期間としてライヴ中止となり、ファンをやきもきさせていたが、なんと4／29のチョコレイト・シティのカノンのライヴに何と突如登場。客で来ていた山口冨士夫、青木真一らも加わり、アンコール1曲15分も演奏したとか。7月はホールも含め5〜6本のライヴを予定。こりゃあ、この夏は楽しくなりそうだ。

つまり4月にはフールズのライヴの予定がすでに組まれていたのである。これも『シティロード』を参照すると、まず新宿アンティノックの4月9日の欄には「鮮血の魂〜SEX&SM&ロックンロール」というイヴェントに出演する4組のバンドの中にフールズの名前がある。それから代々木チョコレートシティの4月28日、29日の欄には、「UNITY Co. 2Days」と題したイヴェントの一日目に、フールズとだけ記されており、よってこちらはワンマン・ライヴの予定だったことがうかがえる。

しかし実際にはそれらのいずれにもフールズは出演せず、ただし「UNITY Co. 2Days」の二日目に出た、元ウィスキーズのジョージと元ルージュのオスが共にヴォーカルとギターを担当するバンド、カノンのステージにフールズのメンバーが飛び入りで参加したということだったのだろう。ちなみにこのUNITY Co.＝ユニティ・カンパニーというのが先に触れた新しい事務所の名称で、イヴェント二日目には良とＡＭＩからなるアミチャンセットというユニットも出ていた。ようするにイヴェントの出演者もフールズとその周辺で固めたものだったわけだ。

また、先の誠二の回想とも考え合わせると、フールズが飛び入りしたカノンのステージに山口冨士夫と青木真一が加わったのは、ティアドロップスのライヴに耕が飛び入りしたことへの返礼のようなものだったことがわかる。このように、耕が復帰する前後の経緯をたどり直していくと、きっちりと計画を立てて慎重に事を運ぼうとする良と、その時々の衝動に身を任せて新たな状況を切り開いていく耕という対照的な性格の二人と共に、耕の復帰を喜んで演奏に興じる冨士夫や青木といった仲間たちの姿が目に浮かぶのに加え、その現場に立ち会った者とその出来事を記事にした者の興奮までもが時を超えて伝わってくるように思える。

江戸アケミ「ナンのこっちゃい」語る死ス

こうした準備期間を経て、耕の復帰したフールズが「元祖〝ＦＯＯＬＳ〟復活!!」と銘打ちライヴを行ったのは7月6日、原宿クロコダイルでのことだった。この日はゲストとして元フールズ・現ティアドロップスのカズ、元ルージュ・現カノンのオス、元ウイスキーズ・現カノンのジョージを迎え、カズと誠二のツイン・ベース、良、オス、ジョージのトリプル・ギターといった派手な見せ場も作り、大いに盛り上がったという。そして、あともう一人のゲストとして招かれたのが、同年4月にBMGビクター（このレコード会社も2009年ソニーに吸収合併され今は存在しない）からメジャー・デビュー・アルバム『それから』をリリースしたじゃがたらの江戸アケミだった。

アケミはこの時、アコースティック・ギター一本で「ナンのこっちゃい」という自身の口ぐせをサビのリフレインにした音頭&ブルース調の曲を8分余りにわたって演唱、途中からは耕がパーカッションとコーラスで参加し、そのパフォーマンスに観客はヤンヤの喝采で応えていた——ということがJagatara2020の名義で発表された7曲入りCD『虹色のファンファーレ』（2020年）に「へいせいナンのこっちゃい音頭」というタイトルで収録されたライヴ・テイクから確認することができる。

ちなみにこの音源は過去に二度発表されている。一度目は93年JAGATARAなきJAGATARAという名義で行われた「江戸アケミ詩集『それから』発売記念LIVE」の音源を中心としたアルバム『JAGATARAなきJAGATARA』で、このディスクでは「ナンノこっちゃい音頭」というタイトルになっていた。二度目は2000年の2枚組コンピレーション・アルバム『西暦二〇〇〇年分の反省BEST OF JAGATARA』のディスク2の最後に、アケミと耕のコーラスとそれを囃す観客の掛け声が40秒ほど収められている。

このようにその音源は、じゃがたらと江戸アケミの足跡を振り返る際に避けては通れないといった扱いを受けてきたことがわかる。ただ、それに関する情報にはいくつかの食い違いが見られる。

まず『JAGATARAなきJAGATARA』と『虹色のファンファーレ』のブックレットでは、この曲が演奏されたフールズのライヴは89年7月6日とあり、それは間違いのない事実である。ところが、2020年2月に刊行された『別冊 ele-king じゃがたら——おまえはおまえの踊りをおどれ』の中のOTOへのインタビュー記事では、彼の発言が「89年の9月に原宿のクロコダイルでフールズのライヴがあったんですけど、そのときにアケミが飛び入りで「ナンのこっちゃい音頭」を歌ってるんです」というものになっているのである。実はライヴの日にちについては、筆者自身が『ミュージック・マガジン』2020年2月号に寄せたJagatara2020の記事のためのインタビューをOTOに行った際、レコード会社から提供された資料に「9月」と誤記されているのを指摘して、『虹色のファンファーレ』のブックレットが修正されたという経緯がある。

またアケミがゲストで出演してソロで演奏することは事前に告知されていたので、「飛び入り」というのも事実誤認である。さらにまた『虹色のファンファーレ』のブックレットや『別冊 ele-king』の記事では、この時のアケミは三度笠を被って歌ったとされているが、『虹色のファンファーレ』のジャケットにイラストで描かれたアケミが被っているのは、木枯し紋次郎のような渡世人が被る上が平らな三度笠ではなく、山型をした菅笠で、肩からは蓑をかけたいわゆるお百姓さんのいでたちなのである（なお、このイラストの元となる写真は、99年にリマスター盤として再発されたアルバム『それから』のブックレットに掲載された）。

マーチンがこの時のアケミについて語る。

「着替えたんじゃなくて、あのかっこのまま会場に来たんだよ。客席は爆笑してたけど、「はっきり言ってやるけど、お前らの方がおかしいんじゃい」みたいに言い切ってたのは偉いな。それでそれを面白がってもらえればOKだよね。命をかけても譲れない理由があるわけだしな」

マーチンをして「命をかけても譲れない」とまで言わしめる、江戸アケミが菅笠と蓑をまとって「ナンのこっちゃい」と繰り返し歌った理由とは、一体何だったのだろう？　おそらく、その一端を示すものとして、この時期彼が『シティロード』に連載していた「テンション評論家エドの語る死ス」というコーナーがある。これはライヴハウスのスケジュールのページの左下隅にタテ6cm×ヨコ5cmのスペースが設けられ、そこにアケミの写真と彼が書いた箴言が掲げられるというスタイルで、「ついにはじまった謎の連載。最近はステージで説教とダジャレをマシンガンのように繰り出しているJAGATARAのエド・アケミによる日本で一番短い連載。御意見・御感想をお待ちしています」という編集部による但し書きが第1回にだけ添えられている。89年9月号から90年3月号まで計7回掲載された、その第1回のテキストは、以下のようなものだった。

アホのミュージシャンに告ぐ!!
外タレと競演して恥をかくような
音楽をやるくらいなら
尼寺に行け!!

文末にシェイクスピアの『ハムレット』の一節を引用することで、少しばかりユーモラスな含みを持たせてはいるものの、これはこれでなんとも強烈なインパクトを持つ文章ではある（ちなみに原文では最後の一行の文字が約3倍の大きさになっている）。『シティロード』は月号の前月25日の発売で、8月25日発売の9月号に掲載されたこの原稿は、クロコダイルへのゲスト出演からそれほどの時間が経

たないうちに編集部に渡されたものと思われる。そして江戸アケミがこんな言葉を公言するに至った

きっかけとして思い浮かぶのは、じゃがたらがオープニング・アクトとして登場した6月19日、渋谷

公会堂で行われたサリフ・ケイタの初来日公演をおいて他にない。この公演は、朝日新聞7月3日夕

刊に掲載された音楽評論家・北中正和によるコンサート評で、以下のように書かれている。

アフリカ出身のポップ・スターとしては、サニー・アデ以来最大の音楽的衝撃を西洋のファンに与えたサリフ・ケイタ、期待の来日公演初日。雨の渋谷公会堂は七割ほどの入りだろうか（6月19日）。合掌してステージに立ち、天頂に抜ける高音の声で、伝説の王の物語「スゥアレバ」などを凜（りん）としてうたうサリフは、旅の高僧とみまごう雰囲気だ。（中略）

一方、動きの多い後半になると「高僧」は「道化」の役割も引き受け、かけ声で聴衆をあおり、破顔で握手して回るなどのサービスをふりまいた。（中略）

ワールド・ミュージックの十字路パリを活動拠点にするサリフらしく、バンドのメンバーは彼と同郷のマリをはじめ、カメルーン、ギニア、フランス、アメリカなどの出身者が入りまじって文字どおり国際的。そのため、フランス人メンバーが弾いたギターやキーボードのソロはまったくロック的、米仏混成のブラスはファンク的な平凡なフレーズが多いという一面も。

しかし（中略）中ごろからは、打楽器類やベースのリズムが、欧米メンバーの演奏を軽々とのみこんで、大きなうねりを作り出していったのはさすが。そこには、アフリカ的な音楽と西洋的な音楽が激しくかけひきしながら融合する歴史的瞬間に立ち会っているような喜びがあった。（中略）

前座の「じゃがたら」はサリフ・ケイタの前では力量の差が歴然として気の毒だった。

筆者自身じゃがたらのことを応援するような気持ちでこの公演に足を運んでおり、その時の彼らのステージにはなんとも歯痒い印象を抱いたことを覚えている。が、江戸アケミにとって、この時の体験は、自身が音楽へ向かう動機を考え直さずにはいられないほどに根源的な問いを突きつけられたものだったのではないか。『シティロード』の連載第1回の箴言が、そのことを裏付ける。彼が菅笠に蓑の姿でクロコダイルのステージに立ったことも、もちろんこの問いに対する応答のひとつだったに違いない。

江戸アケミは、地引雄一が83年の夏に行ったインタビューで、「じゃがたらのステージ見ると、すごい土着的な感じするんだけどさ」と地引が問いかけたのに対して、以下のように答えている。

「土着的なんじゃない、きっと、百姓だ、百姓。だから必然性のないとこから出てくるっていう音だけは嫌だね」

「必ずロックっていうのは向こうから来たもんだからさ、どうしてもそういう時にさ、自分が向こうから来たものに対して、対決しながらやってくかどうかってとこが問題なんじゃねぇかな」

（このインタビューは地引が編集・発行する『イーター』第8号・2001年発行に初出として掲載され、『別冊ele-king じゃがたら――おまえはおまえの踊りをおどれ』に加筆修正のうえ再録された）

こうした発言からしても、アケミはすでに83年の時点で、北中正和が「アフリカ的な音楽と西洋的な音楽が激しくかけひきしながら（であるがゆえに容易ではなく、しかしその難しさを乗り越えて）融合する歴史的瞬間」と述べたものを、自分の言い方で正確に言い当てていたことがわかる。

そこで、彼がそもそもどんな音楽を聴いてきたのかということについても見ておこう。アケミは右記のインタビューとほぼ同時期、『ウォッピング・ウォール』（翻訳記事を中心とするニュー・ウェイヴ系の音楽雑誌『ZIGZAG EAST』が前身で、誌名はスタッフの一人だったヤギヤスオの発案。筆者は最年少のスタッフだった）No.12・83年冬号の「MUSICIAN'S CHART」というコーナーに寄稿し、以下の10枚をお気に入りのアルバムとして挙げた。

1　ジョーのガレージ／フランク・ザッパ
2　アビー・ロード／ビートルズ
3　チッキン・スキン・ミュージック／ライ・クーダー
4　ジェントルマン／フェラ・クティ
5　ドゥ・イット・ユアセルフ／イアン・デューリー
6　エイジャ／スティーリー・ダン
7　L.C.／ドゥルッティ・コラム
8　トルバドール／J・J・ケール
9　ラスト・レコード・アルバム／リトル・フィート
10　恐るべきファンキー・ドクター／ドクター・ジョン

ここには彼のコメントが付けられており、その中には「〝感性が鋭い〟とかよく言うけど、平坦な方が何でも受け入れやすいんじゃないかな」という一文もある。リストの中にレゲエが入っていないことは意外な気もするが、特定のジャンルや言葉によるテーマやメッセージに執着することなく、また何より一過性のブームで消費されることのない強度を持った音楽を愛するというところはうかがえるように思う。

クロコダイルのライヴに話を戻そう。そこで江戸アケミが行ったステージは、けっして「飛び入り」といった偶発的なものではなく、人前で披露するのはこの時の一回限りとなった「へいせいナンのこっちゃい音頭」(と後にOTOらによって題されたナンバー)も即興的なものではなく、ある程度まで作り込まれた楽曲だった。そして、これは実際にその曲を聴いてみればわかることだが、アケミが「ハーイハーイ」と観客にコール&レスポンスを誘っても、その声の迫力に気圧されてしまうといった場面があり、この後「ドラムぐらい入ってこいよ。パーカションとか」というアケミの呼びかけに応じて演奏に参加したのは一人だけ、それが前述したように他の誰でもない伊藤耕だったのである。

耕は、クロコダイルでのライヴが結果として最後の共演になった〝晩年〟の江戸アケミについてこう語っている。

「シャバに帰って来たらバンド・ブームのあおりで、以前俺の周りにいた連中がメジャーになってたのも、妙な感じだったな。アケミも俺と同じで敏感なところがあったから、バンド・ブームって言ってはしゃいでるムードに対して、おちょくろうとかからかおうとかってスピリットがあったんじゃないかな」

こうした耕の共感があったからこそ、アケミは弾き語りをやる場所にフールズのライヴを選んだのかもしれない。ただ、アケミがその弾き語りを誰よりも聴かせたかった相手は、この時期のじゃがたらの音楽的な方向を先導していたOTO以外にいなかったのではないか。

OTOは2009年に東京を離れ、現在は熊本県の阿蘇山から北西にある菊池市のアンナプルナ農園というところで茶の有機栽培に従事する生活を送っている。そのライフスタイルはアケミの「土着的なんじゃない、きっと、百姓だ、百姓」というメッセージに対して、OTOが長い時間をかけて見出した答えのようにも映る。しかし89年の時点で、OTOはじゃがたらの方向性をめぐってアケミと衝突することが多かったという。そしてそれゆえにアケミはOTOに向けて直接伝えたいが伝えることができぬ思いをフールズのライヴで発信し、その場に居なかったOTOは、アケミの真意に触れることができずに、アケミの菅笠に蓑という「百姓」の姿を、三度笠を被った渡世人の姿と思い込む勘違いと日付の間違いとを修正する機会を逸していたのではないだろうか。

天皇陛下が死んでも

伊藤耕と福島誠二が初めて顔を合わせたのは高円寺のスタジオだったが、それ以降のバンドのリハーサルは、耕の自宅に近い江東区の亀戸で行われるようになった。誠二によると、この時期のフールズはとても前向きなムードだったという。

「亀戸の駅の近くにスタジオがあって、俺は車で自宅のある国立からそこまで週3回通う形。リハはだいたい夕方には終わるんだけど、その後は耕の家にみんなで集まって、スタジオで録ったテープを聞きながら反省会プラス新曲作り。俺は夜の8時9時くらいまでいっしょにいて、そこからバイトに行くみたいな。あの時は耕も良の紹介で〝ナグリ〟っていう舞台の設営や大道具作りの仕事とかしてた。数ヵ月だけでしたけどね。今思うと一番良い時期だったかもしれないね。当時は良の部屋にもちゃんとMTR（マルチトラック・レコーダー）があって、リズム・マシンがあって、全部自分でできる環境になってた。3人フールズ時代に作った曲もあるし、ネタは当時いっぱいあった。意気揚々と曲を作るのに燃えてたね」

　こうした環境の中で、フールズは新たなレパートリーを着々と増やしていった。レコードを出すという話も持ち上がり、まずは耕の復帰を祝う形でファースト・アルバム『Weed War』を9月に再発することになる。この時のディストリビューションはバルコニー・レコードではなく、ブルースやソウルのリイシューを主に行っているインディーズのヴィヴィド・サウンドだった。そして、そのヴィヴィド・サウンドのもとでＳＩＭＡレコードというレーベルを立ち上げた彼らは、旧知のサックス・プレイヤー植松孝夫やブルースハープ奏者の吉田有信をゲストに迎えて新曲のレコーディングを行い、5曲入りのミニ・アルバムとして年末12月の発売にこぎつけている。『SILLY BLUES』というそのアルバムのタイトル曲が産み落とされた時のことを誠二が語る。

「「SILLY BLUES」は耕の家で作った。最初耕から「何か良いリフないかな?」って言われて、俺は当時流行ってたジョーン・ジェットの「アイ・ラヴ・ロックン・ロール」みたいなリフをギターで弾いたのね。そうしたら耕がそれを聞いて「お? ちょっと待った。これにハマる良いのがある」ってノートを出して。歌い出したら「天皇陛下が死んでもシャバには出れなかった〜」って、ジョーン・ジェットどこに行った? みたいな(笑)。カッコ良いロックンロールのつもりでやってたのが、ベタベタの暗い歌になっちゃった」

天皇陛下が死んでもシャバに出れなかった
つまらないことで仲間同士のケンカが起きた
さんざんコキ使われてある日ほっぽり出された

塀の外はあいかわらずせちがらいジャングルだった

今思えば昏をかむような思いも
あのときは無我夢中で汗まみれだったBaby
おまえからの手紙を何度も読み返しながら……
オレは眠れない夜をいつも過ごした
La La La……

あばよ俺のことは忘れちまっていい　生きてるうちにまた笑うためさ

そして全ては目の前の現実が答えだった
鉄格子の部屋である朝目を覚ますと
あの日のことはすっかり終わっちまってた
夢は夢は虹のように消えていった

目の前にぶら下げられた欲望にかられて
夜空のスクリーンに見果てぬ夢を描いてた
あの時は胸の中が焼けつく思いも　いま思えば
ハ・ハ・ハ　ただの笑い話さ

あばよ俺のことは忘れちまっていい
生きてるうちにまた笑うためさ
夢は虹のように消えちまったけれど
生きてるうちにBaby 笑うのさ

耕はこの歌詞に関して『ミュージック・マガジン』90年10月号に掲載されたフールズのインタビュー記事の中でこう述べている。

「前の天皇が死んだときは、恩赦で出所できたらしいんだよ。みんなそれを期待して沸いてたんだけど、結局出れなかったんで、中でいろいろパニックあったわけ。俺が娑婆に出る2〜3か月前だけどね」

「SILLY BLUES」の歌詞に描かれているのは、昭和から平成へと元号が変わる以外には何も変わらなかったという、塀の中で過ごしていた伊藤耕なればこそ暴き得た日本の現実だが、吉田有信のブルースハープをフィーチャーしたバンドのサウンドをバックに歌われたものとしては、しかしけっして「ベタベタの暗い歌」にはなっていない（ゆえにこれは〝ブルース〟なのだ）。また、このアルバムには「酒のんでPARTY」という、それこそ余りにバカバカしいタイトルながら「ガタガタ言うなよポリスマン」といったプロテストの一節がしっかりあるロックンロールでファンキーなナンバーも入っていて（ちなみにその歌詞は耕と良の共作）、つまりフールズはそれだけ一筋縄では行かないバンドであるということを、ここでも示していたのだった。

なお、この時期にこうしたテーマで曲を書いた日本のミュージシャンは、けっして耕だけに限るものではない。たとえば忌野清志郎は89年にその名もずばり「恩赦」という曲を書き、末期のRCサクセションのステージで演奏している。この曲は小林克也率いるナンバー・ワン・バンドに提供され、93年2月発売のアルバム『ます』に収録された。清志郎自身、ディープ&バイツの山川のりをらと組んだ忌野清志郎&2・3'Sで93年10月にリリースしたシングル「プライベート」のカップリング曲として発表しており、清志郎没後の2010年にリリースされたソロ名義のアルバム『Baby #1』には89年録音のソロ・ヴァージョンが収録されている。もっともフールズの場合、元号が変わった年のうちに「SILLY BLUES」をアルバムのタイトル曲、つまり自分たちの表現の軸になるナンバーとして発表していたわけで、そのことは特筆に値する。

また歌詞の内容も、忌野清志郎の場合は恩赦というのがどんなものなのか、ごく一般的な聞き手にもイメージしやすいように——言い換えればその分だけ抽象的に——描いているのに対し、耕の場合は実際に服役した者の立場で描いている。そこには天皇陛下という言葉が出てくるが、これはあくまでも刑務所にいた時の耕に恩赦の可能性を期待させただけの存在でしかない。サビの部分で提示される希望めいたものも、「生きてるうちにまた笑う」という控えめなものでしかなく、そのことによって服役した者ならではの視点を鋭利に際立たせていると言える。

ファン層は広がらない

では、そうした歌を作ってうたうヴォーカリストを擁するフールズというバンドのことは、当時どのように受け止められていたのだろうか。たとえば『宝島』90年2月号の「BEATS ON THE

STREET　インディーズ・ディスクレヴュー」のコーナーには、『SILLY BLUES』についての以下のような評文が掲載されている。

初回ステッカー付きの3000枚完全限定盤、あのフールズの待望のニュー・アルバム。世の中がどう移り変わろうとどこまでも我が道を行くだけという彼らのスタイルは、まるで現在のバンド・シーンを吹き飛ばすかの如く、圧倒的な存在感を放っているようである。B―1のタイトル曲の生半可じゃない重みが迫力だ。しかし、ファン層は広がらないだろーなぁ。

どうしてこの評文の書き手は『SILLY BLUES』を聴いて「ファン層は広がらないだろーなぁ」と感じたのだろうか。

『SILLY BLUES』がリリースされた89年12月はバブル景気の真っ只中で、年内最後の取引で日経平均株価が史上最高値の3万8915円をつけたことはよく知られている。レコード業界の好景気も例外ではなく、LPからCDへの切り替わりが進むなか、そのCDの売上額は前年比約38％増の2570億円、音楽ソフト全体の売上額は前年比約12％増の3833億円だった（日本レコード協会オフィシャルサイト参照。全体の売上額はこの後98年の6075億円まで右肩上がりを続ける）。バンド・ブームの最盛期でもあり、たとえば「ロック世代の総合マガジン」と銘打っていた『宝島』は翌90年の3月から月2回の発行となる。これは、それだけ雑誌の発行部数が伸びていた、というよりもそれだけレコード会社からの広告が入っていたことを意味する。

そのような時期にフールズは、旧作『Weed War』のリイシューも新作『SILLY BLUES』のリリースも、ともにアナログ盤で行っていた。今となっては時代が何巡かして、それこそ先見の明があったと言ってもけっして冗談ではないということになるかもしれないが、当時これらは明らかに時代から遅れたやり方と見なされていたに違いない。

また、『SILLY BLUES』の3000枚というプレス数は、たとえば暗黒大陸じゃがたらの82年のアルバム『南蛮渡来』と同数である。前述したように『南蛮渡来』は半年以内でその3000枚を売り切り、そこには『ミュージック・マガジン』の中村とうようや『ロッキング・オン』の渋谷陽一といった著名な音楽評論家が好意的な反応を示したという話題もあった。それは、『南蛮渡来』というアルバムが、パンク／ニュー・ウェイヴ系の自主制作レコードに関心のある一部の人間だけにとどまらず、もっと幅広い層に受容されたことを意味するものに他ならない。3000枚という数字は、80年代前半の時点ではそのようなリアリティを有するものだったのである。

果たして『SILLY BLUES』のレヴューの書き手は、これではとても3000枚など売れるはずもないから「ファン層は広がらないだろーなあ」と感じたのだろうか。いや、この書き手は「しかし」という接続詞をその感想の前に記しているから、たとえ3000枚売れたとしても「ファン層は広がらない」と感じたとするのが順当な解釈だろう。80年代末のバブル経済絶頂期、バンド・ブーム最盛期とは、あるバンドがインディーズから出したアナログLPが3000枚売れたとしても「ファン層は広がらない」と感じることにリアリティを覚える、そのような時代だった。そして、そんな時代に誰よりも違和感を覚え、その違和感を音楽へと結びつけて表現し続けてきた人間に――地引雄一によればフールズの伊藤耕や川田良の生き方やその音楽をもっとも敬愛していたとされる――じゃがたらの江戸アケミがいた。

3　どっこい！　俺たちゃ生きてるぜ

突然の訃報

元号が昭和から平成に変わったその次の年、西暦1990年の最初の月に、江戸アケミは急逝した。彼が自宅風呂場の浴槽に頭までつかっているのを仕事から帰った妻が発見したのは90年1月27日の午後9時30分ごろのことだという。病院に運ばれたがすでに死亡していた。死因は溺死で、精神安定剤を服用したアケミが風呂に入って浴槽の中でそのまま眠ってしまい、おぼれたものとみられる——といった警察の調べがなされたことを受けて、最初にアケミの訃報を伝えたのは読売新聞1月30日朝刊社会面だった。その後、毎日新聞1月30日夕刊社会面、朝日新聞1月31日朝刊東京面と続いたが、もっとも大きい扱い（4段組で顔写真入り）だったのは読売新聞である。見出しは「人気バンド「じゃがたら」リーダー　江戸さん自宅ふろ場で死ぬ」となっていた。

実は、読売はＥＰの『家族百景』が発表された時、4分の1ページをあててじゃがたらを取り上げたことがある（83年6月3日朝刊都内面）。そちらの記事の見出しには「異色ロックバンド〈じゃがたら〉ジョーシキ人間にわかるかな?!　毒舌、皮肉の新曲　ユニーク「日本株式会社」」とあり、また記事本文の最後には「彼ら（じゃがたらのこと——引用者）からのメッセージ」として「健全なシャカイ人には見えない暗闇（やみ）からジーッと見ている人間がいることをお忘れなく」との言葉が引かれ、これはこれで異色ロックバンドの面目躍如といった趣がうかがえるものではある。それから6年半後、江戸アケミの訃報記事でのじゃがたらは以下のように紹介されていた。

「じゃがたら」は、昭和五十四年に結成。ボーカル、作詞、作曲の江戸さんを中心にした十一人グループで、アフリカのリズムを取り入れたサウンドが特色。昨年四月に正式にレコードデビューし、レコード自主制作派（インディーズ）の旗手として、若者らに人気があった。

大きく間違っていないとは思うが、大手のレコード会社から作品を出すことが「正式」な「レコードデビュー」にみなされるということと、大手のレコード会社から作品を出すようになったにもかかわらず「レコード自主制作派（インディーズ）の旗手」とされているところに違和感の残る記述であるとも思う。

また、「人気バンド」といってもその「人気」は、CDが何十万枚売れるというようなものではもちろんなかった。とはいえ、「レコード自主制作派」であったかどうかはともかく、彼らの活動に関心を寄せる音楽関係者が少なくなかったという意味で「旗手」的な存在だったとするなら、それはある程度実情に沿った見方と言えるかもしれない。

少し時間は遡るが、88年8月に仙台で行われた野外フェス「ロックンロール・オリンピック」をNHK-BSが中継したとき、それに出演した彼らについて番組は以下のような紹介のテロップを流していた。

「強烈なダンスビートとシニカルな詩でプロ仲間に絶大な評価を受けているいま話題のバンド」

このようなまなざしを向けられていたバンドのリーダーの突然死であった。それもかなりの量の精神安定剤を服用したと思われる状態で入浴し溺死したのだから、残された人間にとってはなんともやりきれないような形の死に方である。メジャー・デビューを果たし、バンドの前途は洋々だったはずなのに、そのリーダーがどうして？　いや、バンドの前途が洋々であっても、あるいは洋々であったがゆえに、そのリーダーは何らかの葛藤を抱え、しかもそれは精神安定剤をも服用しなければならないほどのものだった——という事情が実はあったらしいことを、先の読売新聞の記事などもその行間から伝えているかに見える、とまで言っては穿ち過ぎの見方ということになるかもしれない。しかし、この死よりも半年と21日前の89年7月6日、原宿クロコダイルでのフールズのライヴにゲスト出演した江戸アケミが、菅笠に蓑という格好をして「オイラいち抜けた　また振り出しに戻ってやり直し」という一節のある歌をうたっていたことも、また事実としてある。

そのアケミのパフォーマンスについて、伊藤耕が「バンド・ブームって言ってはしゃいでいるムードに対して、おちょくろうとかからかおうとかってスピリットがあったんじゃないかな」という少し軽い言い方で評していたことは前節に記した。そして、誤解を恐れずに言えば、アケミは耕のこうした深刻ぶらないところを愛していたのではないかと思う。

アケミ　ありがとう

江戸アケミ（本名・江戸正孝）が36歳で亡くなってから2ヵ月半後の4月14日、「西暦2000年分の反省」と銘打たれた追悼コンサートが、日比谷野外音楽堂で行われた。OTOがギタリストとして参加していた近田春夫&ビブラストーンをはじめ（ちなみに近田は暗黒大陸じゃがたらの『南蛮渡来』に賛辞を寄せるなど比較的初期からじゃがたらのことを評価していた）、じゃがたらと江戸アケミにゆかりのある多くのミュージシャンが結集し、収容人数3000人の日比谷野音には満員の観客と、場外にも

1000人以上の聴衆がそこから立ち去ることなく耳を傾けていたことを『ミュージック・マガジン』90年6月号のコンサート・リポートで音楽評論家の湯浅学が記している。湯浅はまた、ビブラストーンで出演した近田春夫が会場内外の来場者に向けて以下のように言い放ったことも書き留めた。

「今日こんなに集まるんだったら、どうして生きてるうちにもっと来ねえんだよ。俺は音楽評論家たちに言ってるんだ」

このコンサートを告知するチラシには、アケミとの関わりの深さを示すように、一番上のじゃがたらに続いてフールズの名前が記されていた。そして午後4時半から始まったステージのすでにすっかり日も暮れた時間に登場したフールズは、それまであまりなじみがなかったと思われる音楽評論家たちを含む来場者にあらためてその存在を印象付けるような、ダイナミックな演奏を展開したのである。また、そんな〝動〟のフールズに対して、亡くなる直前の江戸アケミともっとも親密な交流があったという元ミュート・ビートのこだま和文がアケミの遺影を背にしてトランペットを独奏（ちなみに「西暦2000年分の反省」とはアケミの死に際してこだまがつぶやいた言葉であるという）。この鎮魂の〝静〟の時間を経て、江戸アケミのいないじゃがたら、それから出演者全員による江戸アケミ作詞作曲のじゃがたらの曲「もうがまんできない」のセッションへとなだれ込んでいった。

じゃがたらは、この日を最後にじゃがたらの名前での活動を終え、「永久保存」が宣言された。とはいえその後もOTOらによって「じゃがたら物語」が続けられていったというのが実際だが、それはともかく、この日、じゃがたら、というより江戸アケミからバトンを引き継いだ人間のひとりに、NOBUこと桑原延享がいる。

川田良とのジャングルズが休止した後、表立った音楽活動をしていなかったNOBUは、この追悼コンサートのために桑原延享＋石渡明廣＋早川岳晴＋角田健というユニットを結成、それが新バンドのジャジー・アッパー・カットへと発展し、後に良もメンバーとしてその名を連ねることとなる。

場内で配られた追悼コメント集に「アケミへ　自転車もらったよ。どうもありがとう」という言葉を寄せたNOBUは、経緯をこう語る。

「ジャングルズが活動しなくなって以降は、俺はほとんどマイクの前に立っていなかった。だからアケミが死んで、OTOから「パフォーマンスでいいから、追悼コンサートで何かやってくれ」ってお呼びがかかった時にも、俺はまだミュージシャンとしては復活してなかった。でもアケミの追悼だからバンドでやりたい。それで石渡に頼んだら、彼ももちろんアケミのことはよく知っていたので「任しとけ！」ってことになって、早川岳晴と角田健を連れてきてくれた。俺は野音ではステージの上にイントレ（工事現場などで使う組み立て式の足場）を立てて、その内側に吊るしたチャリンコの上でトランペットを吹いたり、そのチャリンコを漕いでライトをつけながら即興で歌ったりしたんだ。あれはアケミが上野の区役所からもらいさげてきて死ぬ直前まで乗っていた自転車で、形見としてもらったものなんだ。俺が石渡と早川と角田健で4人のバンドでやるって言った時に、「やるのか！」って一番喜んでくれたのは、良だった。しかも「あのバンドをもう一回やってみないか」って、フールズの対バンに誘ってくれた。それで石渡に「一回だけのつもりだったけどもうちょっとやってみようか？」って言って、俺がジャジー・アッパー・カットって名前を付けた。最初はまだ試行錯誤でしょぼかったですよ。でもやっていくうちに、俺たちならではのスタイルができつつあったのかな。やがて良もそこに入れろって言ってくる段階が来るんだ」

追悼コメント集にはもちろん耕も言葉を寄せていた。

「アケミ　ありがとう。お疲れさん。ロックン・ロール。オレラも走りぬけたら、天国で又会おう」

貧しくされた音

90年2月、フールズは『宝島』の版元のインディー・レーベル、キャプテンレコードから8曲入りのセカンド・アルバム『憎まれっ子世に憚る』をCDでリリースしている。ミニ・アルバム『SILLY BLUES』をLPで出したのが89年12月のことだから、それからわずか3ヵ月。矢継ぎ早のリリースと言っていいインターバルに見える。普通であればこれはバンドの勢いを示すエピソードとなってよかったはずのものだ。が、しかし、現実としてはそれほどのものにならず、また、このアルバムの評価となると、たとえば『Weed War』などと比べて……いや、それとは比べものにならないくらいに芳しいとは言えないものに終わったのではないかと思われる。その理由については後述する。

アルバムのタイトルは当時メンバーの間で交わされていたジョークから来ているという。『ミュージック・マガジン』90年10月号に掲載されたフールズのインタビュー記事の中で、若いバンドについての感想を求められた際の耕の発言を紹介する。

「俺の十代のころなんて、いつもオトナを出し抜いてやろうって考えてたけど、今の子供はないよな。オトナに可愛がられよう、可愛がられようって考えてるじゃない?」

バンド・ブームの真っ只中で、自らを憎まれっ子になぞらえるふてぶてしさは、ぶっといジョイントをキメた男のようにも女のようにも見える人物とそれを遠目にうかがう3人がヘタウマチックに描かれたイラストのジャケットからもうかがうことができるだろう。そして、内容は、というと、全8曲のうちSEX、SYZE時代のレパートリーだった「街を歩いてみろ」「カラッポな一日」「Hello

My Pain」や、フールズ結成前に耕がほんの短い間やっていた伊藤耕&ヘブンのレパートリーである「まるで宝物のように」など、彼らがその長い活動の中で残してきたナンバーが半数を占めている。これは、同時期に新曲中心のレコーディングを行っていたという事情があり、すなわち『SILLY BLUES』がそれにあたるのだが、本作では以前からのレパートリーを昔のままにやっているというわけでは、もちろんない。といって曲の構成からアレンジまでまったくの別物にしているというわけでもないのだが、そういった昔からの曲に新たな息吹が吹き込まれたかのように感じさせるところは確かにある。

また、8曲中5曲でキーボードがフィーチャーされているのはフールズの数ある作品の中でもこのアルバムならではのものだ。たとえばSEX時代からのレパートリーである「カラッポな一日」がここではオルガンを前面に出したアレンジとなっており、これはマーチンが「SEX時代は工藤冬里のキーボードが重要な位置を占めていた」(けれどもそうした音源は一切残っていない)と語っていたのを思い起こさせ興味深い(ちなみにSYZEのライヴ音源集『UPPER NIGHT Revisited』に「からっぽな一日」のタイトルで収録されているのはキーボードの入っていない演奏)。

そして、そのキーボードを弾いているのは、クレジットでは石井K介とあるが、これは現在セントラル・C・D・社というインディー・レーベルの主宰者として活動するピアニスト石井啓介の当時の名称である。1958年生まれ、福岡出身の石井は、本作へのゲスト参加をきっかけに短期間ながらフールズのライヴのサポートを務め、また時代を下って2015~16年にフールズがレコーディングした『REBEL MUSIC』にも福島誠二から要請を受けて参加している。

石井がフールズのメンバーと初めて音を合わせた時の印象を語る。

「圧倒的でした。あんな感じの演奏ができるバンド、私には初体験でした。東京の凄さを感じました。特に耕はライヴで凄かった。良も初めて体験するギターで、博多にはいない東京の奥深さを感じるプレイヤーです。誠二のようなロックを弾くプレイヤーとも初めてでしたし、マーチンのプレイも大好き。フールズから受けた影響は多大です」

石井の参加はキャプテンレコードのディレクターが同じ福岡出身の知り合いのミュージシャンだったという縁を元に、キャプテンで制作された他のバンドのアルバムでもたびたびキーボードでサポートすることがあったからで、その演奏ぶりをフールズのメンバーに気に入られ、ライヴのサポートもするようになる。が、これは半年ほどで終わってしまったという。

「私は未熟だったと思います。豊島公会堂でのライヴの時に良と飲み過ぎてステージで寝てしまい、次の日、日比谷野音での江戸アケミの追悼ライヴの演奏前に耕からクビだと言われました。その日は演奏しましたが、ともかく外されたのはショックでした。でもクビになったのは豊島公会堂のことだけではなく、演奏力が足りなかったからだと思ってます」

いまなおそのように謙遜しながら振り返る石井の、『憎まれっ子世に憚る』への貢献はけっして小さなものではない。ただ、このアルバム、とにかく音が貧弱で、耕のヴォーカルとバックの演奏との一体感も感じられない。ようはロックのサウンドになっていないのである。その原因はレコーディングとミキシングの時間的・金銭的な制約にあった。耕が回想する。

「ミックス・ダウンにも時間がかかるんだけど、レコーディングと合計して100時間くらいで作れって言うの。オーバーした分はスタジオ代をギャラから天引きするんだ。凄いよね。それこそバッタもんみたいな商品を作っているわけじゃないんだから、もっと紳士的にやれって言いたいね」

85年に発足したキャプテンはその初期こそ吉野大作&プロスティテュート『後ろ姿の素敵な僕たち』などの好盤を制作していたが、この頃は低予算で形ばかりのものを仕上げて赤字にならない程度に売れれば——フールズの場合『Weed War』という実績があるのでそこからある程度の目算は立つ——それで十分とするような方針が取られていたのであろうことを端的に示す、そういうサウンドのアルバムで『憎まれっ子世に憚る』はあったということなのである。

もっとも、これは当時の「レコード自主制作派」、いや、少し形を変えればレコードの制作に多少なりとも自覚的な日本のロック・ミュージシャンが共通して直面していた問題でもあった。アナログのLPからデジタルのCDへと、ほとんど不可逆的に移行が進んでいたこの時代にあらためて意識されたのは音質だった。「音がいい」とはどういうことか。それはたとえば「音がクリアである」といった点にとどまらず、そもそもロックのような音楽にとって「いい音」とはどういうものか、と問い直す必要が生じてきたのである。そこで、レコーディングのみならず、ミキシングやマスタリングの重要性が浮かび上がってくるわけだが、これはアメリカやイギリスでは60年代から試行錯誤が重ねられていたもので、日本ではそれが遅ればせながらようやく取り組むべき問題として意識されるようになり始めたということなのだった（数少ない例外として細野晴臣、大滝詠一など、はっぴいえんどのメンバーとそれに連なる人脈が存在したことは付記しておく）。

そこで、この問題にいち早く取り組んだのがじゃがたらだったのである。彼らはメジャー・デビュー・アルバム『それから』のミックス・ダウンを在英ジャマイカンのエンジニアでボブ・マーリーなどを手がけたゴドウィン・ロギーに依頼した。メジャーのレコード会社でそれなりの予算がかけられるのであれば、これをミックス・ダウンに注ぎ込まない手はないと彼らが考えたことは間違いないだろう。そして、それを実行に移すことができたという点で、このとき、じゃがたらとフールズとでは互いにまったくかけ離れた立場にあったことになる。

ただ、翻って言うなら、そうしたミックス・ダウンよりも前の、プレイヤーとしてのフールズは、石井啓介が30年後のいまも生々しく記憶しているように「圧倒的」なものだった。とするとたとえばじゃがたらのサックス奏者でその後は稀有な管楽器トリオ、コンポステラの一翼として活動した篠田昌已が、当時のフールズのライヴにたびたび参加し、『憎まれっ子世に憚る』の中の2曲で演奏しているのも、篠田がそんなフールズに魅了されたからであったに違いないだろう。篠田は江戸アケミのよき理解者として、特にヴォーカリスト江戸アケミの精神的な部分との関わりで重要な存在として陣野俊史の評伝『じゃがたら』では紙数が割かれているが、耕もまた篠田には気持ちの部分で助けられたことがよくあったという。

「彼は良の友達で、見た目も中身もマシュマロのように柔らかくて優しい。ライヴで俺がへたっちゃって良い状態じゃない時なんか、「がんばれ」って俺を応援しようって気持ちがすごく伝わってくるんだ。俺は憎まれ役だから、元気な時はいいけど、ボロボロの時はすごくありがたいんだよ」

篠田昌已は92年12月9日、34歳の誕生日の翌日に急逝した。結果的に『憎まれっ子世に憚る』は篠田が参加した唯一のフールズのアルバムとなったが、貧弱な音質だったそのアルバムは、キャプテンレコードの全カタログの原盤権を保有するレコード制作会社ウルトラ・ヴァイヴのレーベル、ソリッドレコードから2007年にリミックスとリマスタリングを施されて再発されている。その際にはDVDも付けられ、これには89年7月13日、吉祥寺バウスシアターでのライヴ映像が収録された。キャプテンが出していたバンド紹介のビデオ・マガジン『VOS』(Video on the Streetの略)でフールズが取り上げられたことがあり、その編集前の映像が使用されている。

スタイルを超えた交流

1990年のバカ野郎(フールズ)どもはとにかくよく働いた。5月にリリースされたL・O・Xのアルバム『Shake Hand』に耕とマーチンが参加したのもそのひとつである。

L・O・Xは80年代の前半からハードコア・パンク・シーンで活動してきたGHOULのヴォーカリストMASAMIをフィーチャーしたプロジェクトだった。そのMASAMIは90年3月、GHOULのライヴのために訪れた名古屋で倒れ、緊急手術を受けたものの意識が戻らない状態のまま、地元千葉の病院に移送される。そこでMASAMIの闘病を支援するために、LIP CREAMのギタリストNAOKI、ORANGEのベーシストACT、XのドラマーYOSHKIが呼びかけ、L・O・X名義でアルバムを制作することになったのだ(Xは現X JAPAN。92年に改名した。またYOSHIKIはここでは白鳥麗という名義になっている)。

XのTOSHIや関西パンク・シーンでコンチネンタル・キッズのベース、スペルマのヴォーカルとして活動したラン子(97年に他界)などをヴォーカルに迎えて全7曲がレコーディングされ、そのうちの1曲に耕が作詞とヴォーカル、マーチンがパーカッションで参加している。ACTが作曲した4曲目の「Jungle」がそれで、基本アップ・テンポでパンキッシュなロックンロールの途中ミディアム・テンポのブルースが挟み込まれる異色のナンバー、などと言ってもいいかもしれない。これはウイスキーズのEPのディレクターだったACTから参加を依頼されたもので(「ほんとだと感じさせる何か」を参照)、5月5日に高円寺のライヴハウス20000Vでアルバムのリリースと連動して行われた「祈願・マサミ復活ＧＩＧ」にもフールズはハードコア系のバンドと共に出演している。
この『Shake Hand』の3曲目「Light and Shadow」に作詞とヴォーカルで参加しているのが、ハードコア・パンク・バンドのDEATH SIDE、FORWARDのヴォーカリストとして長年にわたって活動し、２０２０年に４００ページを超える唯一無二のインサイド・レポート『ＩＳＨＩＹＡ私観　ジャパニーズ・ハードコア30年史』を上梓したＩＳＨＩＹＡである。ＩＳＨＩＹＡは『Shake Hand』のレコーディングで出会った耕のことを同書の中で以下のように記している。

耕さんと出会ったのは、レコーディングをしていた新宿のJAM STUDIOで、やってきて会うなり「おお、ボーカル？　よろしくよろしく！　歌詞見せて」と、いきなり俺の歌詞を真剣に読み始めた。まだ歌詞を書き始めて間もない頃で、俺なりに真剣に書いていたものの今考えると恥ずかしいのだが、耕さんは「俺と一緒だな。言ってることは一緒だよ。よろしくな」と、いきなり受け入れ、俺の懐にズカズカと入ってきた。

L.O.Xでの耕さんの歌詞を読むと、今までに見たことのない表現とわかりやすい自分の言葉で書かれていて、確実にパンクの精神である反逆の魂の歌だった。詞も素晴らしいが人間性もとんでもなく素晴らしく、耕さんと会ったことで「自分の思うまま好きなように生きていいんだ」と確信を持つようになった。
耕さんがレコーディングに来ると場の雰囲気が一気に明るくなり、彼のペースで物事が進んでいく。ジャケット撮影のときも完全にそうで、スタジオに慣れていない俺などの人間たちをリラックスさせ、ふざけながらも現場に対応して、いろんな案を出しながら周りやカメラマンも引き込んでいく。中ジャケで何人かが同じサングラスをかけて写っているのもそのせいだ。

耕さんの人間性に完全にやられてしまい、一緒に遊んだりするうちにTHE FOOLSのレコードを手に入れ歌詞を読んだのだが、今まで知っていたハードコアやパンクとはまったく違う方向から、俺のような何も考えていない人間にもわかる反逆と愛の魂が痛いほど伝わってきて、普段の姿とあわせ「こんな人間が本当にいるんだ」と、心から感激した思い出がある。

フールズの音楽のスタイルは、いわゆるハードコアとはだいぶ隔たりがあるが、福島誠二はその頃経験したこんな出来事を語る。

「当時はハードコアやパンクのバンド関係者は当たり前のようにフールズのライヴの楽屋にいたりして、交流は常にあったよ。ハードコアの人たちがいると俺も安心して「いえ〜仲間〜!」みたいな感じで、すごく仲良くなってた。そういうのもあったから当時は遊びで鉄アレイのメンバーとかとイヴェント・バンドをやったこともあったし」

鉄アレイも80年代前半から活動するハードコア・パンク・バンドで、フロントマンのBUTAMANは『Shake Hand』の7曲目「Mirror in the Black」に作詞とヴォーカルで参加している。そうした面々とも活動していたことはハードコアと親和性の高いスラッシャーの誠二ならではというところがあったかもしれないが、ISHIYAの文章からするとフールズ、というより伊藤耕とハードコア・パンクのミュージシャンとは音楽のスタイルよりも精神性の部分で共通するところがあったということがわかる。

そして、そこで両者を繋いだのがACTだったことは確かだろう。ACTがBODIEというバンドをやっていたことは前述したが、実はこのBODIE（当時のフライヤーを見ると時期によってはBODIESと表記されている場合もある）について、江戸アケミは以下のような発言を残している。『別冊ele-king　じゃがたら』に収録された「江戸アケミは語る（未発表）1989年1月　取材・構成　地引雄一」の中で、じゃがたらはほかのレーベルやバンドと共同でなにかをするようなことはあまりなかったのではないか、という地引の問いかけに対してアケミが答えたところから引用する（なお、「1989年1月」というのは間違いで、正しくは1987年1月である）。

そうだねぇ。意外とねぇ。あれは好きだったけどね、フールズとかね。フールズとかBODY（ママ）とか、ああいうバンドは好きだったね。硬派じゃやん、彼らは。

また、ACTについては『ISHIYA私観　ジャパニーズ・ハードコア30年史』の中に次のような記述がある。「ACTさんは、日本創世記のハードコアパンクバンドのアックスボンバーでベースを弾いていた」。これはもちろんBODIEよりも後のACTの活動歴であり、つまり、フールズは音楽のスタイルこそ違えど、ハードコア・パンクの始まりの時代からそれと比較的近しい場所にいたということなのである。実際、耕は80年代初頭の時点でMASAMIとも面識があり、MASAMIやACTらがハードコア・パンク・シーンを形作っていくのを横目で見ていたことは間違いない。

耕はハードコアについてこんな言葉を残している。

「俺なんかパンクは一過性のムーヴメントだと思ったんだけど、その次にいろんなのが出てきて、次の世代のパンクス、ハードコアのやつらを引き連れてやってたんだね。今は俺もハードコアと徒党組んでるけどね。お互いに生きてたんだなって。俺はジャンル分けじゃないところにいつもいるんだ。鴉みたいに、つるまないけど誰とでも接点ができる。そういうのが好きだね」

　MASAMIは闘病の末92年に35歳で亡くなった。そしてそれから30年後の2022年、ISHIYAは『ISHIYA私観　ジャパニーズ・ハードコア30年史　番外編　右手を失くしたカリスマ MASAMI伝』を著し、MASAMIに捧げている（なお、同書では、結成当初のフールズが練習に使っていた新宿のディスコ、トラッシュが80年代初頭のハードコア・シーン創生期において重要なライヴ会場だった事実についても言及がなされていることを付記しておく）。

プロテスト・ソングを歌う

90年9月25日、フールズはヴィヴィド・サウンドのSIMAレコードからサード・アルバム『リズム&トゥルース』をリリースした。これはアナログのミニ・アルバムとして前年12月に出した『SILLY BLUES』の収録曲5曲を含む全9曲入りのCDで、つまり半分は出し直しという内容の〝新作〟である。

　ただ、実はその9曲はすべて『SILLY BLUES』制作時にレコーディングしたもので、まずアナログでミニ・アルバムを出し、その後にCDでフル・アルバムというリリースの仕方は、CDが普及していく過渡期の対応策として、あらかじめ考えられていたようだ。ところが『SILLY BLUES』のミックス・ダウンが難航したため、『リズム&トゥルース』のミックス・ダウンに際しては、メンバーからのリクエストによりOTOが立ち会い、新たに招いたエンジニアとの意思疎通を図る役目を果たす。本作のクレジットでOTOの名前がスペシャル・サンクスに記されているのはそのためだ。なお、ミックス・ダウンを担当したエンジニアの藤井暁は篠田昌已と以前から付き合いがあり、この年にpuff upというインディー・レーベルを設立（ディスリビューションはヴィヴィド・サウンド）、その第1弾として篠田のファースト・ソロ『コンポステラ』をリリースしている。

ではアルバムの内容を見ていこう。ほぼ全曲が長尺だったファーストの『Weed War』に対してこちらは4～5分台のナンバーが4曲、6、7、8、9、10分台のナンバーが1曲ずつあるが、中でも最も長い10分23秒の6曲目「CHINA BLEEDS」は、現実の具体的な出来事をテーマにしたフールズ史上初のプロテスト・ソングと言っていいかもしれない。タイトルからうかがえるように、中国・北京で89年6月4日に起きた天安門事件（民主化を求める多数の学生が武力によって弾圧されていく様子が世界中に報じられた）のことが歌い込まれているのだが、これをけっして対岸の火事としてのみ描いてはいないところに作詞者・伊藤耕の面目躍如たるものがあるということは声を大にして言っておきたいところだ。

耕がこの歌について語る。

「天安門とかは実際に起きている事件なんだから、それに何も感じない人間は人間じゃないね、とかいっちゃって（笑）。でもそう思うよ！　別に会社の社長だろうがルンペンだろうが関係ないじゃん。情報化社会とかいって、情報は末端までいきとどかなきゃいけないよね。ミュージシャンという仕事柄、こっちの受信機が悪いのを教育のせいばかりにもしてられないから、ちゃんとインプットして、ちゃんとアウトプットしないとね。俺は平和を願っている」

10分を超えるこの曲の作曲者は川田良である。重厚なサウンドのアレンジについてクレジットはないが、そちらも基本は良が手がけたものと思われる。終盤のクライマックスで聞くことができるアルト・サックスの咆哮は、サックス奏者としては篠田昌已の先輩にあたる梅津和時によるもので、梅津をゲストに招いたのも良のアイデアだった。

そして、「CHINA BLEEDS」に限らず、リードとリズムを織り交ぜた良の巧みなギター・ワークがバンドのアンサンブルを牽引していることは明らかで、ファンキーなギター・リフを基調とする7曲目の「酒のんでPARTY」などはその典型といえる。シリアスな「CHINA BLEEDS」の次にこんなタイトルの歌を持ってくるのも彼らしい。耕と良で詞を共作したその曲はライヴで演奏される機会も多く、さまざまなバンドを渡り歩いた川田良のフールズにおける代表曲となった。先に触れた『ミュージック・マガジン』のフールズの記事でインタビュアーを務めた音楽評論家の小野島大は、本作について「いささか粗雑なプロダクションにも関わらず、そのビート感、スピード感はしっかりと伝わってくる」と記しているが、これは良の貢献によるところが大きいといえるだろう。

また、同じ号に掲載されているアルバム評では音楽ライターのかこいゆみこが「音質はけっこうラフだし、細かい点に不満はあるが、あくまでもタフに突き抜けていくヴォーカルとリズム・セクション、川田良のギターの絡みなどは、彼等にしか出せない味だろう」と、好意的に評価しつつ、その上でフールズの本領はこのアルバムよりライヴにあると感じたことを歯痒そうに述べている。

モノホンのロッカー

90年9月29日にはフールズの結成10周年を記念するコンサートが法政大学学生会館で開催された。これは彼らがあらためて注目を集める機会ともなったものだ。

結成10周年記念コンサート・ポスター。右上から川田良、マーチン（左上）、伊藤耕（中）、福島誠二（下）。撮影＝小野幸生

コンサートのタイトルは「どっこい！　俺たちゃ生きてるぜ」。さまざまな〝苦難〟を乗り越えてきたこのバンドらしいとも言えるし、また江戸アケミの死に伴う喪失感を吹っ切ろうといった意志が感じられるものとも言える。ゲストはティアドロップス――すなわち山口冨士夫とフールズのオリジナル・メンバーである青木真一、カズこと中嶋一徳、佐瀬浩平をはじめ、じゃがたらのEBBY、OTO、篠田昌已、TOMATOSの松竹谷清、さらに近田春夫、片山広明、吉田有信、オスこと尾塩雅一といった顔ぶれ。事前の告知も行き届いていたようで、会場には1200人以上もの観客が押し寄せることとなった。イヴェントとしては大成功だ。ところがこの時は耕のコンディションがひどく、メンバーやスタッフは苦々しい思いを味わうことになったという。

誰よりも耕本人がこの時は大失敗だったと潔く認めている。

「10周年記念ライヴは酸欠になって、めっちゃくちゃにしちゃった。時代の産物だね。知り合いがいろいろ持って来ちゃって、ちょっとドラッグをやりすぎた。ありとあらゆる種類をきめちゃったからな。自分のことでいっぱいいっぱいだったから、ゲストがどうだったとかって、何にも覚えていないんだ。あれは俺の人生でも、本当に「ざまあみろ！」っていいたいくらいの大失敗だったね（苦笑）。でもギヴアップしなかったんだよ。やめちゃおうかと思ったけど、逆に意地になって。ダウンしなかったけど、判定で大差のTKO負けだね。いいパンチをいっぱいくらった」

ただ、耕の耕たるゆえんは、せっかくの晴れ舞台で大失敗したかと思うと、その直後には神がかったようなパフォーマンスを実際に見せていたということだ。誠二が語る。

「10周年で耕は完全にキメすぎてて、それについていくのが大変だったというのは俺も良もそう。良の場合は酔っ払うけど、ステージで弾くぶんにはしゃっきりしてる。耕は暴走してくでしょ。ライヴでは、俺と良、マーチンも含めて、一生懸命曲を成り立たせたようという必死の作業がずっと続く。でも当時はそれを面白がってやってたかな。

正直ひどいライヴはいっぱいありますよ。でも耕の調子が良い時はほんとにすごかった。それに当時は耕がグジャグジャになってもそんなに非難されない時代だったし、観てる方は盛り上がってましたよ。やっぱりあの人、どんな状況でも持ってってっちゃう。グジャグジャになって倒れていようが、持っていっちゃう。オーバーに言えば毎回すげえなぁと思うよ。良い意味も悪い意味も含めてね」

こうした誠二の発言から連想されるのは、たとえばジョニー・サンダースのようなミュージシャンかもしれない（91年4月に38歳で急逝した彼の死因はオーバードーズだったとも言われる）。しかし、ロック・バンドのフロントマンでヴォーカリストたるもの、たとえばミック・ジャガーのような常人離れした自己管理力に基づく自己演出力の、その何分の一かでも身につけていなければロックをビジネスとして成立させることは出来ない相談である。誠二の故郷広島の大先輩である矢沢永吉など、まさにその手本といったところだろう。とはいえ誠二は、伊藤耕という、およそ自己管理力に基づく自己演出力などといったものは持ち合わせていないけれども、「良い意味も悪い意味も含めて」「オーバーに言えば毎回すげえなぁ」と思わせてしまう自己そのものをさらけ出すヴォーカリストをフロントマンに擁するバカ野郎（フールズ）どもという名前のバンドを選んだのだった。

前述したように『ミュージック・マガジン』にフールズのインタビュー記事を寄稿した小野島大は、法政学館のステージも観に行っており、その時の印象をこう述べる。

「何か揉めごとがあったらしくて、スタッフが殴り合って血みどろになったりして。面識はなかったけど暴力的な人間だという噂を聞いていた川田良が、あの時は「喧嘩はやめてくださいね」とか言って、お前が言うかって（笑）。そうしたら森さん（マネージャーの森早起子。次節参照）がステージに出てきて、泣きながら「今日はどうもすいませんでした」って謝っていて、「何を謝っているんだろう?」と思った。

耕自体は、当時のシーンの中でも飛び抜けて明るい太陽みたいな存在だったけど、本人よりも周りの状況が殺伐としてて、ちょっと危うい感じがしてた。なんかこれからガンガンやって伸びていくバンドという感じはしなかった。80年代のライヴハウスには、ああいうピリピリ、殺伐とした感じは多かったけど、でもあの頃は既にバンド・ブームになってたし、ライヴハウス自体が健全になっていって、そんなものが受け入れられるはずがないでしょ。じゃがたらだって結局挫折しちゃったわけだしね。でも俺はバンド・ブームで出てきたライターだから、そういうものを否定するわけにはいかない。ただバンド・ブームのおかげで、居場所がなくなって消えてった人っていっぱいいるわけですよ。だからフールズの場合も、多分アンダーグラウンドな存在で終わるんじゃないかなって思った。

元々俺は吉祥寺のマイナーでアングラなバンドをやって、耕と対バンしたりしてたのが、ライターになってバンド・ブームに便乗して泡銭を儲けてたわけですよ（笑）。魂を売ったとまでは言わないけれど。だけどそうしてバンド・ブームに乗れずに、あるいは乗らずに一線から去っていったアーティストをもっともっとフックアップすべきだったという思いはある。ただの感傷かもしれないけど」

そう言う小野島だが、当時彼はフールズをバンド・ブームとは異なるところで活動するフックアップすべきバンドとして取り上げたことがあった。月2回発行の『宝島』90年12月9日号に掲載された、町田町蔵（現・町田康）と伊藤耕による対談記事がそれである。『ミュージック・マガジン』の記事も書き手の小野島の思い入れが伝わってくるような、すなわちそれだけノッて書いていることがうかがえる文章だったが、町田の新しいバンド、フールズ、フリクションの3組によるコンサートの前宣伝的なものとして小野島が企画を買って出たものと思しきこの対談は、町田と耕の異能ぶりを引き出した傑作と言える。今は作家として活動する町田のことを貶める意図は無いことをことわって、反語的な表現であることが明らかなこの記事のサブタイトルを記しておこう。

「パンク・バカ一代の2大巨頭会談。彼らは正真正銘のアホだが、モノホンのロッカーだ!」

なお、小野島が発言の冒頭で触れている揉めごととは、PAの操作に関してのものだった。このライヴでは、『リズム&トゥルース』のミックスの仕上がりを気に入ったメンバーの希望によって、藤井暁がPAを担当していた。だがコンサートの途中で行われた山本政志のトークのセッティングが打ち合わせと違ったことから、藤井がマイクの音声をオフにしてしまったため、それに怒った関係者が彼を取り囲んで袋叩きにしたのだという。それにもめげず藤井はコンサートの最後までPAを務め上げたとのことで、これはこれで藤井のエンジニアとしてのこだわりの強さとそれゆえの豪胆さを示すエピソードといえるかもしれない(なお藤井は2013年11月に自宅で録音データの編集作業中に急逝している)。とはいえ良にしてみれば、まさに内輪揉めとしか言いようがない事態であり、とりなそうとするしかなかったのも当然ではある。

1990年は江戸アケミが亡くなった年であり、伊藤耕にとっては最も多忙であり、かつ多方面に活動を展開した年となった。そうした活動は小野島大が言うように「バンド・ブーム」の中では受け入れられることがなかったかもしれない。とはいえ、『ISHIYA私観 ジャパニーズ・ハードコア30年史』には、「日本のハードコアパンクシーンにとって伊藤耕の影響は大きい。同世代から少し上の世代のハードコアのボーカルで、耕さんに大きな影響を受けた人間はかなりの数が存在すると思う」と書かれている。つまり、その影響はアンダーグラウンドなところに大きく及ぶものであった。そしてそれはアンダーグラウンドで「終わる」ものだったことを意味しているわけでは決してない。

4　NO MORE WAR

頭脳警察とともに

1990年前後は、日本だけでなく、その外側の世界でも歴史的な出来事があいついで起こった時期だった。

前述したように89年6月4日には中国・北京で天安門事件が発生、それから5ヵ月後の11月9日には東ドイツで東西冷戦の象徴とされていたベルリンの壁が崩壊した。そしてそこから1年9ヵ月後の91年8月19日にはモスクワでソ連共産党保守派によるクーデターが勃発、これが失敗に終わるなか改革派のミハイル・ゴルバチョフ初代ソ連大統領がソ連共産党の自主解散を求めるとともに、エストニアなどの独立を承認。12月25日にはゴルバチョフが大統領を辞任し、26日にはソ連の消滅が宣言される。ここに20世紀の巨大な実験ともいわれたソ連の社会主義体制が終わることとなった。

かつて政治的に過激なロック・バンドというパブリック・イメージが重荷となって75年12月に解散した頭脳警察が、ヴォーカル／ギターのパンタこと中村治雄とパーカッションのトシこと石塚俊明を中心に期間限定で活動を再開したのは90年6月のことだった。伊藤耕が頭脳警察への思いを語る。

「頭脳警察は大好きだったよ。そっちの系統の過激なバンドは何でも。レベル・ミュージックなら。デヴィッド・ボウイも好きだし、ジミ・ヘンも好きだし、ボブ・マーリーも好きだし、ピストルズも好きだし、レイジ・アゲインスト・ザ・マシーンも好き。反逆の文化が好きなんだ。日本語で言いたいこと言って、かっこいいロックができないかなって、参考になったのは頭脳警察とかファニー・カンパニー。歌詞でパッと分かったのは、頭脳警察！」

ファニー・カンパニーはヴォーカルの桑名正博を中心とするロック・バンドで、シカゴ・ブルース風の曲に大阪弁の詞を乗せた「スウィート・ホーム大阪」が記録より記憶に残るナンバーとして知られる。また、このバンドのドラマーは解散後ライヴハウスの店長となり、そのライヴハウスとはフールズにとってホームグラウンド的な場所でもあった原宿クロコダイルなのだが、それはともかく、フールズはこの時期、再結成した頭脳警察との共演を果たしている。10月28日、東京・世田谷の日本大学文理学部大講堂で行われた「ネルソン・マンデラ来日歓迎ライブ VIVA FREEDOM」がそれだ。

90年は南アフリカ共和国の黒人指導者ネルソン・マンデラが、64年に国家反逆罪で終身刑の判決を受けて以降27年間に及んだ獄中生活から解放された年でもある。2月に釈放されたマンデラはアパルトヘイト（人種隔離）撤廃に向けてのメッセージを伝えるため10月初旬から8ヵ国の訪問を開始、日本には10月27日から11月1日まで滞在している。それに合わせて急遽企画されたマンデラによるスピーチとミュージシャンによるライヴからなるイヴェントが「VIVA FREEDOM」だった。出演者は、頭脳警察、フールズの他には忌野清志郎、かまやつひろし、日本で活動する黒人ブルースマンのハイ・タイド・ハリス、シーナ&ロケッツ、ウエスト・ロード・ブルース・バンド、金子マリに、ヘッドライナー的な扱いで爆風スランプがトリを務めた。

さて、こうした顔ぶれからすると、フールズのようにお世辞にも知名度があるとはいえないバンドがどうしてここに入っているのかという疑問が浮かぶかもしれない。メンバーに収監経験者がいることがマンデラを歓迎するイヴェントにはふさわしかった、などというとタチの悪い冗談に聞こえるかもしれないが、種を明かせばこのコンサートの出演者をブッキングしていたのはフールズとも旧知の仲の森田勝だったのである。かつてストリート・シーンを盛り上げようと「ストリート・シンジケート構想」を提唱したことのある森田はこの頃、コンサートの舞台監督という職に就いて活動していた。

そしてこの時フールズは頭脳警察とのセッションという形での出演となった。出演者が決まっているところにねじ込んだものの演奏時間が取れなくなってしまったため、頭脳警察の演奏の後半にフールズのメンバーが参加するという苦肉の策を採ることになったのだった。マーチンが語る。

「パンタが「耕には真ん中で歌ってもらおうか。頭脳フールズ、フールズ警察、どっちがいいかな?」って言うんですよ。それで「悪たれ小僧」の演奏に参加した。もう俺はノっちゃって、最高の気分だったたね! 嬉しくて舞い上がって、楽屋でも「目の前にトシがいるよ、俺はトシと喋ってるよ!」みたいな感じだった(笑)」

災い転じて福となすということだったのだろう。ちなみに、このセッションの様子を収めた映像が残っていて、YouTube にもアップされている。「ネルソン・マンデラ来日歓迎ライブ ｐａｒｔ１ 忌野清志郎、頭脳警察、ほか 1990-10-28 VIVA FREEDOM WELCOME MANDELE(ママ)【資料動画】」というタイトルで、当該の場面はほんの6分ほどのものだけれども、それを観れば、たとえフールズというそのバンドに知名度がなかったとしても、彼らがこの時この場に居合わせた人々に何がしかの印象を残した、それだけのパフォーマンスを展開していたということは了解できるのではないかと思う(ただ、２０１８年6月9日に投稿されたこの動画の視聴回数は本稿執筆時で2千回余であった。また、これはネット上でも話題になったことだが、日大文理学部の非常勤講師が２０２０年前期の授業中に黒人や中国人を差別する発言を繰り返していたことが発覚、それを受けて学部長が「文理学部はあらゆる人権侵害およびそれを肯定する発言に反対します」という声明を発表している。声明にはマンデラの「来日歓迎ライブ」が開催された経緯や上記の動画投稿のURLも記されているが、そのように記録は残っていても記憶は風化してしまったことの、これは一例ということになるのかもしれない)。

パンタが耕について語る。

「ソウルフルな声だよね、ちょっとダミ声というか。リズム&ブルースとかにぴったりじゃない!ああいう声には憧れちゃうよ」

戦争反対を叫ぶ

年が明け、91年1月26、27日には法政大学学生会館で「江戸アケミ（正孝）一周忌 西暦2000年分の反省」と題されたコンサートが行われ、フールズ、ティアドロップス、ジャジー・アッパー・カット、近田春夫&ビブラストーン、TOMATOS、スーパーバッド、チェイン・ザ・スリー・ギャング、ガーゼ、ばちかぶり、KUSU KUSU、Mr.クリスマス、頭脳警察、遠藤賢司、小玉和文、篠田昌已、町田町蔵などが出演している。そしてこのコンサートの出演者の間で交わされた議論が、フールズが次のアルバムを制作するきっかけとなった。

広く一般的には、91年1月といえば17日に国連の多国籍軍がイラクを空爆し、湾岸戦争が勃発したことで記憶されていると思われる。江戸アケミ一周忌のコンサートが行われたのはその戦闘開始からわずか10日後のことで、法政学館の楽屋では、「この状況でミュージシャンは何をすべきか」という議論が沸き起こっていたという。そこでフールズは、急遽反戦のメッセージを掲げたコンセプト・アルバム『STOP THE WAR』の制作を決め、レコーディングに入っていったのである。

ところが、湾岸戦争は2月28日に戦闘が終結。3月3日に暫定停戦協定が結ばれ、4月6日にはイラクが正式に停戦を受諾するという情勢の急展開があった。それでもフールズは「戦争反対」といったメッセージ・ソングをはじめとする6曲入りのアルバムを、『NO MORE WAR』というタイトルに変更してジャケットも作り直し、5月25日のリリースへと何とかこぎつけた。これは発売元のインディー・レーベルと、音源から何からすべて完パケの状態で渡す（ようにするから必ずリリースすること）という約束を取り付けていたことが大きい。そのレーベル、ナツメグは当時フールズがよくライヴを行っていた代々木チョコレートシティによる運営で、かつて渋谷屋根裏のスタッフだったこのライヴハウスの店長はフールズとも懇意の間柄だったのである（そうした経緯は２０１４年ソリッドレコードからのリイシュー盤『NO MORE WAR～地球の上で～＋３』に掲載された森早起子による回想録「戦争反対の日々」に詳しい。なおリイシュー盤は曲順が変えられ、91年年末にナツメグから出た3曲入りＣＤシングル「WHAT YOU WANT ?」が追加されている）。

つまるところ『NO MORE WAR』は、突貫作業で作られたアルバムだったわけだが、ただ、だからこそそこにはバンドが充実している時ならではの瞬発力が込められているとも言える。

オリジナル盤の曲順にしたがい個々の楽曲について見ていこう。オープニングの「戦争反対！」は、「戦争反対」という掛け声に応えて伊藤耕がストレートな反戦のメッセージを次々にシャウトしていく即興的な勢いに満ちたファンク・ナンバーだ。福島誠二の骨太なスラップ・ベースに川田良のシャープでノイジーなギターが絡むアンサンブルは、政治的に過激なバンドでもあったザ・ポップ・グループのそれを彷彿させ、誠二加入後のフールズがポストパンク的なアプローチも果敢に試みていたことを示す野心的なトラックである。

2曲目の「Hey! 総理大臣」は、プログラミングを導入したクールなファンク・ナンバー。マーチンの証言によればこの曲は、伊藤耕のヴォーカル以外のトラックはゲスト・ミュージシャンのCARIOKAが手がけたものだという。「Supervisor, Manipulation & Rhythm Guitar」のクレジットがあるCARIOKAは耕やマーチンの知り合いで、RCサクセションのキーボード奏者であったGee2woこと柴田義也などとも交流があったそうだ。

3曲目の「FREEDOM'91」はフールズの代表的ナンバー「MR. FREEDOM」のリメイクで、マーチンがCARIOKAに依頼し、ドラムの演奏のデータをパーツに分けてつなぎ直しているという。するとこれはこれでかなり早い段階での人力ブレイクビーツだったことになりそうだ。

4曲目はSEX時代からのレパートリー「無力のかけら」の新録である。『東京ニュー・ウェイヴ'79』での性急な演奏とは打って変わって、ミドル・テンポのシャッフルのリズムをバックに耕のヴォーカルも力みのない淡々としたものになっており、醒めた意識で「無力」であることを自嘲するような歌詞が聴き手の耳に自然と入ってくる感じだ。ただ、最後に現れる「だけど諦めるな　最後までサジを投げるな」という一節とそれを受けたアウトロでの良のギター・ソロは、この曲を熱いエモーションで締めくくっている。

5曲目の「動き出せ!」は書き下ろしの新曲。タメを利かせたブルース・ロック調のオープニングから、「さあ動き出せ」というサビのシャウトでエネルギーを爆発させる展開が「これぞロック」という醍醐味を味わわせてくれる。

ラストの「地球の上で」も新曲で、11分に及ぶ長尺のゴスペルライクなスロー・ナンバー。ゆっくりとうねるグルーヴ、美しい女声コーラスをバックに歌う耕のヴォーカルには穏やかな温かみに満ちた感触がある。

こうして見ると本作は、ミニ・アルバムではあるが曲調は多岐にわたり、スタジオ・ワークでも斬新なアプローチがなされていることがわかる。

それから、新曲の「動き出せ！」の歌詞にバビロンという言葉が現れるところにも着目したい。周知のようにこれは民衆を虐げる富や権力の象徴といった意味合いの言葉として主にレゲエの世界で歌われるものだが、耕は以後自分の歌でたびたびこの言葉を用いるようになる。ボブ・マーリーなどの「反逆の文化が好きなんだ」と語っていた彼が、あらためてここでレベル・ミュージックへの指向を打ち出したことは間違いない。耕が回想する。

「このアルバムはあの時に出す意味があったから、歌も生き生きしてると思う。「無力のかけら」は最初の頃に作った曲。捨てちゃおうかなと思ったこともあったんだけど、意外と良いって言う人がいてさ。独りでナイロン弦のギターで弾き語りをやった頃に、自分の曲だしやってみるかって思うようになったんだ。リメイクするのにいいタイミングだった」

CARIOKA以外のゲストについても触れておくと、キーボード&オルガンにボ・ガンボスのDr.kyOn、コンガ&ゴングにPINKのスティーヴ エトウ、パーカッションにビブラストーンのNOGERA、そして「戦争反対！」の掛け声にグレイトリッチーズのワタナベマモル、ポテトチップスのもりくん、ディープ&バイツの山川のりをなどが参加している。次節で述べるようにグレイトリッチーズ、ポテトチップスとはこの後、彼らのレコーディングやライヴにフールズのメンバーが関わるという展開へとつながっていく。

また、「戦争反対！」の掛け声を挙げた中には、この時から21年後の2012年フールズにドラマーとして加入することになる村上雅保もいた。村上が当時のメンバーの印象を語る。

「フールズは法政、あと高円寺の20000Vや新宿のアンティノック、代々木のチョコレートシティとかで観てました。大好きな人たちで憧れてたし、すごく自由っていうことを投げかけてくれてたから、対等に喋っていいんだみたいな存在で、だからこそさすがアニキたちって感じでした。たまに打ち上げにも顔出すと、良さんがくさやを配ってたりして（笑）。良さんは怖かったけど、ギターはポップだし、自分もギターとか弾いてみたくなりましたよ。

マーチンは、タッチとしてはストロング・スタイルじゃないですよね。グルーヴを淡々としながら盛り上げていく、新しいスタイルを見せてくれた。あの頃の自分にはああいうアプローチというのは新鮮でした。マーチンはおしゃれで、対等に接してくれたし、本とか食べ物とか、いろいろなものを教えてくれるので、大好きでした。

耕さんは都会の不良、ヤクザなのかヤクザじゃないのかみたいなグレーゾーンを行ったり来たりする感じ。会うと「どっかに遊びに行こうよ」ってことになるんだけど、それが二日三日にわたったりするんで、いい加減疲れてくるんですよ。三日ぐらい寝ないで遊んでたりとか、そういうイメージが強い。でも「この人が言っていることはほんとだな」ってのは、確信的にどこかで思ってた。人を巻き込んで、何か変化をがんがん植え付けるっていう感じがありましたね」

届かぬメッセージ

かくしてフールズのニュー・アルバム『NO MORE WAR』は5月25日無事リリースの運びとなり、

同日法政大学学生会館では「NO MORE WAR 地球の上で」というタイトルでライヴが開催された。ゲストにグレイトリッチーズ、ポテトチップス、鉄アレイ、そして反語的反戦歌の「自衛隊に入ろう」で知られ、当時再評価がなされつつあった〝伝説のフォーク・シンガー〟高田渡を招き、10周年記念の時ほどではないものの多くの観客を集めている。

さらに、この時フールズとアルバムのリリース元であるナツメグは賭けに出ていた。かつて『Weed War』を紹介するのに特別のコラムを設け、「最大級の讃辞を贈ることで読者の購買意欲をそそりたい」として異例のプッシュを行ったことがある情報誌『シティロード』に、『NO MORE WAR』の広告を1ページ大で打ったのである。それも、リリースよりひと月前となる4月25日発売の5月号で、一方アルバムのレヴューは5月25日発売の6月号に掲載されたから、2ヵ月連続のプロモーションという形になったわけだ。

広告のキャッチ・コピーを引いてみよう。

「史上最強の問題作」

「前作『リズム&トゥルース』から8ヶ月。魂のロックンロール・バンド、フールズが現在だからこそ世に問う衝撃のラディカル・コンセプト・アルバム」

「反戦・自由・人類愛をテーマに、根源的エネルギーに満ち溢れた不滅のリアル・ミュージック」

「これさえあれば、ストーンズもドラッグもいらない」。

なんとも微苦笑を誘われるような言葉が並んだものではある。もちろん、広告であるからには読者の耳目を引くことが目的であって、またこれは医薬品のようなものの広告ではないから、そこに多少大袈裟なことが書かれてあったとしても許される余地はあったかもしれない。ただ、フールズのアルバムがあれば、ストーンズはいらない、ということになるかといえば、それは違うのではなかろうか。大体、そのような言い方をしては、耕が「一過性のムーヴメント」と評したパンクと同じ轍を踏むことになってしまうだろう。いや、そうした全否定ではなく、とりあえずいまはストーンズよりフールズだということであったとしても、である。

『Weed War』の制作過程で伊藤耕が、いわゆる渋谷系に通じるような編集感覚を持ち合わせ、それを発揮していたということは前述した。その渋谷系のアーティストについて時代を遡っていくと、辿り着いた先に現れるのがはっぴいえんどであるということは昨今常識に属する事柄となっているようだ。そして、そのはっぴいえんどと関わりのあったフォーク・シンガーの中でとりわけルーツ・ミュージックに造詣の深かったのが高田渡であったということもいまではよく知られるようになった事実かもしれない（息子である高田漣を両者の間に置けばその関係はより明確になるだろう）。フールズが『NO MORE WAR』の発売記念ライヴで高田渡をゲストに招いたのは彼が「自衛隊に入ろう」の作者であるということがさしあたりの理由だったとしても（森早起子「戦争反対の日々」によれば高田渡は当日この曲を歌わなかったという）、それだけにとどまらない互いの共通性として、音楽に対する懐の深さというものもあったと思うのだ。しかし、先の広告の「史上最強」「これさえあれば」といった大言壮語は、そうした点を見えなくさせてしまっていたのではないだろうか。

アルバムのレヴューを見てみると、『NO MORE WAR』が入魂の作品であることを言いたいがためか、断言調の短い一文一文で、制作の契機となった湾岸戦争、レコーディングの経緯、ゲストのミュージシャン、曲の内容などを説明していき、「地球の上で」の歌詞の一節を引用した後に、「歴史を目撃したフールズは、今歴史を動かす」という、これもまた大言壮語といえば大言壮語の断言で締めくくっている。しかし、果たしてこれで読者の購買意欲をそそることができるかといえば疑問に思う。というのも『Weed War』を取り上げたコラムでは「讃辞を贈る」と記すことで意識されていた対象との距離感が、この『NO MORE WAR』のレヴューではほとんど見られないからだ。

一体どうしてこんなふうになってしまったのだろう？　実を言えば、この時の『シティロード』という雑誌が置かれていた状況にも、変化が起きていたのである。同誌はこの時から1年数ヵ月後の92年9月号で休刊することになるが（その後福岡の広告代理店が発行元となって復刊し、またすぐ休刊した）、理由は端的に言って部数の減少だった。90年3月に情報誌『週刊トウキョー・ウォーカー・ジパング』が創刊、同年11月にそれまで隔週発行だった情報誌『ぴあ』が週刊化されて「急激に部数を伸ばし」（朝日新聞92年9月2日朝刊。以下の引用も）、月刊の『シティロード』は「業界内競争の激化につれ、部数が低迷」していたという。

その兆候は誌面にも表れている。それまで毎年3月号には読者投票によるベスト10の特集記事が掲載され、85年3月号掲載の84年度「イキイキミュージシャン」部門でフールズが34位に、また「ベスト・アルバム国内盤」部門で『Weed War』が37位にランク・インしたことは前述したが、91年3月号ではこの読者参加型の記事が無くなり、それまで併載されていたレギュラー執筆陣による「メモリアル・ベスト」の発表のみが掲載されていた。多少の幻想を含みながらではあるものの、購読者がその雑誌を陰に陽に支えていることの実感を得られるイヴェントでもある読者投票を、この時『シティロード』は一方的に打ち切ってしまったのである。

これは投票をする読者の数がそれだけ減っていたということでもある。読者投票の最後となった90年3月号、「読者選出ベストテン89」の「イキイキミュージシャン」部門ではフールズが5年ぶりに選ばれ16位にランク・インしているが、得票点数は171点。だが84年度34位での得票点数は364点、実に2倍以上だったのだ。応募総数で見ると84年度は4787通だったのに対して89年度は3714通、1000通以上の減少である。

こうした読者数の減少、すなわち部数の減少が誌面作り、さらにいうなら記事のクオリティに影響を及ぼすことはない、ということはまずあり得ないだろう。情報誌である『シティロード』が、同じく情報誌で部数の上ではかなりの差をつけられていた『ぴあ』に対して自らの優位を誇ったのは記事の批評性、そしてどの情報を推薦すべきものとして扱うかという目利き、いまで言うインフルエンサーに相当する役割だった。たとえば84年9月号で「じゃがたらスタジオからの待望の2枚」というコラムを設けてフールズの『Weed War』と連続射殺魔の『Pimp Mobel』を取り上げ、「敢えてこの2枚のレコードに最大級の讃辞を贈ることで読者の購買意欲をそそりたい」としたことなどはまさしくそれにあたるものだ。そして、そうした目利きとしての信頼性が失われていくことと読者数の減少との間に相関関係がない、ということもまたあり得ないだろうと思う。

『NO MORE WAR』に戻ろう。このアルバムはフールズにとって渾身の意欲作であった。ストレートに戦争反対を叫ぶということと、その戦争という巨大な現実に主体的に関わることができない、すなわち「歴史を動かす」ことができない無力感をさらけ出すこと——もちろんこれは「無力のかけら」のことだ——を彼らはここで音楽を通して行った。その意味でこれは音楽による時代のドキュメントに他ならず、そのことをやり遂げたのは、リイシュー盤の回想録の記述に拠るなら、フールズ以外にはいなかったということである。しかし、そうしたメッセージが理解されたかどうかと言えば、まずは反響というものがほとんど見られなかった。インディー・レーベルのナツメグの初回盤のプレス数は、レーベルからスタッフには3000枚と伝えられたが、これは雑誌の公称発行部数のようなもので正確なところは定かではないようだ。そして本作は売り切れるのを待たないうちにCDショップの棚からその背表紙は見られなくなってしまう。

フールズがこのアルバムを短い時間の中で作り得たのは、それだけの瞬発力を彼らが発揮したからだった。だが、そうした瞬発力だけではいかんともしがたいことが現実として示されたのが、右のような結果だったといえるかもしれない。世紀も変わって十数年が経った2014年、メンバーの川田良が亡くなってから半年後に、このアルバムは曲順の変更とCDシングル3曲の追加という形で再発された。その再発盤の2曲目に置き直された「無力のかけら」の中で、伊藤耕は歌っている。

「だけど諦めるな」

5 ユニティの行方

職業としてのバンド

ミニ・アルバム2枚、アルバム2枚、シングル1枚——フールズが伊藤耕復帰後、1989年12月から91年12月までの2年の間に3社のインディー・レーベルからリリースした作品の点数である。怒濤の勢いと言ってもいいだろう。彼らはこの時期ライヴも盛んに行っていた。福島誠二が振り返る。

「耕が出てきてからしばらくは月3ぐらいのペースでワンマンやってたし、毎回200人は入って、それが続いた。まあ時代でしょうね、いまじゃ考えられない。一回のギャラもすごかった。半端じゃなかった。「すげえな、このバンド!!」って思ってた」

会場は熱心な観客でぎっしりと埋まり、ライターの火がつかなくなるほどの酸欠状態になることも珍しくなかったという。

こうした忙しさに対応するべく、彼らはまず日常的な活動のサイクルから変えていった。89年の春に耕が復帰した直後は、彼の自宅がある亀戸でリハーサルを行い、そのまま耕の家にメンバーが立ち寄ってミーティングや曲作りを行うという流れだったが、90年の夏に『リズム&トゥルース』を仕上げる頃になると、リハーサルは高円寺のスタジオに移り、ミーティングも高円寺の事務所で行うようにしていたという。事務所は環七沿いのビルの6階にあり、バンドの機材もそこから車に積み込んでライヴに繰り出すというあんばいだった。

前述したようにユニティ・カンパニーという彼らの事務所は、耕が出所する前年の88年に立ち上げられ、発足当初の実務を担ったのはマネージャーのシゲだが、自分たちで事務所を運営しようと発案したのは川田良だった。誠二が語る。

「耕が出てきたばかりの頃、良は喜んでた。一生懸命段取りして、えらい真面目な人、えらい熱心な人なんやなと思った。基本的に良は真面目なんだよ。ユニティ・カンパニーは、良が会社みたいに機能する団体を作りたかったってことなんじゃないですかね。良はそういう感じが好きだった。でも、耕は事務所とか業界とか、そういうのに縛られるのが本当に嫌いだった」

良はバンマスとしてフールズの活動を自分たちでやりくりして、メンバーやスタッフが生活できるようにしていこうと常々思っていた。80年のバンド結成からファースト・アルバム『Weed War』の発表までに4年がかかっているのに対して、耕復帰後のフールズが次々と作品を発表することができたのは、そうした良のマネジメント力が功を奏していたからだと思われる。ただ、シゲはこうも語る。

「良は耕を二度と捕まらないようにするためものすごい監視体制を敷いたんです。良は組織的にしたかったんだろうけど、私はそういうのが苦手で、だんだん居心地悪くなっちゃって、私じゃなくてもフールズのスタッフできる人はいるでしょって感じになっていったんです。良からは「耕をコントロールしてくれ」って要求されたけど、それは誰にもできないと思うし、耕を不自由にすることは私の意思に反してた。でも良が言ってることもわからないわけではなかったので、反対だったわけじゃないです。捕まって欲しくはないけど、単にできなかったから、できないことはできないなって」

結局シゲは『SILLY BLUES』がリリースされる前にフールズのマネージャーを退き、森早起子が後任となった。このように良が耕の周りを自分に近い人間でかため、薬物などのトラブルに結びつきそうな人間をシャット・アウトしたのは、良が惚れ込んだ伊藤耕というヴォーカリストを潰さないための方策に他ならなかったが、それはまたバンド活動を職業としてしっかりと成り立たせていくためのものでもあった。

良は彼がフールズに加入した82年に結婚し、それからはバンドの活動と子育てを両立させようと懸命だった。バンドはファースト・アルバムを出すが、その前後からメンバーの脱退があり、ただ一人残ったオリジナル・メンバーの耕は逮捕され実刑を食らってしまう。そうしたなかでバンマスという役目を引き受けてきた良としては、フールズの再出発に際し、今度こそは、と心に期して青写真を描いたわけである。

一方、耕は彼本来のペースを取り戻すにつれ、良のやり方に対する反発を強めていき、「良の会社ごっこには付き合えねえよ」などと不満を口にすることもあったという。そこには86年の逮捕から裁判へと至る過程で彼の心中に生じた「どうやら俺は普通のミュージシャンとは合わないんだな、じゃあそれはそれでいいや」という自覚も関係していたかもしれない。

明日からグレイトリッチーズ

また、この頃からメンバーは他のバンドのレコーディングやライヴのサポートを行うことが増えていった。『NO MORE WAR』へのゲスト参加後、フールズとの親交を深めていたポテトチップスのもりくんが語る。

「耕さんと良さんには、セカンド・アルバム『すごくいい』のレコーディングに、ゲストで入ってもらったんです。耕さんには僕とユニゾンで歌ったりとか、全体でサビを歌ってもらったりしたんですけど、一箇所だけソロのパートがあって、簡単なんだけどうまく入れなくて何回もやり直しをしていた。やり直すたびにニコニコニコニコ笑って。でも、その一箇所は僕の倍くらいの音圧があって、やっぱ声の迫力がすごいなって。そんな感じで耕さんとは楽しくやりましたね。

アルバムを発売してから、91年の8月、青山円形劇場でやったワンマン・ライヴ2デイズにも二人に参加してもらいました。その時はホッピー神山さんとかスティーヴ エトウさんにも参加してもらって、みなさんその2デイズで終わったんだけど、良さんだけは、「そのまま出て欲しい」って誘って、その後も参加してもらってました。良さんのギターはすごかった。レコーディングの時も曲は事前に聴いてもらってたんですけれども、ソロのプレイはアドリブで、何テイクか録っても全部違うんですよ。それが本当にかっこよくて！

うちのギターの小島史郎も、相当かっこよくてうまいプレイヤーなんだけど、それでもなんか全然違うんです。ライヴもアドリブで全然ＯＫ。その頃僕は代田橋に住んでいて、まず近所のマモルの家に行って、そこから合流するみたいな感じで、良さんとは頻繁に夜中に遊んでました」

もりくんは元グレイトリッチーズのヴォーカルで、87年にポテトチップスを結成。90年にポリドール（現ユニバーサルミュージック）からメジャー・デビューを果たしている。その年に『宝島』の版元から出ていた雑誌『ROCK FILE』でもりくんが耕と対談したことをきっかけに交流が始まり、『NO MORE WAR』へのゲスト参加から良とも面識を得て、右の発言にあるような関係へと至った。

そして、この91年の夏に誠二のところにも仕事の話が訪れる。

「フールズの過酷な長い長いツアーが終わり、久々に休みになると聞かされ『レジャーじゃ！ 海じゃ！』とはしゃいでるところに、良から電話がかかってきた。たぶんポテトチップスの打ち上げ会場からだったと思う。『お前明日からグレリチをやってやれ』『何ですかそれ？』『ベースが失踪した』って。良がサポートしてたポテトチップスとグレイトリッチーズが仲良かったから、良に相談した結果ってことみたい。『イカ天』が終わった頃から、レコード会社もバンドに対して厳しくなったからね。『売れるものを作れ！』ってプレッシャーがかかってくる。それに耐えられなくなって失踪したんでしょう。その後にグレリチのメンバーからもオファーがきたので、2週間で30曲近くを覚えてツアーに出た。最初はベースが見つかるまでの間のライヴ数本のサポートのつもりだったんだけど、結局メンバーになっちゃって93年の解散までいた。夕方グレリチのライヴやって、夜フールズのワンマンとか、フールズのツアーから俺一人バスで帰って来て、グレリチのツアーに参加するとか、そんなのがずっと続くようになった」

誠二の発言に出てくる「イカ天」とは、89年2月11日から放送の始まった深夜のオーディション番組「三宅裕司のいかすバンド天国」のこと。FLYING KIDS、ＢＥＧＩＮ、たま、マルコシアス・バンプ、ブランキー・ジェット・シティといったバンドがこの番組への出演を経てメジャー・デビューを果たし、バンド・ブームはピークを迎えている。またそれゆえに90年12月29日の番組終了は、ブームが一段落したことを感じさせるものでもあった。

そうしたブームが去った後の時代にあたる92年5月22日、新宿ロフトで行われたグレイトリッチーズのライヴについて、筆者が『ミュージック・マガジン』7月号に寄せたコンサート評の文章がある。その一部を転記してみよう。

「演奏力はぐんとパワー・アップしている。特にギターでなくベースで行なうライト・ハンド奏法は、これだけで十分な芸になってしまう。凄いと思ったらなんとベースは現在フールズのメンバーでもある福島誠二だった。いわゆるミクスチャー・サウンドの要として暴れ回っている。それだけだったら今の流行りものですんでしまうのだが、ここにヴォーカルの渡辺まもるのキャラクターが加わるとなにやら得体の知れない空気が生まれてしまう。(中略)それにしてもさんざん待たせた2回目のアンコールでは、福島に永チャンのモノマネをやらせてしまうあたり、つくづく妙な奴らである」

このように誠二はテクニカルな演奏に加え、ユーモラスなパフォーマンスでも、グレイトリッチーズに貢献していた。ワタナベマモルが当時を振り返る。

「誠二はやっぱりフールズやってるだけあって上手かった！　僕と歳も一つしか違わないから話しやすいし、面白い明るいやつ。バンドとしては、だいぶミクスチャー寄りになってる頃なんだよね。だからスラップとかやってもらって、凄い力になりましたよね。まさに即戦力！

僕はスライ&ザ・ファミリー・ストーンとかも聴いてたけど、誠二の前のベースはエイト・ビートの人だった。やっぱりストラップを下げて弾いてたようなやつが、いきなりスライって言われてもね……。レッド・ホット・チリ・ペッパーズとかフィッシュボーンみたいなミクスチャーのバンドも出て来て、パンクとファンクが融合し始めた時代だった。あとボ・ガンボスの影響も大きかったと思う。あのニューオーリンズ風のスタイルのピアノは、僕らのメンバーも一生懸命練習しましたよ。でも僕にとってはボ・ガンボスよりフールズの影響の方が大きかった。フールズを聴いてスライ&ザ・ファミリー・ストーンにはまったし、良さんとはスライの話とかもよくしてました。

あと、僕は代々木のアパートに住んでた時期があって、代々木チョコレートシティに、お客さんとしてフールズのライヴを観に行くわけです。それで耕さんがライヴ中に酸欠になって倒れたりとか休んじゃったりすると、「ステージに行きなさい!」って言われて。僕が歌ってると、耕さんは負けず嫌いだから、また復活してくるんです。そういう時は二人で違うところを歌ったりしてましたね。そのうちにそれが当たり前になっちゃって。しまいには良さんに呼ばれるのがめんどくさいから、見つからないようにこっそり行くようになりました(笑)」

マモルはフールズのリハーサル・スタジオで耕に代わってしばしば歌う機会があったことから、フールズのライヴに助っ人で入るのにも違和感はなかったという。

誠二が自分自身も多忙になっていった頃のフールズの様子を語る。

「ライヴの本数やツアーがすごかったから、忙しくなり過ぎたっていうのはある。前ほどにはスタジオに入らなくなってくる。それぞれ活動が広がっていっちゃって、フールズとして動くことはあまりなくて、でもたまにライヴは入ってたよ、みたいな感じかな。惰性でなんとなく続いてた。ライヴ当日だって、サウンド・チェックもクソもなかった。夕方から会場に入ってるのは俺だけで、他に誰も来てない! 本番前になってスタッフがメンバーを探しに行くところから始めるんだ。耕なんて夜の

9時頃にやってくるからね。当時は携帯もないから、始まる前のドキドキ感は大変なもんだった。ある時期までは良が引っぱってたけど、だんだん良もグチャグチャになり出したから、どうしても統制がとれなくなっていった。耕は予測不能な行動ばっかり起こすし……。途中までは雑誌とかに取り上げられて盛り上がってたんだけど、だんだん盛り上がらなくなって、いつの間にかフールズのライヴのスケジュールは入らなくなってた。

簡単に言っちゃうと、それぞれもてはやされて、全員調子に乗り出して、だんだん団結力が弱まっていったのかな。フールズってインディーズだったけど、グレリチってメジャー・レーベルだったでしょ、キングレコード。そういう人たちとセッションしたり仕事で絡むことが増えてくると、そっちの方での進出も考えるようになる。当たり前の話だよね。だから俺も比重がだんだんグレリチの方に移っていったのは事実です」

ある事件とその真相

91年9月22日、良がサポートで加わったポテトチップスがクラブチッタ川崎に出演した直後、その場にいなかった誠二のところに苦情の電話が入った。

「良が他のバンドの演奏中PAによじ登って横断幕をはいで、その場で小便を撒き散らしたって話だった。取り押さえられながら「フールズをなめるなよ！」とかわめいてたらしい。それを耕に伝えたら「恥ずかしいからやめてくれ」って言ってた。当時は良が酔っ払ってあっちこっちで問題を起こした時期だった」

良と生活を共にしていたＡＭＩが語る。

「あの人はスイッチが入ると荒れるのよ。自己嫌悪もあるんでしょ。それは出会った頃からずーっと。荒れる理由は、常にフールズと伊藤耕、そして自分自身との葛藤だったと思ってます」

こうした出来事は、例えば地引雄一のように前から良を知っている人間にとっては「またやっちまったか」という程度のことだったのかもしれない。しかし良と知り合ってからそれほど時間が経っていないもりくんにとっては、まさに青天の霹靂というべきものだったようだ。

「良が小便したことは、楽屋かどこかで聞いて、「やめてくれよ!」みたいな感じだった。その日は僕も被害者だったんです。ポテトチップスの本番のライヴでも、良が暴れちゃって。ビデオカメラで撮影する人がステージの一番前に陣取ってるのを蹴ったりしてて、僕が怒って止めに入ったら、僕にもぶつかって来たりして。もともと憧れてた人で、その人と一緒にライヴをやれるなんてって感じだったのに、そんなことが起きるとは……落ち込みましたね。酔っ払ってるのはいつもだったけど、ライヴではかっこいいプレイをしてくれて楽しかったのに、そんなことはその日が初めてだった。なんかあって荒れてたんですよね。でもなんで荒れてるのかもよくわかんなかった。出演者が大勢いてリハから本番まで結構時間があったから、飲んでる量が増えたというのもあったかもしれない」

このクラブチッタでのライヴは、新宿ロフトを経営するロフト・プロジェクトが、その第1号店である烏山ロフトのオープンから20周年を迎えることを記念して行った「GO! GO! LOFT」というイヴェントの一環だった。9月14日の日比谷野外音楽堂から25日の渋谷公会堂まで全13公演という大掛かりなもので、多くのミュージシャンが参加し、それだけに川田良という人間のことをよく知らない者も少なくなかったようだ。そうしたうちの一人に、現在は劇作家・演出家のケラリーノ・サンドロヴィッチとして知られるKERAこと小林一三がいた。

ＫＥＲＡは80年代半ばにインディーズ御三家と呼ばれたロック・バンド有頂天のリーダーかつナゴムレコードの主宰者として90年代初頭まで活動し、その有頂天の解散コンサートを、ちょうど1週間前の15日に中野サンプラザで終えたばかりだった。この日は新バンドのロングバケーションで出演するため、サウンド・チェックを終え、本番に備えて楽屋で待機していたところ、そこに良が乱入してきたのだという。

「なんかいきなり「いるのか？　隣に」みたいな声が聞こえてきて。で、パーテーションがバンッて開いて、川田さんが入ってきた。明らかに酔っ払ってたから、「嫌だな、なんか知らないけど絶対因縁付けに来たんだな」と思ってたら、「お前、金を独り占めしてるみたいじゃないか」って言って、胸ぐらを摑んできたんですよ。その腕を振り払った時、同じ楽屋にいた電気グルーヴのまりん（砂原良徳）が「ＫＥＲＡさん逃げて！」って叫んだんです。別にたいした話じゃないんですよ。殴られたわけでもなくて、胸ぐらを摑まれて振り払っただけ。でもなんかフレーズだけひとり歩きしてる感じがあって。だってＫＥＲＡで検索すると、「ＫＥＲＡさん逃げて」で出てきちゃうくらいだったから。俺のことよく知らなくても「ＫＥＲＡさん逃げて」は知ってる、みたいな本末転倒なことになっていたんですよ。僕としてもある時期までは、嫌な感じだなっていう思いだったんだけどね……」

「ＫＥＲＡで検索すると、「ＫＥＲＡさん逃げて」で出てきちゃう」と言っているように、これはネットが一般化した時代になってから伝説化したとおぼしきエピソードだが、事件から22年後の２０１３年12月7、8、14、15日の4日間にわたって新宿ロフトで開催された「ケラリーノ・サンドロヴィッチ・ミューヂック・アワー／生誕50周年・ナゴムレコード30周年＆新生記念」というイヴェントの初日に、ＫＥＲＡは砂原をゲストに迎え、イヴェントの開会宣言がわりに「ＫＥＲＡさん逃げて」事件をパロった寸劇を披露することでケリをつけている。

ただ、良の「お前、金を独り占めしてるみたいじゃないか」という言葉は、この事件の〝真相〟を探ったネット上に少なからずある記事の中には見当たらないものだ（ちなみに、それらの記事のほとんどで川田良という人間は単なる酔っぱらいの乱暴者という形で戯画化して描かれているようだが、これはこれでネット言説の病理であるとも思う）。ＫＥＲＡが語る。

「マモルとはいろいろあったんですよね。グレイトリッチーズのソノシートをナゴムでリリースしてるんですけれども（83年12月発売の「パワーアップ」）、彼にしてみれば自分の大切なバンドの作品だから、ほんとにマメに、毎月でも何枚売れてるか知りたかったんでしょう。でも僕もそれで食ってたわけじゃなくて、アルバイトしながらそのお金を捻出してたぐらいだし、ナゴムからは他にもたくさんの作品を出してたからやっぱりそうそう手は回らなくて。全部売り切ったってほんとに数万円、黒字が出るかどうかみたいな世界でしたし。

でもそれが気に食わなかったのかな、途中でたびたび衝突があったんです。有頂天じゃなくてクレイジー・サーカスっていう数回しかやってないバンドで、屋根裏でクリスマスにライヴやる時に、一階上の楽屋から出て行ったら、マモルがいたの。もう俺はサンタクロースのかっこしてて、イントロ始まってるんですよ。きっかけまでに出ないといけないから「出番終わってから話そう」って言ったら、マモルに「ちょっと待てよ、レコード屋の入庫確認したら全然精算が済んでないじゃないか」って言われて、すぐ近くから小銭を思いっきり投げつけられたのね、顔に。結構痛いんですよ。それでなんかそわそわしながらライヴを済ませ、みたいな経験もあって。

でもナゴムって全部そういう話題も利用しようっていう発想があったから、あとで僕は音楽雑誌でマモルと対談もしてるんですよ。それで和解もしてるし、マモルとの間にわだかまりはないです。あの時の自分としては、もうちょっと話し合えばよかったんだよね」

ソノシートを制作した時のグレイトリッチーズのヴォーカルはもりくんで、彼にとってKERAはバンド活動を応援してくれた恩人であり、またマモルと共にフールズを屋根裏へ観に行った時にKERAと遭遇して、一緒に盛り上がったこともあったという。クラブチッタで酒に酔った良がKERAに対して険悪な様子だったのも気にはしていたらしい。もりくんが語る。

「良さんと遊び始めた頃に、マモルくんとKERAが昔もめたことがあるみたいな話を僕がしたのか、マモルくん本人がしたのかわからないけど、それが頭に残ってたんじゃないかな? そうしたら良さんが前触れもなくいきなり隣のパーテーションに行っちゃったんですよ。だからクラブチッタが終わった後は、結構落ち込みました。自分のライヴが台無しになって怒ったっていうのもあったし、KERAにあんな思いをさせてしまったのも申し訳なかったし。

でも何日かして良から電話が来たんです。全然酒が抜けた状態で、すごくテンションが低くって、「本当に悪かった。自分が情けない、恥ずかしい」みたいなことを言うんですよ。ほんとに子どもが叱られてしょげて「反省してます」みたいな感じだった。なので逆にかわいそうになって、「…まあいいよ、他に決まってるライヴも一緒にやろうよ」って。その後は、良もわりとおとなしくなって、気持ちよくやれましたけど」

良の荒みようについて、誠二が語る。

「良はフールズがぐちゃぐちゃになっててもずっと続けたかったんだと思う。でも統制が取れないジレンマがあったんじゃないすかね。フールズとして動きたいんだけど、世間ではそんなに盛り上がってないしって感じだったと思う。耕も耕で違うところに行っちゃってるし、俺も俺で違うところに行ってたから」

軌道に乗らない活動

フールズは91年の年末に3曲入りのCDシングル「WHAT YOU WANT ?」をリリースしている。が、その表ジャケットに写っているのは江戸アケミの形見に貰い受けたという黄色いジャケットを着たロングヘアの耕と誠二だけだ。これは良とマーチンが撮影スタジオに現れなかったためのやむを得ずのものだった。カメラマンは『Weed War』の内袋のメンバーが全裸になった写真を撮った松原研二で、彼はフールズの撮影では一度ならず二度までもハプニングに遭遇する破目になったわけだが、そんな松原の胸中を知ってか知らずか、後日松原が耕の自宅に写真を届けに行くと、耕は大喜びして家中の小銭をかき集め、松原に手渡したという。とはいえ、4人組のバンドのCDジャケットに2人しか写っていないとなれば、これは何かあったのではないかと思うのが人情だろう。

そして92年に入ると、耕は亀戸の自宅を引き払い、伊豆大島へ引っ越してしまった。年明けから間もない2月のことだ。マーチンが語る。

「あれは俺も不思議だったよ。伊豆大島にはガレンっていう先輩がいたから、彼に呼ばれたんじゃないかと思う。大島から熱海までは1時間もかからないから、演奏活動にも差し障りないと思ったんじゃないかな。本当は誰だってプロのミュージシャンになりたいじゃない? カズなんか〝仕事〟(スタジオ・ワーク)やらしてもできるし、誠二くんも仕事やってる。でも耕くんは違うのかな。彼は誠実ではあるんだけど、人気があればそれで満足するみたいな感じで」

前述したようにガレンは『Weed War』の裏ジャケットに載っている大麻銀行券の絵の作者で、耕との付き合いも長く、特にこの時期の耕には強い影響力をもっていたようだ。ちなみに耕は伊豆大島滞在中、ガレンに会いに自転車を漕いでいたところ転んで怪我をしてしまった。後年、耕が口を大きく開けてシャウトしている写真などでは上の前歯が欠けているのがわかると思うが、それはこの怪我の時のものだ。

また、耕が当時その伊豆大島の自宅で過ごすのは月に一度くらいで、メンバーも家族も彼がどこで何をしているのか分からないことが多かったという。結局1年ほどして再び東京都心に生活の拠点を戻しているが、いずれにしても良が描いたフールズの活動の仕組みは軌道に乗らなくなっていった。

良は引き続きポテトチップスのサポートを務めたのに加え、江戸アケミの追悼コンサートをきっかけにNOBUが結成したジャジー・アッパー・カットにレギュラー・メンバーとして加入。このバンドは92年5月にファースト・アルバム『JAZZY UPPER CUT』をナツメグのディストリビューションでリリースしている。

NOBUが良のバンド加入の経緯を語る。

「彼が入ってきた時は、どんどんどんメンバーが増えつつある状況だった。俺から彼に声をかけたわけではなく、メンバーの中にはステージが狭くなるから嫌だという声もあった（笑）。音もデカイでしょ。でも色々ある中で「なんだよ、いいじゃねえかよ。俺もやりてえんだよ！」とか言いながら入ってくるわけだ。彼が入ってくることによって、ジャジー・アッパー・カットは爆発力を上げるんですよ。俺にしてみれば、やはり良は音楽を教えてくれた人であり、ジャジー・アッパー・カットが成長していくなかで、バックアップしてくれた人。バンドとして継続していく形が見えた時に、良は俺たちの仲間として自分をねじ込んできた。それは俺にとっては嬉しいことだった。大変だなとは思ったよ。だけど、最初に彼のバンドに誘われてジャングルズでやったのは彼のギターが魅力的だったから。彼独自のリズムの展開力！　あれはやっぱりものすごく魅力的だった」

さらに良は92年12月からジャジー・アッパー・カットのメンバーであるサックス奏者の寒川光一郎がバンマスを務めるジャズ・ロック系のインスト・グループW.R.U.の結成にも参画している。これはスターリンや町田町蔵＋北澤組などで活動していたベーシストの西村雄介が、寒川やジャジー・アッパー・カットのメンバーであるキーボード奏者の斉藤トオルとセッションをしようとしている話を良が聞きつけ、自ら名乗りをあげたもので、西村の記憶によれば、12月22日に代々木チョコレートシティで行われたW.R.U.の初ライヴでは、伊藤耕の飛び入りもあったという。

だが、そうした新しい動きが始まる一方でフールズの活動の機会はますます減っていく。当時の情報誌を見ると、91年には毎週のようにライヴをやっていたのが、92年には1、2回やる月もあればライヴのない月もあるといった具合になり、これが93年になるとおよそ2ヵ月に1回程度になっている。

起死回生を懸けて

94年7月、フールズ初のライヴ・アルバム『ライヴ・フリーダム！』がヴィヴィドから初回1000枚プレスでリリースされた。企画・制作は彼ら自身のレーベル、ユニティ・レコードである。リリースに連動して、7月14日のクロコダイルでは「LIVE FREEDOM 発売記念ライブ」、7月30日のチョコレートシティでは「FOOLS新作CD直販即売ライブ」が行われている。しかし耕はそれらに先立つ5月3日に逮捕され、参加することができなかった。

実は、耕はこの年の1月10日にも逮捕されていた。その時は自転車で出かけた帰りに警察に呼び止められ、任意の取り調べであるにもかかわらず、羽交い締めにされて強引に掌を開かされたという。そのため、捜査が違法であると主張した結果、起訴猶予となって釈放された。そしてそれから4ヵ月後の逮捕となったこの時の捜査についても、当時の妻の京子は「家宅捜索であるはずのないところから大麻が出てきた」と違法性の疑いが濃いものだったことを証言している。

ともあれ、そうした事情により、クロコダイルでは良がメンバーだったW.R.U.、誠二がメンバーだった杉浦フィルハーモニーオーケストラ（このグループについては次節で詳述する）、マーチンがメンバーだったBLUE FLAMESが演奏し、フールズの演奏は耕抜きで行われた。チョコレートシティでは、良は新たに結成したバンドのラブレターズ、誠二は酒井麻友子& The River Deep Mountain High、マーチンはBLUE FLAMESでそれぞれ演奏している。バンドのフロントマン抜きでアルバムのリリースに連動するライヴを企画し実施するという舞台裏に、精神的にも肉体的にもハードなスタッフ・ワークがあったことは想像に難くない。

誠二が回想する。

「『ライヴ・フリーダム！』の頃に一生懸命駆けずり回ってたのはサミー前田と森早起子。あのふたりは沈没しようとしているフールズをなんとかして救おうとしてたと思うんだけど、当時の俺はそういうのを鬱陶しいなと思ってた。若気の至りというか、相当調子に乗ってたと思います」

サミー前田はこのアルバムにバンドとの共同プロデューサーとして関わっている。彼は83年から山口冨士夫のスタッフを務め、その後88年には『月刊オンステージ』の編集に参加。90年のフールズ結成10周年記念コンサートの際、森早起子にスタッフ・ワークの手伝いを依頼されてからは編集作業の傍らでフールズをバックアップするようになった。実は『月刊オンステージ』の編集部は近田春夫&ビブラストーン、グレイトリッチーズ、ポテトチップスのマネジメントを行っていたSFC音楽出版（現ウルトラ・ヴァイヴ）の中にあり、前田は同誌に在籍しつつプロモーターとして活動。先に触れた『ROCK FILE』での耕ともりくんの対談も彼が企画したものだった。その前田が語る。

「10周年記念のライヴでは客が1000人以上来ましたけど、肝心の演奏は耕がダメダメで使い物にならなかった。でもその翌々週ぐらいのクロコダイルは100人くらいだったんだけど、非常にいいライヴだった。『何でこの演奏を法政で出来なかったの？』って。そうした音源をメインとしたのが『ライヴ・フリーダム！』ですね。選曲は自分がやって誠二にチェックしてもらった記憶があります」

では、アルバムの内容を見ていこう。91年から93年までの間の様々なライヴの音源からピックアップされた本作は、9曲のうち5曲と半分以上が『Weed War』の収録曲となっている。これはライヴで演奏される機会が多かったことの反映だろう。そして、ドラムにマーチン、ベースに誠二と『Weed War』のレコーディングとは異なるリズム・セクションでアンサンブルを新たに練り上げてきた成果が発揮されており、耕のヴォーカルと良のギターは、より骨太なものとなってその魅力を増している。またスタジオ盤には未収録の「SO TOUGH」と「INSTRUMENTAL」（後者はPファンクのグループ、ファンカデリックの「Wars Of Armageddon」のリフを借用したインスト・ナンバーで、じゃがたらのEBBYをゲストに迎えている）も、このアルバムならではの聴きどころだろう。最大の目玉は12分半に及ぶ「MR. FREEDOM」（ここでの表記は「FREEDOM」）で、スタジオ・ヴァージョンよりテンポを上げた演奏によって会場に熱狂を巻き起こしていく様子が音からだけでも目に浮かぶようだ。

結果として、伊藤耕、川田良、マーチン、福島誠二という4人の時代のフールズの集大成ともいうべきものとなっている。スタジオ・レコーディングよりライヴの方が優るという意見に対しても、これならそうした欲求不満を解消するのに十分な内容と言える。が、本作はリリース当時、そのような評価を得ることはできなかった。

『ミュージック・マガジン』94年8月号で、小野島大が短いレヴューを書いている。

DATのオーディエンス録音なので音質は海賊版なみだが、いかにもこの人たちらしい荒っぽい叙情がたっぷりと味わえる。ヴォーカルとコーラスの乱暴なバランスがとてもロマンティックだ。

正確には「FREEDOM」と「INSTRUMENTAL」はDATのオーディエンス録音ではなくライン録音だが、いずれにしてもライヴ盤の制作を前提に録音した音源でなかったことはいかんともしがたい限界だった。トラックの節目で各パートの音量や定位が異なるのも、様々な会場の音源からピックアップしたとなればやむを得ないことだろう。とはいえ演奏は、それを補ってあまりある充実ぶりで……と言って通用するのは、例えばチャーリー・パーカーやジミ・ヘンドリックスのような場合だけかもしれない。とはいえスタッフはそれこそ本気でパーカーやジミ・ヘンの未発表音源に引けを取らない作品だと思っていたのではないか。このライヴ盤には、スタッフによるそれだけの期待と祈りが込められているように思う。小野島が「ヴォーカルとコーラスの乱暴なバランス」をロマンティックと感じたのも、バンドとスタッフがそうした演奏に確信を持ってOKを出していることへの共感があるからだろう。

しかし、このアルバムは当時雑誌などでほとんど紹介されなかった。『ミュージック・マガジン』

の他に本作を取り上げた音楽雑誌は無かったのではなかろうか。フールズのことをよく取り上げていた『シティロード』や『月刊オンステージ』はすでに休刊しており、『宝島』はこの頃には音楽雑誌から〝ヘアヌード〟雑誌に変貌していた。『Weed War』を取り上げたことがある『ロッキング・オン』もこの時代は洋楽専門誌となり、『ロッキング・オン・ジャパン』はそもそもインディーズを取り上げることがほとんど無かった。

ただ、このアルバムではなくフールズというバンドのことを取り上げた雑誌のコラムがひとつだけあった。朝日新聞社が発行している週刊誌『アエラ』の中の「sound」というコラムで、書き手は同誌編集部（当時）の近藤康太郎。近年は朝日新聞の九州地方の支局長として勤務しながら農業や狩猟業に従事し、『アロハで猟師、はじめました』といった著作もある名物記者である。94年11月7日号に掲載されたその文章は後年『リアルロック　日本語ROCK小事典』という近藤の単著に加筆して収められ、以下はそちらの引用だが、見出しは雑誌初出時のものの方が奮っているのでこれを転記した。

フールズの定理「馬鹿×馬鹿≠大馬鹿」

「クズがつるんでも、いいことなんか何もないぞ。○・一に○・一をかければ○・○一になる。馬鹿が二人集まれば、馬鹿の二乗になるだけだ」

というのが、高校の化学教師の口癖だった。

ここに反証がある。

フールズは四人組のベテランバンドだ。ボーカルの伊藤耕を欠いていた時期もあった。大麻問題で服役中とのことである。残りのメンバーによる出所祈願ライブを見たが、やはり、ステージの真ん中でよだれを垂らして咆哮する伊藤がいないと、どうもいけないようなのである。

メンバーそれぞれが、自分のバンドを持っているのだが、みても、特に感興も起きなかった。ところが、うつけ者も四人集まると、妙な化学変化を起こすから不思議だ。音楽が革新的というのではない。ただのロックンロール。

しかし、ありがちなギターのカッティングも、ドラムのリズムの揺らぎも、高音が出ないボーカルも、バンド総体として聴くと、ほかのどの音楽にも求めようがない特異な光が出る。スーパークールな「うねり」といったらいいか。

メンバーの組み合わせがうまくいくと、相互に作用しあい、普段は決して表に出ることのない個々の隠れた資質をあぶり出す。

ロックにはごくまれに、こうした幸福な偶然が起きる。ビートルズもフリーもツェッペリンも、みなそうだった。(中略)

これは、化学反応と似ている。

ある特定の物質が混合すると、相互に原子の組み替えを行って、もとの物質とは異なる物質を生成する。

高校の化学の授業で習った。

近藤は22年後、『アエラ』2016年6月20日号でフールズの『REBEL MUSIC』を取り上げ、涙が出るほど笑いが止まらない傑作と評した。

マジックが消えていく

前述したように耕は94年1月の逮捕では起訴猶予により釈放、しかし5月の逮捕では懲役1年の実刑判決となり、仮釈放となったのは翌年5月のことだった。誠二はそのたびに良からライヴ活動を再開したいという電話を受けていたという。

「1回目の時は「俺はいいすけど、まず3人で話してみてくださいよ」って答えた。それでマーチンと耕と良で話し合いをするんだけど、決裂しちゃったの。その後にも「一回だけでもフールズをやって欲しい」って企画した人がいて、「こういう話あるけど、お前どうする?」「任せますよ」ってなって、それでまたマーチンと耕と良で話したのかな。この時の話し合いはうまくいったらしくて、一回やるようなことになった。で、確か耕からベース弾いてくれって言われたの。ところがスタジオに行ったらどういうわけか、耕はいるんだけど、ドラムは全然知らねえやつで、マーチンはパーカッションやってるし、良はいなかった。スタジオに入るまでの間に、また決裂しちゃったんでしょうね。

俺はさすがにこれでライヴやるのはきついから良に電話したの。「来て! あれじゃシャレになんねえよ」って。で、良を連れてきて、マーチンもドラムに復帰して。なんかわだかまりもあったんだろうけど、実際に音を出すと結構いい感じだった。「あ、いいじゃん!」って良もその気になって、久しぶりにいい感じができたと思ったんです。でもそれがライヴになったら……ちょっと前の「スタジオで取り戻した時のイメージはどこに行った?」くらいのことが起こるわけですよ。もう耕と良がお互いを認めない。良がギター・ソロ弾き出したら耕はギターを押さえて止めて歌い出す。耕が歌う時は良がギター・ソロ弾き出す。ガキの喧嘩みたいな意地の張り合いが続いた。あんなの見たことない。盛り上がったのは最初の1、2曲だけで、そこから後は険悪な雰囲気が伝わって、客席もしーんとしちゃって。もうドッチラケで、演奏中に「帰りて〜」とかマジで思った。終わってから約束してたギャラだけもらって、逃げるように帰った。「ダメじゃん、このバンド！ もう終わったな、はい、さようなら」と。もう良と耕が絡むことはないなと思ったし、「僕の青春の1ページ、終わりました」みたいな瞬間。あの時はもう二度とフールズなんてやるもんかと思いましたね」

マーチンもこの時期に良と揉めたことを明かす。

「俺の記憶の中では確か、良くんが怒り出して、「お前なんかクビだ！」って俺に言ったことがあるの。「何でお前にそんなことを言う権利があるんだ？」って思ったけど、その頃はフールズやってても金にもならないし、「あ〜クビ？ わかったよ」って応じたんだ。でも何ヵ月かしたら、また良くんから電話がかかってきて、「大変ご足労様ではありますが、もう一度来ていただけないでしょうか」と(笑)。「それならやってもいいけど」って返事したことがある。おそらく耕くんが「ドラムが俺じゃないと歌えない」って言ったんじゃないかと思う。

それはテクニカルな話じゃない。ようするに「いまこいつ外したな」とか「いまこいつリズムが裏返ったな」とか読めないと、次につなげられないんだ。俺のは自己流だけど、耕くんの声に耳を傾けてるから、このままじゃ最後まで行けないなってわかったら、途中で変える。最後まで行けるようなブリッジをかけるんだ。俺が偉いって言ってるんじゃないよ。俺はただそれをサポートできるというか、耕くんの状態が見えるってだけの話なんだ」

耕、良、マーチンの3人には、フールズ以前にSEX、SYZEでの活動を共にするなかで培ってきた関係性がある。そんな彼らの関わり方を以前から知るシゲが語る。

「良と耕とマーチンは外から見るとずいぶん変わったように見えるかもしれないけど、中身は全然変わってない。関係性も変わってない。SYZEの頃はベースにカズが入った時もあったけど、いなかった時期も多かったから、本当に三角形に見えて。誰も引っ込んでいない。対等でした。だから喧嘩になるとものすごい!! ものすごいって言うか、同じこと何回もやってるの見てますから（笑）。本当にすごいトライアングルだった」

良、耕、マーチンのトライアングルに関して、誠二が語る。

「良、耕、マーチンの3人は議論好きなの。それは世代なのかな。あの3人ってけっこうインテリなんですよ。文学も知ってるし。俺だったら「AとBだったらどっちよ?」「Aでいいじゃんオッケー!」って5分で終わる話が、あの3人がそれを話し出すと「AとBがある」「待てよ、Cがあってもいいんじゃないか」「じゃBについてもっと細かく考えたらどうなる?」って、それがどんどん広がっていって……。AとBだったはずの話が、もうアルファベット全部行くぐらいの世界になっちゃう（笑）」

一方、誠二はマーチンの目にはこんなふうに映っていた。

「誠二くんはナイスガイでテクニカル。ちょっと僕らと世代が違うからあまりぐちゃぐちゃしない。話がごちゃごちゃしちゃうところに誠二くんがいると、スパッと「これ以上話ないなら帰りますけん」とか言って、じゃあこっちも「そうだな、わかりました」みたいな。それまでとは違うフレッシュな世代のヴァイブを感じた」

先にマーチンが言った「サポート」というのは、前々節で紹介した誠二の「耕は暴走してくでしょ。

ライヴでは、俺と良、マーチンも含めて、一生懸命曲を成り立たせたようっていう必死の作業がずっと続く」という発言とも符合する。良、耕、マーチンのトライアングルの応酬に、新世代の誠二が加わり、ステージ上で直感的に互いのコンディションを感じ取り反応し合っていく。これこそが耕、良、マーチン、誠二ならではのバンド・マジックだった。そしてそのマジックは彼らの結束があってこそ成り立つものだった。したがってそれが失われたフールズが長い休止期間に入っていくのも当然の成り行きだった。きちんとした声明もないままだったので、周囲の印象としては、いつの間にか活動しなくなっていたというものだったかもしれない。マーチンが語る。

「辞めるつもりも停止するつもりもないけど、動きようがないといった方が、自分にとっては事実に近いかな。だからいま思っても自分の中では、活動を停止するとか辞めるとかっていう意識は全くなかったです」

耕がこの時期のことを振り返って言う。

「皆、やりたいことがバラバラになって収拾がつかなくなっちまった……」

フールズの活動がままならなくなった95年には、耕も良も離婚を経験している。耕が復帰する直前のフールズのステージに彼らのパートナーが揃ってコーラスで参加していたことを考えれば、これはバンドを支えるファミリー的な結束が綻びてしまったことを示すものと言えるだろう。

ユニティ・カンパニー、という彼らの事務所の名前を直訳すれば〝団結する仲間〟といったものになるが、おそらくそれは新宿高校などでの経験を経たうえで、ミュージシャンとしての道を選んだ川田良の希望や理想を託したものでもあっただろう。だが90年代半ばのフールズは、それとは正反対の状態に陥っていたのである。

6　それぞれの道

シャーマンとの出会い

1995年5月、仮釈放で1年ぶりに出所した伊藤耕は、空中分解したフールズをよそに新たなバンドを組んで活動を始めた。マーチンがその様子を語る。

「最初は遊びでシュンっていうドラマーと二人でスタジオに入った。俺はベースが弾きたくなったんだよ。そこに耕くんが加わってきた。耕くんはじゃがたらの「もうがまんできない」を歌ったこともある。自分がやりたかったのは、型にとらわれない音楽。だからベースをやったんだよね。耕くんはそこにそのまま乗ってくれるんだよ。そういう時の耕くんのセンスはすごいかっこよかったな！

例えばスライ＆ザ・ファミリー・ストーンの「セックス・マシーン」を、俺がベースで弾き出すと最初耕くんは「ンッ？　何か聞いたことあるな」ってなるけど、途中で「ああっ！」ってわかって、ジェームス・ブラウンの「セックス・マシーン」の文句を、スライのベースの調子に重ねてくるんですよ。彼は俺が何を始めようとしているか、ピーンと感じてくれて、その時は嬉しかったね。〝トンネル通過！〟みたいな、いままで行ってない回路に行けたって喜びだよね。でもその後はなかなかまとまらないんだけどな」

バンドはPソルジャーと名づけられ、頭文字のPには色々な含みを持たせつつ、例えばプラネットのPから来ているなどと言ったりもしていたそうだ。耕が回想する。

「マーチンも元々はドラムにこだわってたけど、Pソルジャーの頃はドラムに対するこだわりは終わって、もうリズム・セクションとしてとらえてた。ウェイラーズのバレット兄弟とか、ドラムとベースを総合したところでひとつの楽器みたいに考えるのがちょっと流行った頃があったでしょ？あれは大切だと思う。それで考えるとマーチンはベースがうまいんだ。ポイント、ツボを知ってる。マーチンがベース弾いて、ドラムはシュンちゃんて人、ギターが元ルージュのオスで、ヴォーカルが俺だった。面白かったけど……でもバンドとしてはダメだったね。レコーディングはしなかった」

バレット兄弟とはボブ・マーリー&ザ・ウェイラーズのベーシスト、アストン・バレットとドラマーのカールトン・バレットのこと。レゲエの特徴的なリズム・パターンを作り上げたコンビで、それをさらに発展させたスライ・ダンバー（ドラムス）とロビー・シェイクスピア（ベース）によるリズム・セクション、通称スライ&ロビーの名前はよく知られているところだが、それはともかく、これらの回想からうかがえるのは、ギタリストの良がセッション的な活動にも積極的だったのに対して、ヴォーカリストの耕はあくまでもバンドという形態にこだわっていたことだろう。それも、ヴォーカリストとそのバックというような関係ではないバンドに、である。

Pソルジャーの活動をオスが振り返る。

「耕はフールズの曲をやりたがってた。でもフールズとは全然違うから、やってる俺らより観に来てる人の方が違和感あったんじゃないかな？　俺としては、良がいるのに耕とバンドやるのは悪いんじゃないか、許可を取った方がいいんじゃないかとも思ったけど、結局取らなかったね」

そのPソルジャーが行った数少ないライヴの中に、95年8月、北海道南部の平取町（びらとり）で開催された「アイヌモシリ一万年祭」への出演がある。これは89年以降毎年8月中旬の6日間、アイヌ民族の強制移住先となっていた平取町貫気別旭を会場に先祖を供養する慰霊祭として行われているもので、アシリ・レラというアイヌのシャーマンの女性が主催者を務める。耕がまだフールズで活動していた時期に、知り合いから彼女のことを紹介されたのがきっかけだった。

平取町は元々アイヌにとっていわゆる聖地とされる二風谷（にぶたに）地区を擁する場所であった（ちなみに町名の「びらとり」は崖の間を意味するアイヌ語の「ピラ・ウトル」に由来する）。ところが73年その二風谷にダムを建設する計画が決定し、87年に強制収用が開始される。これに対し89年、当時の建設大臣に強制収用の差し止めが求められた。その収用差し止めが93年に棄却されると、すぐさま「二風谷ダム建設差し止め訴訟」の提訴がなされている。

それでもダムの建設は進み、二風谷地区が水没した後の97年3月札幌地裁による判決では、土地の強制収用は違法であったとしながらも収用採決を取り消すことは「公共の福祉に適合しないと認められる」とし、原告の訴えは棄却された。とはいえ国の司法機関として初めてアイヌ民族を先住民族として認めたことは特筆される。同年7月には、その名称からして差別的だと悪評の高かった北海道旧土人保護法が廃止されるとともにアイヌ文化振興法が新たに施行された。ようするにアイヌ民族は、ダムの建設によって聖地を奪われるのと引き換えのような形で、90年代後半になってようやく先住民族として法律上の承認を受けるようになったのである。

１９４６年、二風谷に生まれたアシリ・レラ（日本名は山道康子）は、若い頃には左翼的な勢力と連携して民族差別に対して闘い、その活動ぶりは彼女の母親が「桐の箱（棺桶のこと）に入って帰ってくるんじゃないか」と心配するほど激しいものだったという。だが連合赤軍事件の衝撃などもあって、73年以降の彼女は非暴力に活動方針を変更。「アイヌモシリ一万年祭」もまた「お祭りとか多くの人が集まるところで訴えていくのが早道だ」と思って開始した文化運動だった。

耕がアシリ・レラのことを語る。

「俺が直接会った人の中で、康子さんみたいな大きさを持った人間は他にいない！　普通の人と違う。女の人がみんなあんな風に優しくなったら、日本は間違いなく変わる。男でも女でもああいう強さが欲しいね。レラさんはアイヌの血を引いてるし日本人だしシャーマンだよね。二風谷で実際に起こったけれど、歴史には書かれていないアイヌの真実を知ってるし体現してる。若い頃は活動家でもあったから、ただのシャーマンじゃない。はっきりいってあの人は革命家だよね。でも俺が会った時期は、もう全然過激とかそういうんじゃなくて、オーストラリアのアボリジニが抱えてるような先住民族の持ってる知恵を、バビロンで生活してる俺らにも全部与えてくれてる。レラさんはそういうことも意識的に分かってて、来るものは拒まず、去る者は追わずなんだ。大地みたいな人だね。地球地球!!　木と同じで足の先から根っこで地球とつながってるような気がする大木だな。俺のハートのボス。大きい人だね。みんな康子さんが抱えてるような荷物を背負いたくないわけ。日本人は康子さんに甘えてるんだ。そこがファックだね」

アシリ・レラは耕のことをこんなふうに語る。

「最初はなんかこいつお調子もんじゃないかと思ったんです。うるさいから受け止めたくなかった(笑)。でも来て3回目くらいの時に真剣に私と喋ったの。30分くらいかな、行政のやり方とか、警察のやり方とか。本当に激論みたいな感じで喋った。そうしたら、「こいつはこんなに立派な思想を持ってるんだ」って再認識した。「いいやつなんだな」って言ったら、「俺は悪くないよ」って言うから、「そうか、見た目よりいいやつだよな」って(笑)。それから気に入って。私と喋る時に冗談言って笑ってても、ちゃんとしたことを言ってる。間違ったことは言ってない。「こいつはしっかりしてるな」と思った。それに何かトラブルが起きたら、「待て待て待て待て！」ってバッと入っていって和解させてしまう。あれはすごいと思いました。もめてる双方の言い分を聞いて「この場所でもめごとはやめよう」って一言で収めてしまう。だから私の二つ違いの兄貴ともすごい仲良しだった。職業とか肩書きとか人種とか関係なく、みんなと対等に付き合う人間だった。ヤクのことはあったけど、人格としては立派な人、それだけは言えます」

ブルースビンボーズ

Ｐソルジャーが出た翌年の「アイヌモシリ一万年祭」の出演者の中に、ブルースビンボーズというバンドがあった。ハードコア系のミュージシャンＰちゃんのギターと大分出身のミュージシャン川津誠司のヴォーカルなどからなる5人組で、二人は95年の「アイヌモシリ一万年祭」ではデュオで演奏している。その95年の1月に起こった阪神・淡路大震災からの復興を支援するため開催された高円寺２０００Ｖでのチャリティ・ギグに、Ｐちゃんが同じハードコア系の谷地利徳、スグルこと三田村卓、FINAL BOMBSのクマさんことBEAR BOMBを誘って出演した、フォークビンボーズという全員がフォーク・ギターを持ってステージに立つ一度限りのユニットがあった。これを前身として川津をヴォーカルに迎え結成したのがブルースビンボーズである。Ｐちゃんが語る。

「95年に「アイヌモシリ一万年祭」へ行った時は、耕さんが歌ってるのを、「あぁ、フールズの人だ。かっこいいな」って見てたんですよ。で、その次の年にビンボーズで行ったら、対バンだった耕さんが近寄って来て。「どっから来たの、東京？　こういうところではみんなで協力し合わなきゃな」とか言ったあとで、「悪いけどベース貸してくれない？」って言い出した。おいおいそこまで言っておいて、楽器も持ってきてないのかよ、この人ウケるなって（笑）。それで楽器を貸したんですけど、俺らのライヴが終わった後に、川津がビンボーズを辞めるって言い出したんです。多分自分の歌が歌いたかったんだと思う。そしたら耕さんが「えっ、辞めんのか？　じゃ俺が入る。いいじゃん、このバンド」って言い出して、他のメンバーにも「俺が入ったから」って言ってるんですよ。俺らは「えー？　そうなの？」みたいな（笑）。

耕さんが入った最初の頃はうまく噛み合わなかった。毎回のようにスタジオの時間、間違えたりするから、待ってる方もバカバカしくなってくる。いくら待ってても来ないし、終わった頃に来るし（笑）。でも耕さんは、年齢は上だけど、それでやりにくいってことは全くなかった。ただ俺たちはハードコアだから、耕さんの言ってるノリのこととかわからなくて、3年くらいしてから「あ〜こういうことか！」ってのがありましたね」

オスがこの間の経緯を補足する。

「二風谷は2年続けて行った。微妙にベースが違う編成だったんじゃなかったかな。ライヴ自体は楽しかったよ。けれど耕がビンボーズで動き始めてからPソルジャーは動かなくなったんだ」

耕がブルースビンボーズへの加入について語る。

「バンドを作るのってギターとか一人一人メンバーを探すのってめんどくさいじゃない？　それよりヴォーカルで入った方が手っ取り早い。入っちゃってから、自分で変えていけばいいんだ。バンドは総合力だから、ヴォーカルがいなくても成立するのがすごく大切なんだよ。最初の頃はビンボーズ自体の方向性もはっきり決まってなくて、ハイエナジーなノリがあるロックンロール・バンドっていう感じだった。ブルースビンボーズはハードコアの連中とつながりがあるんだ。俺も新宿のトラッシュに出入りしてたから、ハードコアのことは知ってたしね」

面識のない相手にもものおじすることなく近づき、自分のペースで奔放に振る舞う耕と、それに振り回されるかのようなメンバーの様子が目に浮かぶ。そうしたことから耕加入直後のブルースビンボーズのステージは、アドリブに近い感じだったという。

ところが耕は98年にまたしても逮捕されてしまう。かつてフールズの場合、耕の不在期間はやむなく活動を休止していたわけだが、ブルースビンボーズはLIP CREAMのヴォーカルだったJHA JHAをサポートに迎えて、耕の不在を乗り切っている。そしてJHA JHAがヘルプで入るのと同じタイミングで、ブルースビンボーズのドラマーとなったのが、のちにフールズのメンバーにもなる秋山公康だった。秋山は1970年生まれの静岡出身。フールズが結成された時にはまだ10歳である。

「フールズは前から知ってたけど、中学生の頃は、じゃがたらやフールズは大人が聴くものだと思ってた。スターリン、アナーキー、RCサクセションとかの方がわかりやすいでしょ？　でも二十歳超えてしばらくしてフールズを聴いたら、スーッと入ってきた。ブルースビンボーズは結成直後の川津さんがいた頃から観ていて、耕さんが入った時もお客として観ていた。それまでの伊藤耕に対するイメージは、〝何回もクスリで捕まってる人〟。だから最初にビンボーズで見た時は、おっかなびっくりですよね。その時の僕はただの客だったから「すげーな、これがフールズの伊藤耕か。ぶっ飛んだ人だな」って、怖くて話しかけられなかった。

ブルースビンボーズに入った最初の頃は、Pちゃんに結構ダメ出しをされましたね。「ドラムが走ってる」とか、「ここはもっとタメる」とか、そういうところは鍛えられました。耕さんが2000年に戻って来てから最初に駒場東大の学園祭でライヴがあったんですけど、その時は耕さんがキノコ（マジックマッシュルーム）食っちゃって、ずっと歌わずにいた。事情を知らなかったPちゃんは、楽屋で「何やってんだ‼」ってカンカンに怒ってたけど、耕さんは「しょうがねぇじゃん、雨が降ってるんだもん。土砂降り土砂降り」とか言ってた（笑）」

こうした試行錯誤を経て、それまでギクシャクしていた耕と他のメンバーとの歯車も次第に嚙み合い始め、代表曲となるナンバーの数々が生み出されるようになっていく。公式にレコーディングされた彼らの最初の曲として、2001年2月、TRISHUEL RECORDSというインディー・レーベルから1000組限定で発売されたハードコアの2枚組オムニバス盤『RISSING FORCE TOKYO』に伊藤耕&ブルースビンボーズの名義で収録された「無条件の愛」と「誰もがキリスト」の2曲がある。

そして2002年の夏、ブルースビンボーズは山口冨士夫のパートナーから紹介されたインディー・レーベル、グッドラヴィン・プロダクションからのリリースを前提に、ファースト・アルバム『ロックンロールソウル』のレコーディングに着手する。96年の結成から7年目、満を持してのアルバム・デビュー……かと思われたが、このレコーディングが完了するまでには、事前の予想を遥かに超える時間を要することとなった。秋山が語る。

「レコーディングのオケは2日で録り終わってるけど、ヴォーカル録りで1年ぐらいかかってる！耕さんは歌ってることが毎回違うの。Pちゃんは耕さんがアドリブでやるのを嫌がって、「ちゃんと歌詞の通り歌え！」って。でもいくら言っても直らない。何度やっても歌い切らないところで、「……で、いいんだっけ？」とか言っちゃうんですよ。なんであんなにありのままでいられるのかな？　みんな考えるじゃないですか、歌詞を作る時とか。でも耕さんはそうじゃないんだよね。毎回毎回ネタを食ってきてスタジオに登場する。……で、歌えないんですよ。それを繰り返してるうちに「どうせまた今日もヨレヨレで来るんだろう？　行かね〜よ」って、メンバーが立ち会わなくなっちゃった。結局、最後の方は耕さんとグッドラヴィンの古岩井くんとエンジニアの3人でやってた」

この秋山の回想によると、耕は『Weed War』のレコーディングの時のように、ドラッグによるマジカルな瞬間を求めながら、しかしその成果を出せぬままズルズルと時間を費やしてしまっていたかに見える。が、ディレクターを務めたグッドラヴィン・プロダクションの古岩井公啓によれば、実際はもう少し違ったようだ。

「ぶっ飛んでて使いものにならないってことは全くなかったです。レコーディングはすごい真面目にやってました。体調を整えてこようとしたけど、声がガラガラだったりして、「その声じゃ無理でしょ」って言っても、「大丈夫大丈夫」とか言って頑張ってやろうとしてくれるとか。でもそういう時はエンジニアの人も「今日はもうやめておこうか」みたいな感じで、耕さんと二人で飲みに行ったりしたことも何回かありました。そんなのも含めて1年かかっちゃったんです。何日もスタジオに籠ったっていう感じではない。

あとノートを持って、「ちょっと1時間喫茶店に行ってくる」って歌詞をまとめてくる時もありましたね。何テイクか歌うじゃないですか。そうするとどれも歌詞が違うんです。本人のなかではある程度固まっていて、核となるところはフレーズが決まってるんだけど、ちょっとしたところでどんどん変化していく。普通だったらサビだけ間違えたら、サビだけ録り直すんだけど、全部つながってるし、切って貼ろう（レコーディングの音声データをコンピューターで編集すること）とすると辻褄が合わなくなっちゃう。なので、一曲まるまる良いテイクが録れないとOKにならないんです。

一人でスタジオに入ってマイクの前で歌うと勢いが出ないいから、マイクを持って歌いたいっていうこともありました。でもそうするとマイクから離れた時に歌が遠くなるから、絶対口から離さないというのを約束してくれるのなら、どこで歌ってもいいというふうにしたら、待合室に出てきてそこで歌った。その方がノリが出るってことで、のたうちまわりながら歌ったのもあります。だからブースの中で歌ってない曲が結構ある。このアルバムのヴォーカルは、編集めいたことはしたかったけど、結局できなかったんです。で、エンジニアの人が「時間かかってもお金は何とかするから」って言ってくれたんですよ。「時間単価でいくらみたいにやってたら、この人の場合は違うから、そこは気にしないで」って、半分ぐらいの時間の料金だけでやってくれたので、そのぶん自由にできた。それくらい良いものを録ろうとしてたんですよ」

そして耕本人はこう語る。

「『ロックンロールソウル』の時は、歌詞を書いてためてた。普段のストレスや女房に怒られるうっぷんを、ここぞとばかりに、ワーッて吐き出さないと。変なお巡りが変な職質かけてこないかなとか、ふざけんなよっていう言葉を、雪合戦の固い玉みたいにぶつけてやろうと思ってさ(笑)。

孤立無援な人に向けて歌ってるって言われるけど、実は全員が孤立無援でしょ? つるんでそういう雰囲気になってるだけなんだ。本当の友達っていうのは、ほっといてくれるけど、陰で支えてくれてるもんだよ。責任感とはちょっと違うけど、歌詞ではきれいごとだけじゃない本音を歌ってる。そういうところで何かあるとしたら、下地はブルースだね。ブルースの奴らは自分の存在とか人間に対する尊厳とか、単なるプライドじゃないもっと根っこのところで歌ってるんだ。だから俺が歌詞で影響受けてるのはブルースだね。ブルースってのは歌詞の内容を覚えなきゃ。ただジジイのだみ声聴いたって何も面白くない。でも歌詞の内容があるから、歌ってて気持ちが入る。例えば女の名前を叫んでても、その背景が見える。シンプルだし、たいしたもんだよ。リアリティがあるよね」

かくして10曲（＋シークレット・トラック）入りのアルバム『ロックンロールソウル』は２００３年11月15日にリリースされた。収録曲の大半は秋山の加入以降に書かれたもので、作詞は耕、作曲やアレンジはPちゃんが中心となって手がけている。例外として1曲だけ、フールズの『リズム＆トゥルース』の収録曲である「OH, BABY」が、耕の希望によりセルフ・カヴァーされた。フールズのオリジナルと聴き比べると、本ヴァージョンはヴォーカルのしわがれ具合が相当に進行しているのがわかる。この声のはらむ深い情感にこそブルースを下地にしたロック・ヴォーカリスト伊藤耕の成熟がうかがえるといっていいだろう。ブックレット裏に掲載された、上半身裸で前歯の欠けた口を大きく開けて笑う耕の姿からは、そんな彼のしゃがれ声がいまにも聞こえてくるかのようだ。

『NO MORE WAR』収録の「動き出せ！」にある「バビロン」というキーワードは、オープニングの「バビロンのぬくもり」、そしてオムニバス盤にも提供された「誰もがキリスト」であらためて登場している。後者は21世紀の始まりに際して文明社会の歴史を俯瞰し、「罪と罰のシステム」の実態を告発する壮大なスケールのプロテスト・ソングだ。ディランの「ハリケーン」やストーンズの「悪魔を憐れむ歌」を思わせる、荒削りなドライヴ感に溢れた曲の展開も強烈である。耕が語る。

「「誰もがキリスト」の歌詞の作り方は、一見一番二番三番がバラバラなんだけど、実は同じことを言ってるんだ。そういうアイデアを取り入れた作風だね。いままでだったら歌詞として成立しないんじゃないかって感じだけど、実は俺、そういうアイデアはいっぱいあるんだよ。俺は新しいものは何でも好きだから。新しい作風というか、新しいプロテスト・ソング。歌でどこまで表現できるかっていうことにはすごく興味ある。歌って本読むみたいに時間いらないし、短いでしょ。でもその中に風景があるんだ」

人生の無常を歌うカントリー・ロック調の「太陽のまばたき」は、スグルの奏でるマンドリンが湿り気のない叙情を醸し出し、パンク、ハードコアといったジャンルを越えて楽曲ごとのコントラストを打ち出すことに成功したナンバーといえる。また、アシリ・レラへの共感を率直に表明した「みんなでたてよう！アイヌ語学校」は、アイヌのムックリ（口琴）を配したイントロと幼げな声色のコーラスで歌われる「みんなでたてよう！アイヌ語学校を！」のリフレインが、邪気のないヴァイブレーションを伝えてきて微笑ましい。そしてシークレット・トラックの「無境界の愛」では、Pちゃんの発案により西荻窪のライヴハウスWATTS（2005年閉店。2008年同店の店長が早稲田に後身のZONE-Bを開店）に大勢の仲間を集め、パーカッションとベースと大合唱によるフリー・フォームの演奏を展開しており、そのなかで耕が持ち前の即興的な資質を遺憾なく発揮している様子がわかる。

このように大変充実した内容であることがうかがい知れる『ロックンロールソウル』というアルバムはしかし、リリース時の反響は一部のメディアにとどまり、本作が取り上げられたのは、筆者が確認した限りでは『DOLL』2003年12月号と『ミュージック・マガジン』2004年1月号のみである。ただ、グッドラヴィンの古岩井によれば、そもそも『ロックンロールソウル』のリリースに際して雑誌に広告などは一切打たず、その代わりCDジャケットサイズのステッカーを大量に印刷して彼らのライヴをはじめ、仲の良いバンドマンの協力を得て、多くのライヴハウスやスタジオで配るという宣伝の仕方を採った。するとCDの売り上げはライヴの評判に並行するかのようにして徐々に伸びていったという。

また、もう少し後になってからはサンボマスターの山口隆がラジオで『ロックンロールソウル』の曲をオン・エアしたということがあった。「はじめに」に記したように山口は耕の訃報を受けてツイッターでその死を悼んだひとりである。そしてこのツイートで彼はブルースビンボーズの歌詞に励まされたということを述べた。おそらくそれはブルースビンボーズでの耕の歌には弱さや痛みへの共感が見られるものが多いことから、聴き手に対して寄り添うかのような印象をより深く心に染み入るかのごとくに抱かせるのだろう。もちろんフールズの歌にもそうしたものが皆無というわけではなく、例えば「OH, BABY」などはまさしくそれに当たる曲だった。そして、だからこそブルースビンボーズで耕はこの歌をセルフ・カヴァーしたのかもしれない。

ともあれ、ブルースビンボーズは精力的にツアーを行い、フールズの活動休止以降、耕の動向を知る機会が減っていたファンに対しては、耕が健在であることを印象付けると共に、フールズに馴染みがなかった層にもあらためて伊藤耕というヴォーカリストの存在をライヴの場で知らしめていた。

（なお、ブルースビンボーズの初代ヴォーカリスト川津誠司は舌がんとの闘病の末２００９年３月に39歳で他界した。地元の大分県日田市には歌碑が残されているという／朝日新聞デジタル２００９年5月3日）

知られざる異才

ところで、90年代後半からゼロ年代前半にかけて伊藤耕がヴォーカリストとして活動していたバンドはブルースビンボーズだけではない。正式な音源や映像は残されていないが、ＬＯＯＰＳというバンドがあった。

耕の記憶によれば、ＬＯＯＰＳを始めたのはブルースビンボーズに加入するよりも前で、両方の活動を並行してやっていた時期もあったという。筆者が確認した限りでは、情報誌『ぴあ』に掲載された95年10月4日、西荻のWATTSへの出演予定がLOOPSに関する情報の最も古いものである。

バンドの中心はフレットレスのギターを駆使する大谷靖という耕の旧友で、フールズからマーチンとYASU、ブルースビンボーズからPちゃんとスグル、他にはJHA JHAなど、耕と親しい人間を含む多くのミュージシャンが出入りし、ルージュやPINKのギタリストとして知られる逆井オサムが参加したこともあるそうだ。耕がいない時期も、ジャズっぽいインスト・バンドとして活動し、ライヴによってはラッパーの射ラップ一郎が参加して、「MR. FREEDOM」をカヴァーすることもあったという。YASUが大谷靖とLOOPSについて語る。

「大谷の兄貴が俺と同級生だった。最初に紹介された時は16歳で、「何が好きなんだ?」って聞いたらブラック・サバス。面白いなと思って「他には?」って言ったらフランク・ザッパ。それから喋るようになった。LOOPSは大谷がバンマスで、耕が入って俺を誘って、スリー・コアでやった感じ。録音したけど大谷が納得するところまでいかなくて、OK出さなかった。オサムが入ってる時は、レッド・ツェッペリンとクリームをくっつけたような曲があって、「胸いっぱいの愛を」のリフを一小節半だけ使ってゼップをおちょくったりしてた。オサムはセンス良かった。俺の中で最高のLOOPSは、オサムがいた時だったね。大谷がフュージョンの方に行ってからも、俺も1、2回やった気がする。でも上手すぎてついていけなくて、「譜面書いて渡されてもできねえよ!」って、喧嘩別れして音信不通になっちゃったんだけど、大谷は天才だよ」

現在はロンドンタイムスなどで活動しているドラマーの八壱は、1968年生まれと世代的には一回り下になるが、耕、YASUとLOOPSで共に演奏した経験を持つ。

「最初はスタジオでリハーサルばかり。ライヴは2001年からで、2002年くらいに体を壊して辞めるまでに10回くらいやりました。僕はライヴに入ったり外れたりしていて、時々僕が抜けてマーチンが叩いてるのを見に行ったこともありますけど、めちゃくちゃかっこよかった！　マーチンは親しく遊んでくれて、会うとほとんどドラムの話をしてました。例えば「同じように叩くのではなくて、波が行っては戻ってくるようなビートを叩いたらどうだ。〝トッタ・スタスッタ・トッタ・スタスッタ〟というのは同じテンポの繰り返しだけど、〝トッタ・スタスッタ・スタスッタ・トッタ〟とやると、すごいみんなが揺れるような気持ちになるんだよ」って、教えてくれました。大谷さんからは彼の家にメンバーが集まって曲の構成や練習の仕方を事細かに話し合ってた時に、１２０と80ってテンポの違うリズムマシンを二つ同時に鳴らしてリズムの練習をしろと言われました。大谷さんは厳しかったけど楽しかったです。

耕さんにとっては、フールズが表の顔、公のものだとしたら、ＬＯＯＰＳはローカル色が強い。いまその瞬間に耕さんが思っていることが入ってる。「本当はみんなこう思ってんじゃないの？」とかってことを歌っていて、聞いてると涙腺がゆるんじゃうんです」

八壱の発言にある「ローカル色」という言葉が示すところを、関係者の協力により筆者が確認できた事例で説明すると、例えば２００１年９月13日のＷＡＴＴＳでのＬＯＯＰＳのライヴで、収監中の耕が面会に来た母親から叱られた様子を、感謝の気持ちを込めて歌うブルース・ロック風の楽曲にしたことなどが挙げられる。

また八壱が大谷から課せられた練習はポリリズムに馴染むためのものと思われるが、こうしたアドバイスをする大谷の技量は相当高いものだったようで、１年ほどＬＯＯＰＳでギターを弾いた経験を持つＰちゃんも大谷の要求にはついていけず、ライヴに出ることがないまま抜けてしまったという。

耕が大谷とＬＯＯＰＳについて回想する。

「大谷靖のギターはマジスゴイ！　カッティングとアドリブの境目がなくて、フリーキー、サイケデリック、スペイシーで、進歩的だった。フレットレス・ギターでコードを創って弾いてた時もあった。ＬＯＯＰＳは東高円寺のシンバラインや西荻のＷＡＴＴＳ、日野のソウルＫなど、東京の西の方面で結構ライヴをやってたよ。フールズよりさらにフリーな感覚でやってたね」

このように伊藤耕が90年代半ば以降複数のバンドで並行して活動していたことは、彼のミュージシャンシップを知る上で非常に興味深い事実だと言えるだろう。なお、大谷靖は２０１６年５月に他界した。

このＬＯＯＰＳとＰソルジャーで耕と活動を共にしていたマーチンは、フリーキーなサックスをフィーチャーしたハードコア・パンク・バンドのカラード・ライスメンでドラムを叩いた時期があった。80年代に関西のハードコア・シーンで頭角を現したＯＵＴＯのヴォーカリスト、ブッチャーと、カムズ、LIP CREAMのメンバーだったベーシストのミノルを中心に93年頃から活動を開始し、そこにマーチンが加入。ところが、マーチンに誘われて加入したギタリスト中島れいかの証言によると、マーチンはライヴをすっぽかしたことから、96年にバンドをクビになってしまったという。ただ、同年Rebelabelというインディー・レーベルから発表されたファースト・カセット『COLOREDRICE-MEN CASSETTE』にはマーチン在籍時の95年大晦日の新宿アンティノックでのライヴが収録されている。このカセットの音源は２０１９年６月６日にBLOOD SUCKERというレーベルからリリースされた復刻ＣＤ『Colored rice men + Asphalt death another mix』で聴くことが出来る。

愛の鬼軍曹

次は川田良の動きに目を転じてみよう。

良がギターを務めるジャジー・アッパー・カットは、92年12月26日の渋谷クラブ・クアトロでの演奏を中心に構成されたライヴ・アルバム『QUIET NIGHT』を93年4月20日にリリースした。10人編成のバンドをバックにした日本語ラップという、彼らならではのスポンテニアスなアンサンブルの魅力がダイレクトに伝わってくる好盤である。NOBUがフールズの「GIVE ME 'CHANCE'」とじゃがたらの「クニナマシエ」の一節を引用する場面がある曲のタイトルが「AUTOMATIC INDIE TUNING」というのも暗号めいていて面白い。制作はサイコ・ミュージックというインディー・レーベルで、エグゼクティヴ・プロデューサーを務めているのは森田勝だ。またバンドのマネージャーとして森早起子の名前がクレジットされている。

その後のジャジー・アッパー・カットは、94年6月2日のクラブチッタ川崎でのグルーヴァーズとの2マン・ライヴを最後にパーマネントな活動を終了するが、NOBUによれば良はそれよりも前にバンドから離れていたという。

「それまでの良は、俺が社会的なことを歌ったりすることを支持していた。だけどその時期の俺の関心は、もっとバラード的なことや個人的なことになってきた。依頼する楽曲も、テンポの緩いものになっていって、そういうなかで良は「自分の仕事は終わった。俺は辞める」と言ってきた。来た時は「俺を入れろ」って言って入ってきたし、辞める時も「俺は辞めるぞ」って言って辞めた」

ただし二人の関係はこれで途絶えたわけではない。ジャジー・アッパー・カット解散後にNOBUはGAMBLEという名義でドラムレスのプロジェクトをスタートさせ、97年6月21日にオンリー・ハーツというレーベルの制作、バンダイ・ミュージックエンタテインメントの流通で『SOUL MUSIC』というアルバムをリリースしているが、良はこのアルバムの7曲中3曲にギターで参加している。

また良はそれに先立つ94年、自身が中心となってギター&ヴォーカルの中井寛、ベースの西村雄介、ドラムの山内すなおと共にラブレターズというバンドを結成し、前述したように7月30日の代々木チョコレートシティからライヴ活動を開始している。同年、山内すなおから本間康伸へとドラムが交代、さらに95年にはもう一人のドラマー中村清が加入してツインドラムとなり、代々木チョコレートシティ、原宿クロコダイル、下北沢シェルターなどのライヴハウスを中心に演奏を行った。

ラブレターズは、この時代のアメリカで台頭したフィッシュなどのいわゆるジャム・バンドのスタイルによって日本語のロックを展開したバンドだ。98年2月21日に『天孫降臨』という唯一のアルバムを、GAMBLEの『SOUL MUSIC』と同じ制作・流通のもとでリリースしている。97年9月22日クラブチッタ川崎でのライヴに、スタジオ録音の楽曲を加えた8曲入りという内容だが、その中にはフールズの「酒のんでPARTY」のカヴァーもあり、オリジナルとはかなり異なるまさにジャム・バンド然とした13分半に及ぶ長尺のライヴ・ヴァージョンが聞ける。

そして良は2000年12月、NOBUの新バンドDEEPCOUNTに加わり、二人は再び活動を共にするようになる。NOBUが語る。

「俺は99年7月にバイク事故で大怪我を負い、一時は杖がないとダメな状態だった。そこからもう一度バンドを始めようっていう時に良の住んでいた下北沢に行って、「やっぱり良とやりたいんだけど」って言ったら、「お前本気で言ってるのか？　俺は天下の撃墜王だぞ！　お前がつまんないこと歌ったらその場で叩き落とすから、覚悟してるか？」って。それで「覚悟してる」って答えたら、「わかった」って。やっぱりそういう緊張感っていうのは、どんなミュージシャンとやろうと持ってなきゃいけないことで。

最初は俺もブランクがあって、なかなか腹から声が出なかったし、声を出すってことで精一杯で、ものを創造するってことに対して、いまいち何か自分が突破し切れていないものがあった。そうしたなかで良は一緒にいてくれて、俺を甘えさせない存在として自分を働かせていてくれた。「つまんないこと歌ったらその場で叩き落とす!」っていう乱暴な厳しい言葉の中にすごい愛情があったんだよ。だからDEEPCOUNTを始めた時の良は、かつてジャングルズで俺を拾ってくれた兄貴のような良でもなく、ジャジー・アッパー・カットで裏番長みたいな感じで俺を盛り上げてくれる良でもなく、鬼軍曹だった。だけど、ある程度の状態までになってきたら、ある日「お前は鍛え甲斐がある。他のやつだったら怖くて言えないこともお前には言えたし。お前はそれでも俺の好きなようにやらしてくれたし、お前自身が充実してきたから、俺もいま充実してる」って言ってくれたことがあった」

DEEPCOUNTは2003年1月31日、新宿ロフトで行われたオールナイト・イヴェント「じゃがたら 2003 業をとれ!〜江戸アケミ 十三回忌 天国でのゴール〜」に出演している。ジャジー・アッパー・カットが、90年4月14日の江戸アケミ追悼コンサートをきっかけに結成されたことを思えば、このイヴェントがNOBUにとって特別な場であったことが理解できる。そして、この時の出演者の中にはブルースビンボーズで歌う伊藤耕の姿もあった。以後、良のいるDEEPCOUNTと耕のいるブルースビンボーズの共演の機会も増えていったとNOBUは言う。

「DEEPCOUNTで俺と良が一緒にやり出した時、俺にはフールズがもう1回始まる予感があった。良は全力で否定してたけどね。良からは「お前、どこかで耕に会っても、俺のこととか絶対言うなよ」って言われたし、耕は耕で「良が俺のことを避けてるんだ」と言っていた。耕はフールズをやりたいけど、良がうんと言わないっていう状態だった。

でもブルースビンボーズと対バンするようになって、耕が歌ってるのを後ろの方で聞いてる良を見たりすると、「良はやっぱり耕と一緒にやりたいんだな」ってことが見えてきた。良は耕の素行を嫌って「あいつの近くにいると危ないからさ」とか言ってた。だけど俺には、「良は心の底では耕の歌が大好きなんだ」ってことが見えてたんだ」

DEEPCOUNTは2003年9月20日にファースト・アルバムとなるライヴ盤『足音』を、mars cartelというレーベルからリリースした。ジャングルズの代表曲「BREAK BOTTLE」のリメイクで幕を開け、裏ジャケットには「おもしれぇ　あの 触れないと思っていた何かと　繋がっている　この瞬間　再生してる　今死んで　今生まれた」というNOBU直筆の言葉が掲載された本作を、音楽ライターの行川和彦は『ミュージック・マガジン』2003年11月号で絶賛し、ジャングルズからジャジー・アッパー・カットへの流れにも触れつつ、テキストを「じゃがたらファンの人もぜひ。聴いた後にやさしくなれるCDである」と締め括っている。NOBUが語る。

「今でも「BREAK BOTTLE」は名曲だったと思ってるし、やっぱり川田良をフィーチャーしたかった。あの曲をジャングルズでレコーディングした時には俺はいなかったけれども、俺がジャングルズに入ってからのライヴで何回かやっていくなかで、歌ったりしたことがあった。けど、あの曲の中でラッパを吹いたことはなかったし、その頃よりも吹けるようになったしってことで、このメンツでトランペットを入れてやりたいと思ったんだよ。良は「あれは曲じゃないからな。あれは現象なんだよ。カヴァーできると思ったらやってみろ。俺だってできないんだから」って言ってたな。やっぱりああいうジャングルズ時代の良のギターっていうのは特殊な魅力だったんだなってあらためて思うよね。それは良の持っている可能性の一つで、DEEPCOUNTでは、それをやってほしかった。ロックとして簡潔なスリー・コードで終わっていくようなものじゃなくて、ワン・コードであったり、あるいは妙ちきりんなビートだったりする。そのオルタナティヴなミステリアスな魅力は良自身が教えてくれたことだった。でも、そういうことをやっていくなかで、伊藤耕が元気になって、ブルースビンボーズで「OH, BABY」とかやるわけじゃない？　良にはやっぱり純粋にロックンロール・ギタリストをやりたいっていう欲求も強くなって、煩悶みたいなことだってあったと思う。良がDEEPCOUNTのリハに来なかったり、ライヴにも来なかったりするようなことになって、「もう腹を決めなきゃいけねえな。ここから先は自分が良から離れてやんなきゃいけない」って思った。で、良に「ここまでにしようか？」って言ったら、良も「そうだな、その方がいいよ」って言ったんだ」

良が脱退した後のDEEPCOUNTにギターで加入したのは、ブルースビンボーズでベースを弾いていたスグルだった。きっかけはDEEPCOUNTがブルースビンボーズと対バンしたライヴの場に、良が来なかったことだった。DEEPCOUNTが良のいない状態でライヴをやろうとしているのを見て、最初は耕がギターを弾こうとしたものの、変拍子に戸惑っているところを、スグルが耕からギターを奪い取って弾き始めたのだという。その後スグルはブルースビンボーズを脱退し、DEEPCOUNTのギタリストとして活動を続け、バンドにとって掛け替えのない存在となっている。

フールズのことを隠して

福島誠二の動きを追っていこう。彼がメンバーだったグレイトリッチーズは93年に解散したが、その前から誠二はバンドのキーボーディストである杉浦哲郎と杉浦フィルハーモニーオーケストラというユニットを結成し活動していた。このユニットは95年キューン・ソニー（現キューンミュージック）と契約。7月1日にシングル「sakura」、11月1日にアルバム『交響組曲「ト音記号」』をリリースしている。誠二がいきさつを語る。

「杉浦がライヴ企画を一枠もらってきて、冗談半分でやったのが始まりです。一回こっきりのはずが、フールズやグレリチの息抜きにいいねってことになり、並行してやってたな〜。

クラシックをロックでパロってやる。しかもそこにショーアップ的なニュアンスや普段のバンドではやらないような冗談を入れて。演奏はちゃんとやるんだけど、クラブチッタなんかで花火ガンガン打ち上げて、ワハハ本舗といっしょにやったりとか、ショーをやってたから楽しいわけ。

でもどういうわけか、結果的にそれがデビューしちゃうんですね。きっかけは、あるバンドのデビューが決まって、ソニーのお偉いさん方がそれをラ・ママに観にくるっていう話になった。前座の俺らはそんなことは知らなくて、いつもの通りバカみたいなことやったら、それを観た専務クラスの人たちが「こっちの方がいいよ」って、その場で決まっちゃったの」

杉浦フィルハーモニーオーケストラは、CDデビューとほぼ時を同じくして当時テレビ東京系で放送されていたバラエティ番組「タモリの音楽は世界だ」のホストバンドに起用されることになる。そこでは例えば演歌の大御所の北島三郎が代表曲の「函館の女」を歌うバックで、誠二は爆裂バッハ3世というキャラに扮して派手なスラップ・ベースを決めるといった具合に、それがどこまで視聴者の気に留まっていたかはともかく、自身の持ち味を存分に発揮していたようだ。

さらに彼はソニーの新人育成のためのデモ音源制作、プロモーション・ライヴのサポート、スタジオ・ミュージシャンとして某アイドルのアルバムのレコーディングに参加するなど、さまざまな局面で腕利きベーシストとして自らのキャリアを築いていった。結果としてフールズのメンバーの中で最もメジャー寄りで、ビジネスとして成り立つ音楽活動を行っていたのは誠二だった。とはいえそうした世界では、薬物がらみのトラブルは噂だけでも忌み嫌われる。そのため誠二は、一時期自身のプロフィールからフールズでのキャリアを削除し、メンバーと連絡を取り合うこともなかったという。

しかし誠二は2000年頃、杉浦フィルハーモニーオーケストラのライヴの二日前にバイクで腰椎を4本、肋骨を2本折るという大きな交通事故を起こしてしまい、これをきっかけにフェイドアウトするように活動を終了している（なお、杉浦哲郎はその後クラシックのヴァイオリニスト岡田鉄平とスギテッというデュオを組んで現在も活動中）。また、誠二はこの頃から楽曲提供やサンプラーの音源制作などを行う機会が増えてきた一方、怪我が治ってからはようやく自分のバンドを組む機会が訪れ、これが2007年にSOOという名前になる。その時の誠二は、カリフォルニアのヘヴィ・ロック・バンド、コーンのような新しいスタイルのメタル・サウンドをやりたいと思っていたという。

塀の中との交信

2004年7月1日、ブルースビンボーズは8曲入りのセカンド・アルバム『The Harder They Cover』を、前作と同じくグッドラヴィン・プロダクションから発表している。タイトルとジャケットは、72年のジャマイカ映画『The Harder They Come』のサントラ盤をもじったもの。このサントラは、まだ日本でレゲエに関する情報が多くなかった70年代半ば、レゲエに興味を持つ者なら必聴とされていたアルバムだ。主演は同名の主題歌を歌ったレゲエ・シンガーのジミー・クリフで、ストーリーは、歌手志望の青年が念願かなって自分の作った曲をレコーディングするものの二束三文で買い取られてしまう。やがて金に困ってマリファナの密売に手を染めた青年は警官を殺して指名手配されるが、そうしたなかで発売された彼の曲「The Harder They Come」が空前のヒット。英雄＝悪漢となった青年はジャマイカ島内を逃亡の末、警官隊に射殺されるというもの。サントラ盤のジャケットには二丁拳銃を構えるジミー・クリフのイラストが描かれているが、『The Harder They Cover』のジャケットでは、同じポーズで拳銃の代わりにマイクを持った耕が写っている。

収録曲はその「The Harder They Come」をはじめ全曲が日本語詞によるカヴァー。ブルースビンボーズの「宇宙のどこかで」の新ヴァージョン、フールズの「Highway Song」（遅ればせながら、この曲には元々「ピーター・トッシュに捧ぐ」の副題があったことを付け加えておく。言うまでもなくピーター・トッシュはウェイラーズのオリジナル・メンバー。87年強盗に撃たれ43歳で他界）に、じゃがたらの「もうがまんできない」では、そのタイトルとは裏腹のアイロニカルな原詞の内容にはもう我慢出来ないとでも言うかのように「もう俺はがまんできない」と耕が声を振り絞って歌う場面のあるのが印象的だ。また、山口冨士夫に関連する楽曲が、村八分から2曲、ティアドロップスから1曲、ソロから1曲と全体の半分を占めており、冨士夫の音楽に対する耕の思い入れの深さがうかがえる。レコーディングは、前回のこともあって耕が望んだ演奏とヴォーカルを同時に収録する一発録音で行ったところ、わずか1日で終了。「The Harder They Come」のカヴァーは、実はフールズの時代からやっていたものだが、ある時閃いてロックンロールのアレンジになったものだという。

しかし本作のリリースに先駆けてツアーを行う直前になって、耕はまたも逮捕されてしまった。ドラムの秋山が語る。

「Pちゃんはショックで「ツアーやめる?」って言い出したけど、俺は「回ろうよ。俺がドラム、ヴォーカルでやる」って言ったらPちゃんも「俺も歌う」って言ったので、二人で歌って回った。お客さんは温かかったけど、2ちゃんねるでは「ドラムのやつ下手くそなくせに歌って」って書かれた。ドラムが下手って言いたいのか歌が下手って言いたいのかわかんないけどね(笑)。フールズの濃ゆいファンからしたら、ブルースビンボーズは認めないっていう雰囲気があったんです。でもフールズを知らない若い人たちは、「ブルースビンボーズは最高だ!」って言ってくれた。ブルースビンボーズで伊藤耕のことを知ったっていう人も多かったしね」

耕が回想する。

「新宿のライヴハウスに出て、帰ろうと思ったら連れてかれちゃって、俺もびっくりしちゃったけど、連絡もできなかった。それで拘置所からみんなに「突然で悪かったね」って手紙を書いたんだ。俺とちゃんとやり出したところで、いきなり俺がパクられたわけだから、みんな予定が狂っちゃう。金にもならない音楽だけど、ビンボーズの周りは音楽があるからどうにかなってるって奴らの集まりで、何か問題があると、すぐ精神病院だとか刑務所だとか、あっち側に行っちゃう。ここにいたいんだけど、選択肢が無いんだ。そういう人たちが多いから、面会の時は俺がみんなから悩み相談を受けるみたいな感じで、頭痛くなっちゃった。「どっちが入ってるんだよ? 元気出せよ」って。

それで俺が帰って来た時に前よりも寂れた感じになって、俺のおかげでこうなったって言われたら嫌だから、「俺は塀の中にいてバンドをつなげられないけど、その間は誰かヴォーカルを入れてやっててくれ」って、手紙に書いたんだ」

こうしてブルースビンボーズは、耕が不在の間は耕の友人のサダをヘルプのヴォーカルに迎えて活動を続けていった。その演奏の場は主にライヴハウスでハードコア・パンク系のバンドとの共演がもっぱらだったが、２００５年3月16日、東京都の品川北ふ頭公園で行われたイヴェント「１４３５虹の架け橋キャンペーン　パートII」に出演したことについては少し詳しく触れておきたい。

イヴェントのタイトルにある「１４３５」という数字は、２００３年に日本各地の入国者収容所に強制収容させられた外国人の一日あたりの人数を示す（ちなみに年間総数は52万３６１７人）。出入国在留管理庁いわゆる入管による人権侵害の問題は２０２１年3月に名古屋で起きたスリランカ人女性の死亡事件などでも記憶に新しいが、右の事実から想像されることは、遡れば20年近く前からずっと、そうした事態はほとんどまったく改められてこなかったということでもあるだろう。きっかけとなった出来事のひとつに、難民認定を求めるクルド人の家族が行った座り込みがあった。

トルコ国籍のクルド人難民申請者であるカザンキラン一家とドーガン一家が、国連難民高等弁務官事務所（ＵＮＨＣＲ）のある東京・青山の国連大学ビル前で座り込みを始めたのは２００４年7月13日のことだ。90年代後半にそれぞれ来日した二家族は、トルコでクルド人の自治運動に関わっていたことなどから帰国が困難として法務省入国管理局（当時の入管の名称）に難民認定を申請。しかしこれは認められず、入管の施設に収容される目にも遭う。そこで、仮放免の状態にあった彼らはＵＮＨＣＲに入管への働きかけを求め座り込みを決行した。

実際は野宿のようなものだったこの苛酷な座り込みは2ヵ月半後の9月22日に終わりを迎える。ビルを管理する国連大学が同日午後7時までの退去を通告したことに対し、クルド人家族の何人かがガソリンをかぶりライターで自分の体に火をつけようとした。これを十数人の支援者が必死になって押しとどめた後、クルド難民弁護団の弁護士らによる助力を得てＵＮＨＣＲとの協議を確約し、家族は退去を受け入れた。そして、その時の支援者の中にサダがいたのである。
10月13日には難民認定の拡大を求めて法務省を人の輪で囲むイヴェントが行われた。これが「1435虹の架け橋キャンペーン」の始まりである。その時は街宣車の上から弁護士で参議院議員の福島瑞穂がメッセージを送った。また、この年の参院選で当選した喜納昌吉、青森出身のシンガー・ソングライターでスリランカ人難民申請者の支援活動を熱心に行っていたナラカズヲなどが演奏している。

UNHCRは同月のうちにクルド人の二家族を難民として認定した。しかし日本政府は2005年1月17日、カザンキラン一家の父親と長男を不法滞在者として入管に収容し、翌18日にはトルコへ強制送還してしまう（一家はその後ニュージーランドに難民申請が認められ移住）。また2月7日には先の二家族と同じくUNHCRに難民と認定されたトルコ国籍のクルド人男性が、入管による強制退去処分の取り消しを求める訴訟を起こしていたなか、義務付けられていた出頭のこの日そのまま収容されてしまうという出来事もあった。

「1435虹の架け橋キャンペーン　パートII」は、こうした事態の経緯の中で開催されたライヴとリレートークとキャンドルによる人文字づくりのイヴェントだった。会場に選んだ品川北ふ頭公園は東京入管と通りを挟んではす向かいにあり、これはもちろんライヴなどの音を入管に収容された人々のところに届けるためのものだったろう。出演者には呼びかけ人の一人であるサンプラザ中野（現サンプラザ中野くん）、ナラカズヲ、在日ロッカーの朴保（パクポー）、A-MUSIK（アームジーク）（音楽評論家で大正琴奏者の竹田賢一を中心とする、世界各地の抵抗歌を独自のアレンジで演奏するグループ。第1章で触れた工藤冬里や篠田昌已、石渡明廣が参加していたこともある）などが名を連ね、そこにサダを通じて実行委員会からの依頼を受け、ブルースビンボーズが参加したのだった。

残念ながらこの時耕は刑務所の中にいた。とはいえブルースビンボーズは、耕が不在であっても、このようなイヴェントにためらうことなく参加するバンドだったことがわかる。そしてまたこの時耕が塀の中にいたこともあって、彼らはこのイヴェントに参加する巡り合わせとなったのかもしれない。

その後、ブルースビンボーズは2007年4月15日にグッドラヴィン・プロダクションから10曲入りのサード・アルバム『NO WAY』をリリースしている。このアルバムは耕の復帰が迫るなか、耕の不在期間中バンドをサポートしたサダの貢献が記録されたもので、冒頭2曲のインストを除く8曲でサダが作詞とリード・ヴォーカルを担当。ドラムとジャンベのビートが入り乱れるグルーヴィなアンサンブルでブルージーなロックンロールを展開している。メンバーのクレジットにはレコーディングに参加した顔ぶれに加え、伊藤耕の名前を記載。「ヘヴィーボール&チェイン（職質）」「法の轍」といった、耕のイメージに重なる曲もある。このように、不在であることによってかえってその存在感が示されるというのも、伊藤耕という人間ならではの現象といえるかもしれない。

7　復活の日

十数年ぶりの再会

ブルースビンボーズの『NO WAY』がリリースされた日から40日後の2007年5月25日、同じグッドラヴィン・プロダクションから、今度はフールズのアルバムが13年ぶりに出ることとなった。川田良のプロデュースによる、CD2枚とボーナスDVDからなる3枚組『Weed War -LEGACY

EDITION-』である。
ディスク1はファースト・アルバム『Weed War』のリマスタリング盤、ディスク2は1984年7月6日、渋谷屋根裏でのステージの模様をまるごと収めた全10曲入りのライヴ盤だ。これはオリジナルLPの初回盤に入っていた付録のソノシート「WHAT YOU WANT ?」が屋根裏でのステージを音源としたものだったことから、それを一枚のライヴ盤にヴァージョン・アップするという趣向だった。

この時は伊藤耕、川田良、カズ、佐瀬浩平とゲストにギターのEBBYを迎えた5人編成。ファンキーなうねりを繰り出すリズム・セクションの上で展開される、良とEBBYの巧みに音色を使い分けたツイン・ギターのアンサンブルが冴えており、オリジナル盤のリリースの際、その一端をソノシートで伝えようとしたのも頷ける。耕も当時のベスト・ライヴの記録として気に入っていたという。ザ・ウェイラーズの「Get Up, Stand Up」を、ワウを利かせたギターをフィーチャーしてカヴァーしているのも聴きものだ。ボブ・マーリーとピーター・トッシュが共作したこの曲は、トッシュとバニー・ウェイラーが脱退する前のウェイラーズ最後のアルバム『Burnin'』(73年)の冒頭に置かれた彼らの代表的なレベル・ソングだが、演奏と場のはらむ熱気ではボブ・マーリー&ザ・ウェイラーズの名作実況盤『Live!』(75年)のラストを飾るそれに通じるところがあると言ってもいいかもしれない。

ボーナスDVDに収録されているのは、84年12月21日、渋谷屋根裏でのライヴのリハーサルで演奏された「空を見上げて」を、8ミリフィルムに収めた映像だ。冒頭に「Fools+JAGATARA (rehersal)(ママ)」というタイトルが掲げられ、じゃがたらからギターのEBBY、ベースのナベこと渡辺正巳、そして映像には映っていないがサックスの篠田昌已やトランペットの吉田哲治、トロンボーンの佐藤春樹らも参加していることが音からうかがえる。わずか3分ほどの短いものではあるが、レゲエというよりスカのビートが意識されたその演奏を聴いていると、彼らが広い意味でのブラック・ミュージックのエッセンスをしっかり消化しているということがよくわかる。ちなみに撮影者は映画監督の石井聰亙（現・石井岳龍）で、彼は『宝島』86年7月号の「日本の名盤」アンケートに『Weed War』を挙げていた、ということも付け加えておこう。

なお、このアルバムのブックレットではオリジナル曲がいずれも伊藤耕と川田良の共作とクレジットされているが、それは事実ではなく良が意図的に書き換えたものだった。

続いて6月23日にはソリッドレコードから『憎まれっ子世に憚る』が、ライヴDVDとの2枚組で再発された。前述したように同作はリミックスとリマスタリングが施されており、5月の2日と3日に吉祥寺のスタジオGOK SOUNDで行われたその作業には川田良と福島誠二の二人が立ち会っている。誠二が回想する。

「良から、昔のアナログで録った『憎まれっ子世に憚る』の音源をリミックスして出すんだけど、その立ち会いに来てくれないかと、連絡があったわけ。ここでちょっと良とマーチンが揉めたみたいで、俺が行った時はマーチンがいなくて良だけだった。その時「次に耕が出て来た時はいよいよ再結成やるかもしれないぞ。お前はどうする？」と言われたんだけど、どうせまたダメになるんじゃないかと思ってたから、さすがにその時点では「やりましょう！」とは言えなかったな」

また8月17日には、良が全曲の作曲とプロデュースを担当したザ・パンツの唯一のアルバム『THE PANTZ』がグッドラヴィン・プロダクションからリリースされている。このバンドは良と下北沢のロック・バーで知り合い、パートナーになった帰国子女のＡＩＫＯが全曲英語の作詞とヴォーカルを担当し、メンバーの出入りが激しかった初期には山口冨士夫がシークレット・ゲストとしてライヴに全面参加したこともあるという。レコーディングは２００７年の３月から５月にかけて、良がその多彩な活動を通じて培ってきた交友関係を活かし、６人のメンバーと４人のゲストを迎えて行われた。アルバムの冒頭ではGAMBLE、DEEPCOUNTなどで良と活動を共にしてきたD.J.HIDEがゲストとしてスクラッチを披露。メンバーであるジャズ系のプレイヤー津上研太のサックスを前面に出した曲では、ジャジー・アッパー・カットで良とともにギターを弾いた石渡明廣がアレンジを担当。石渡はレコーディングの現場にも立ち会って良のプロデュースをサポートしている。ドラムはW.R.U.の南たけしで、ベースはW.R.U.やラブレターズの西村雄介。またジャジー・アッパー・カット、W.R.U.のメンバーだったキーボードの斉藤トオルもゲストに名を連ねている。

このようにしてレコーディングされたザ・パンツのアルバムは、ヒップホップ、R&B、ジャズ、ロックのエッセンスがミックスされた、構築性の高い粒揃いの楽曲からなる意欲的な作品だった。グッドラヴィンの古岩井公啓が、この年の春から始まった良とのやりとりの模様を語る。

「ぶっちゃけ言うと良さんは「ザ・パンツのCD出してくれるんならフールズの再発やってもいいよ」というようなことを言ってきて、それで両方ともやることになったんです。最初に会った時は、「フールズをやる気はない」ってはっきり言ってました。耕さんがコンタクトをとってもあんまり一緒にやろうとはしてなかったみたいでしたしね。でもその後で「発売に際して1回くらいライヴやってもいいよ」って言ってきたんです。だからそこまで嫌がってはいないのかなと思って色々話すうちに、せっかく出すんだったら売れなきゃ面白くないし、１回ライヴをやってみようって話になったんです」

大の酒好きだった良は、このザ・パンツのＡＩＫＯの例のように、下北沢のロック・バーや飲み屋で知己を得ることも少なくなかった。下北沢駅前市場（２０１７年に再開発の流れで取り壊された）の中に三好野という小さい飲み屋があり、そこの客として良と知り合い、後に店のカウンターの中に入るようになった長谷川努もそうしたうちのひとりだ。長谷川が良にまつわるちょっと微笑ましいエピソードを語る。

「良さんと知り合ったのは２００６年、まだ寒かったから４月くらいかな。俺にとってフールズは幻のバンドだったんですけど、良さんが「うちの相方が塀の中入っちゃって」って言うから「まだフールズやってたんですか？」って言ったら、「やってるよ、バカ野郎」って言われて、それから「今ちょっと面白いこと考えてる。日本じゃなくて世界進出を狙うバンドを作ってるんだ」って話してくれたんです。それがザ・パンツだった。翌年の春、５月くらいに良さんがそわそわして落ち着かない様子だった時があって、どうしたのか聞いてみたら、「交渉ごとがある。フールズのファーストを再発したいっていうやつがいるから、ビジネス・トークをしなきゃいけないんだけど、なめられてはいけないから付いて来い」って言うんですよ。「俺なんか何も関係ないじゃん」って言ったんですけど、「焼き鳥屋で待ち合わせして話をするから、酒飲んで焼き鳥食ってればいい。ただで飲めるから。サングラスは外さないでいろよ。俺が〝なっ〟て言ったら〝うん〟って言ってればそれでいいから」って言われて付いていって、「パンツはいいバンドなんだよ。なあ長谷川？」「うんうん、最高だよね」って感じでザ・パンツの売り込みに加勢したんです（笑）」

前節でＮＯＢＵが語っていたように、良が本心では耕との活動を望んでいたことは、周囲の親しい人間の目にも明らかだったようだ。また良が古岩井に会いに行った時には、ザ・パンツのレコーディングもほぼ完了していたという。

良本人は当時のことを、後にこう振り返っている。

「フールズの再結成よりも再発の方が先だよね。昔の音源を出してくれるってことで、これは手っ取り早いと俺も乗った。乗ることによって俺も自分の頭の中を整理したわけ。それでもう一回カズだのマーチンだのに声をかけた。でも、あいつらも子どもが生まれたり、仕事を持ってるとかの問題があってね。だからその時はフールズを継続するかどうか、あまり話はしてないんじゃないかな。ただ「耕が出てきたら一回くらいライヴをやらないとまずいんじゃないの?」ってことは言ったかもしれない」

良はまずベースのカズに声をかけた。そして良が「ドラムは誰がいい?」とカズに問うと、初代ドラマーの佐瀬浩平がこの時は闘病中だったこともあり、迷うことなくマーチンの名前を挙げたという。

一方、『THE PANTZ』がリリースされた翌月の9月5日に出所した伊藤耕は、すぐさま福島誠二に電話をかけ、「フールズをいっしょにやろう」と誘っている。しかし誠二は良がどこまで本気でフールズをやる気なのか判断がつかなかったこともあり、決心するには至らなかったという。誠二はその後あらためて良から連絡を受けることになる。

「『フールズを再結成してライヴをやるけど、順番にやっていきたい。最初はカズからだ』って。『わかりました、まあ頑張ってください』って答えた気がする。自分のバンドのSOOと若手バンドのC.O.R.E.の活動が忙しかった時期でもあるし」

かくして伊藤耕、川田良、カズ、マーチンという、かつてSYZEのメンバーとして活動した4人が、フールズの名の下に集うことになった。良と耕が語る。

「耕は出てきてから、一回俺の家に来て話し合ったんだけど、知人の不幸があって、葬式とかでバタバタしてて、あんまり細かい話ができなかったんだよ。でもスケジュールは組まなきゃいけないじゃん。俺もパンツの大阪ツアーとかあったから、バタバタと再スタートを切ったって感じだな。カズとかマーチンと連絡つけて高円寺で練習。ほんとにSYZE以来、十何年ぶりにその4人が集まった。スタジオは3時間とったんだけど、ワイン飲みながら、半分以上喋ってた。もうなんか懐かしくて(笑)」

「最初はとりあえず音を出してみようってだけで、後は全部それから。やってみたらやっぱり懐かしかったね！　それこそ酒を飲むところから始まっちゃった。ミーティングという口実で飲みに行く(笑)。それはそれで俺も好きだからいいんだけど。でもそうやって酒を飲んでると、マーチンはああいうことがあった、俺はこういうことがあったとかって、お互いにぶちまけられるじゃない？　広く世の中一般のニュースから、今の生活状況、かみさんとどういうケンカしてるとか、どういうセックスしてるとか、ありとあらゆるくだらないけど現実的なことを、冗談言いながら気楽に話し合えるみたいなことは、そうそうあっちにもこっちにもないんじゃないの？」

ブランクを飛び越えて

そしてフールズは復活第1弾のライヴとして、2007年11月4日の野外イヴェント「武蔵野はらっぱ祭り」に出演することとなった。ただしこれにはマーチンの都合がつかなかったため、ブルースビンボーズのドラマーである秋山公康がワンショットでサポートを務めている。

秋晴れの爽やかな空の下、小金井市の都立武蔵野公園内に設けられた野外ステージの上にフールズは午後2時過ぎ、7番手として登場した。マイクの前に立った耕は開口一番、タクシーの運転手に間違えられて小金井公園に連れて行かれたという話をして観客の笑いを誘う。そうこうするうちにバンドが「いつだってそうさ」の演奏をスタートさせると、ボトムの低いところから繰り出されるシャッフルのビートに煽られた会場は、たちまち熱気に包まれていった。

「はらっぱ祭り」は中央線沿線のヒッピー・カルチャーの流れを汲む形で87年に始まり、入場は無料。例年はのんびりとレイドバックした雰囲気で進行するのだが、この年に限っては〝フールズ復活！〟の噂をどこからか嗅ぎつけてやってきたと思われる人々で広い会場が埋め尽くされていた。

大きなアクションでステージの上を右に左にと動き回る耕を挟んで、上手の前方に立つ良は、赤のストラトキャスターを自在に操りながら満面の笑みでコーラスを決める。下手の一歩下がった位置に居座り、体を揺らしながらベースを弾くカズは、サングラス越しに観客を舐め回すようにして不敵な気配を漂わせる。それらの表情は『Weed War』のライナーノーツに山名昇が書いていた「ステージの時、ここのメンバーってさ、まるで世界チャンピオンになったって顔してるじゃん」という一節そのままだ。いや、かつてのそれがいくぶん虚勢を張ったところのものであったとすれば、この時は経験に裏打ちされた余裕のようなものがあったことは間違いない。とはいえそこに少しも嫌味を感じさせないのはバカ野郎(フールズ)どもなればこそである。

そしてやはり特筆すべきは、この時の耕の、ブランクを感じさせない生き生きとしたパフォーマンスだろう。2曲目の「COME ON BOOGIE」ではブルースハープ奏者が飛び入りするのだが、その男の肩を抱きながら「俺の親友、ぷっちん！」と嬉しそうに紹介したり、3曲目の「地球の上で」

が終わると、あまりに激しいアクションのためマイクが断線してしまったことを告げ、「ゴメンちゃい。俺だよ、壊したの。俺が悪い！　すいません、どうも」と言って、ステージ上で土下座をしたりする。が、その直後に「おい中嶋！　俺が悪いってことは、お前は相当悪いってことだからな。お前のバカさ加減はもうばれてるんだからな！」と、久々に一緒のステージに立ったカズと嬉しそうにじゃれ合っては、会場を笑いに包み込んでいく。こうした振る舞いはともすると素人くさく、単なる馴れ合いのように見なされるものであるかもしれない。だが、耕の身のこなしは、良やカズの演奏がそうであるように年季の入ったものだ。そして、にもかかわらず、そうしたことを感じさせないくらいに無邪気な愛くるしさに満ちたものでもあった。

秋山がこの時のことを回想する。

「同じ耕さんが歌っているんだけど、ブルースビンボーズとは全然違うなって思いました。それにやっぱり僕はカズさんに対して緊張したし構えた。実際スタジオに入って、カズさんから「こんなドラムじゃ俺は弾けねえよ」ってダメ出しもされた記憶がある。それでもカズさんは怖くはなかったけど、怖いのは川田良！　とは言ってもその時はワンショットだったから、そのぶんお気楽なところもあったんですけどね」

秋山は自分の行きつけの飲み屋にこのライヴのビデオを預けており、噂を聞きつけたフールズの熱心なファンが店を訪れると鑑賞タイムが始まることもしばしばあるという（そしてタネを明かせば右の〝ライヴ・レポート〟はこのビデオをもとに書いたものである。いわゆるプライベート・ビデオで撮影者は長い間不明だったが、本稿執筆のためあらためて関係者にあたったところベーシストの片山修一であることがわかった。彼が84年から87年までベースを弾いたロックンロール・バンドのザ・スラッヂは特異な硬質感と緊張感をはらんだサウンドが後に評価され、2007年アフター・ザ・スラッヂという名前で再始動を果たし、2011年にはフールズとも共演している。その片山はフールズのライヴに足繁く通って録音をしていたといい、例えば発掘音源集『On The Eve Of The Weed War』に収録された81年11月3日の千葉大学でのライヴの音源は彼が録音したもので、裏ジャケットのスペシャル・サンクスにはSCHUICHI KATAYAMAというクレジットもしっかり入っている)。

フールズが「はらっぱ祭り」に出演した日の夜は、新宿ゴールデン街の先斗町という店で耕と良のデュオ・ライヴも行われた。良が語る。

「店にヴォーカル・マイクがないんで、あいつはすっぴん（ノンマイク）で歌ってた。しかも2ステージ！ 俺はギター・アンプがなくてベース・アンプだったけどね。それでも大丈夫だったんで、「ふたりでツアー回るか、ふたりで山分けするか」って話もしたな」

耕はこの時のことを手紙に書き残している。

「ゴールデン街のライヴは「はらっぱ祭り」の後、2連戦でたっぷり唄いました。「OH, BABY」をアカペラで3回唄わされました（笑）。良とは打ち合わせなし！ 合図とテレパシーで平唄を思いつきで3回を4回でも5回でもフリーサイズ、フリーフォームで、何がどう転ぼうが必ずうまくなんとでもなるという確信があるので、本当に自由にテーマやコンセプトだけで曲が転回できる。リズムキープもお互いがとっているので問題ありません！ 人間同志ってスゴイですネ」（漢字などは原文のママ）

こうして見ると耕と良はお互いの相性の良さをたちまちのうちに確認し、パーマネントな活動に向かって動き始めていたことがわかる。

「はらっぱ祭り」から6日後の11月10日、新大久保のアースダムで行われたライヴではマーチンがドラムを叩いた。誠二が語る。

「この時、俺はローディとして行ってる。カズさんがアースダムに出たことなかったから、「セッティングとか手伝ってやってくれないか?」と良に言われたんでね。だから俺はアンプの後ろからステージを見てる。すごい人が入ってた! ただ、楽屋の雰囲気は、なんか全員他人行儀な感じだったことを憶えてる。良はマーチンにすごい遠慮して、「もうちょっと音数多く叩いてくれる?」とか。耕は耕で「カズ、あれじゃ音が少な過ぎだよ。トリオなんだからもっと埋めてくれよ」「うんわかった」みたいな会話が続いてた。でも、まあ、客席は盛り上がってたし、俺としては「いいんじゃないの。このままやってくださいよ」みたいに思ってたね」

2006年2月に開店したライヴハウス、アースダムのキャパシティは約350人。それがこの日は身動きもままならないほどの観客で埋まっていた。オープニング・アクトには1955年の早生まれの在日ロッカー、朴保が迎えられたが、その演奏の最中、最前列でノリまくりアンコールを求める声まで上げていたのが耕だった。フールズのステージは二部構成で、演奏は「はらっぱ祭り」の時と同じく「いつだってそうさ」で始まり、カズ在籍時の『Weed War』のみならず、『憎まれっ子世に憚る』『リズム&トゥルース』『NO MORE WAR』から満遍なく選曲して披露。ブルースハープやコーラスなどが飛び入りで入ってステージ上の人数も増えていき、そうしたお祭り気分がそのまま歌になった「酒のんでPARTY」のアッパーな演奏で御開きとなった。

伊藤耕と川田良が共作したその曲の歌詞には「つまらないことでケンカするなよ」というフレーズがある。この時彼らはどんな気分でそれを歌ったことだろう。ともあれ十余年の時を経て彼らは再び同じ旗のもとに集まった。バカ野郎(フールズ)どもが甦ったのである。

第3章

反逆

1　去りゆく者　帰ってきた者

半年後の別れ

２００７年11月、伊藤耕、川田良、カズ、マーチンの４人で再スタートしたフールズは、原宿クロコダイルや、ブルースビンボーズがよく出ていた国立の地球屋など、以前から関係のあるライヴハウスを中心にステージを重ねていった。２００８年の４月には熱心なファンの計らいにより初めての仙台へのツアーも行っている。が、福島誠二によれば、良はその間何回か誠二のところに相談の電話をかけてきていたという。

「最初は良かったんだけど、半年経つと、みなさん調子に乗り出したというかね。カズさんが酔って弾けなくなっちゃったり、マーチンはお金のことをブーブー言い出したりとかって愚痴を良から聞かされたり。で、「手伝いに来てくれねえか」みたいに言われることがあって。でも俺はその頃はフールズをやる気は全然なかったから、「まあまあ、仕方ないじゃないすか、頑張ってください」みたいなやりとりをしてました」

仙台から帰ってきた翌月の5日、こどもの日に地球屋で行ったライヴでは、カズが飲み過ぎて演奏中に倒れてしまった。これに良は激怒し、カズをクビにしてしまう。マーチンが語る。

「カズは覚悟を決める時に、きつい酒を飲むんです。そしてちょっと飲み過ぎたんだ。2曲目ぐらいで、演奏してるのに倒れちゃったんですよ。でも自分にはカズが倒れてても、まるでカズが弾いてるかのように、あるいはブレイクしているかのように音が聞こえるんです。だから自分はそういう時、意地でも演奏を最後までやり切ろうとします。で、その間、もしカズが起き上がれるんなら、「あぁ、カズはそれでいい」と。カズがいなくて自分がドラムを叩いてるのと、倒れてるカズくんを目の前にして演奏してるのとでは、もう本当に全く違う話で。カズは起き上がろうとして、またシンバルにぶつかってガシャンってなってる。それってのは客席から見たら、本当に漫才や喜劇を見てるみたいで、笑えるというか、楽しいというか、みんなウワアァ!!って、喜んで座布団投げて騒いでるみたいな光景なんですよ。

カズくんも後で店のオーナーに謝ってるんですけど、オーナーはおそらくそのカズを見て楽しかったから、「いやそんなことないって、あんた失敗なんかしてないよ」と、本心で言ってくれてるのを自分は聞いてました。自分は「人間なんだからそんなの100回に1回くらいあって当然」って思ってますけど、どうなんでしょ? やっぱりそれはダメだって思う人もいるのかな。

でも、それを咎めてしまった耕くん、良くんは、自分としてはちょっと理解しづらいですかねぇ。「あいつにギャラはやらない」とか言うんで、「ケチなこと言ってんじゃねーよ」って俺は思うんだけど。自分らだってそのくらいのことは何回もあったのに、なぜカズだけが、そんなことになった時に咎められるのかってのは、ちょっと疑問だったんですね。でもこの一件で、おそらく良くんも、耕くんも、「やっぱりこいつじゃ無理だ」って思ったんでしょう。自分は当然その次は欲しかったし、お客さんはそれを望んだかと思います。それに俺はフールズを辞めるとかって言った記憶はね〜んだよ! 話がおかしいから乗れなかったってだけでね」

この言葉通り、マーチンもそれ以降のフールズのステージに立つことはなかった。カズが語る。

「あの時は良が「仙台からもらった仕事がある。『Weed War』をやって欲しいってことだけど、どうする?」って言うから「やろうよ」って答えたんだ。それでまず手始めに12月の地球屋とかでだんだん元の感じになって、仙台に行って、その翌日のクロコダイルで終わったんじゃなかったかな?元々、それ以降もフールズを続けようとは考えてなかったし」(筆者注:原宿クロコダイルでのライヴは2008年4月13日。このあたりの記憶はメンバーの間で異なるようだがそのままとした)

耕が語る。

「結局マーチンとカズの二人は辞めたね。ミュージシャンのユニオンみたいなのがあって、ある程度仕事を見つけられたら、あのメンバーでやれたかもしれないけど。カズなんか自分の子どもがいるし、毎日働かないと。毎回毎回、日銭が1万5千円から2万円くらいないとやっていけない。フールズ再結成だって、「練習やるだけで大変なんだ」って言われると、俺や良が悪いことに誘っているみたいで困っちゃうよね。そういうのもめんどくさいしさ。だから全然喧嘩別れじゃない。今更そういうので別れるんだったら、もうとっくの昔に別れてるよ」

誠二の恩返し

カズとマーチンがフールズから離脱した後、耕と良はバビロンブレイカーズというカヴァー・バンドのライヴを行っている。6月17日のアースダムでのことだ。これは耕が90年代からフールズ以外のメンバーとライヴをやる際に名乗っていたもので、この時はドラムが秋山公康、そしてベースが誠二だった。誠二がいきさつを語る。

「フールズじゃなくて馴染みの顔ぶれで一回だけの企画ものの演奏をするのなら楽しいかもしれないと思って、リハーサルのスタジオに行ったんだけど、その時の良はしばらく会わない間に「それやばくないですか？」ってほど激ヤセしてた。入院して手術したり、病院からスタジオに通ってた時期もあったんだって。よほど悪い病気としか思えない。バビロンブレイカーズは結構盛り上がったし、俺も久しぶりに楽しんだけど、「良、もう先がないんじゃないかな？」って心配になった。それでライヴが終わったら、今度は良から「秋山をドラムにしてお前がベースでフールズをやってくれないか」って言われたんだよね。最初は渋ったんだけど、良の痩せた姿を見ちゃったら、これが最後になるんじゃないかなと思ったの。この様子じゃ一年持たないんじゃないかって。

そこで昔のことも思い出したんだよ。俺もその間にいろいろ仕事してるけど、なんだかんだ言ってファンクなノリだとかブルースだとか、堂々とやれたのは良に叩き込まれたからだってのがあるからね。あの時良に出会ってなかったら普通のメタル小僧で終わってるから。これは恩返しやなと。それで良を元気付けようと思って、「よしやりましょう！」って言ったのかな。

良はずっとフールズをやりたがってた人だから、想いが全然違う。耕はフールズ・イコール自分のバンドとは思ってないけど、良にとってフールズは自分の最大のブランドだから、絶対に動かしたいわけ。でもあの人も素直じゃない、天邪鬼みたいなところがあって、ずっとそういうことを口に出して言えなかったんだよね。『憎まれっ子世に憚る』のリマスターの時とかは執念だったと思う。再結成の時は意気揚々として目が爛々と輝いてたしね。

俺はリマスターの作業には参加したけど、その時は青春の思い出としか考えてなかった。仕方ないんだよね、フールズで演奏してた時は、周りがカズ、カズって言うのに反発もしてたから。いま聴くと子どもみたいに反発したプレイの連続で恥ずかしい。だからフールズはベーシストとしてもあんまり思い出したくないバンドだった。懐かしいって感じもあったけどね」

こうして福島誠二は、フールズにベーシストとして復帰することを決意した。良に誘われて加入した1988年からちょうど20年。しかもその時と同様、初代ベーシスト、カズの後任という形だった。

また、秋山公康も良の要望に応じて、フールズに加わることになる。秋山が語る。

「「はらっぱ祭り」の時はワンショットだったけど、良さんからいきなり「秋山、お前フールズで叩け!」と言われた。俺は「ブルースビンボーズになっちゃうんじゃないの?」って言ったんだよね。伊藤耕もかぶってるし。そうしたら良さんは「いいんだよそんなの。とにかく叩け」って、頑固親父だからその一辺倒。有無を言わさずって感じだったな。「はらっぱ祭り」の後は、マーチンさんのドラムに戻るわけじゃないですか。僕は「やっぱりその方がいいよ」って思ったし、マーチンさんのフールズは安心して見てたんですよ。

前に良さんがDEEPCOUNTにいた時、ブルースビンボーズとの対バンでツアーに行って、名古屋のホテルで喧嘩になりかけたこともあった。お互い酔っ払いだから、口喧嘩で終わって何もなかったですけどね。そんなふうにして面識はできてたけど、やっぱり一緒にバンドをやるとなると……もう嫌でしたよ、恐ろしい。川田良と誠二くんのダブルでしごかれた! 地獄のようなドラムの特訓から始まって、おかげでいろいろ勉強にはなったんですけど。

でも、やっぱり川田良は凄いですね。伊達にやってきてない。それまでは僕の中にドラムの限界ってのがあって、「40にもなるとこのまま平行線だな」ってのがあったんですよ。努力もしてないし、「このまま70まで生きてたら、こんなドラム叩いているんだろうな」って、自分の中で固まっちゃってたわけです。さすがに僕の中でも「フールズに入ったからには、そこを壊さなきゃいけないな」っていうのはありましたよ。でもそれをどう崩していいのか分からない。そこをいろいろ教授してくれたのが、川田良であり福島誠二なわけです。

リハは一回につき3時間くらい。ダメ出しはスタジオの中だけ。終わったらすぐに帰っちゃう。僕はスタジオを出ちゃうと聞く耳持たないとこがあるんで、外で何か言われた記憶はあまりないな。結局自分でできるようになるしかない。でも「秋山、お前のドラムは点が多いんだ。点が多いと線になっちゃうんだぞ。それじゃダメだ」とか、川田良独特の言い回しなんだけど、懸命にアドバイスしてくれた。それを受けて、「あ、そうか、そういう観点もあるのか！」っていうふうに、とにかく僕のドラムは変わったんです。そういう時に耕さんが「いいんだ、秋山。気にするなよ」って口を挟むと、「うるさい！　俺はいま秋山と喋ってるんだ」って怒ってました（笑）」

こうしてフールズは2008年8月から伊藤耕、川田良、福島誠二、秋山公康というラインナップになった。誠二が語る。

「フールズのベースを引き受けた時は良の最期を見届けようってつもりだったけど、途中からだんだん回復してくるんだ。それが何年も続くことになったわけだね。いま思うと騙されたなって笑えるけど。だけど前にもましてすごく神経質になってて、病的に几帳面になってた。

ある時、ライヴハウスの楽屋が散らかってたの。当時良は楽屋に入ったら動かない人だったんだけど、その時は座れるような状態じゃなかった。他のバンドの荷物は置いてあるし、お店の機材も置いてある。それでブチ切れて店長とスタッフを集めて説教。対バンも含めて。対バンなんて初めて会う若手の子たちだよ。その前で「楽屋というものはなあ……」って大声で怒鳴りながら説教して、対バンの子、スタッフ、店長に掃除を命じたの。「まずここにあるもの全部どかせろ」「衣紋掛けをかけろ」って具合にね。それでようやくくつろげるようになって、「これでいいんだよ」って言って、対バンの子に「お前らも遠慮なく座れ」って。でもそんなの近づけるわけないでしょ。結局誰も近寄らなくて良がひとりでいた。演奏はしっかりしてたし、客も適度に入って、ライヴはそれなりに盛り上がったんだけどね」

良と耕の間にあるもの

2009年になると、2月18日に『リズム&トゥルース』と『ライヴ・フリーダム！』をカップリングした2枚組CDがヴィヴィドからリリースされ、フールズはその発売記念のワンマン・ライヴを4月4日にアースダムで行っている。同じ月の29日、1年ぶりとなる仙台のライヴハウス、バードランドでメンバーが二人代わってのステージを終えると、誠一は「やっと息が合うようになって来たな。フールズよろしくな！」と、秋山と二人でグラスを交わしたという。だがその1ヵ月後、5月24日のアースダムでのライヴが終わった後、良からかかってきた電話に誠一は困惑した。

「突然「秋山をクビにする」って言われて。やっと秋山と息が合うようになって来たのに、「なんで？」って。それで理由を考えたんだけど、ひとつは良の秋山に対する嫉妬。スタジオでも楽屋でも秋山はずっと耕と喋るわけ。それに対する嫉妬が続いてたんだろうなと。二つ目は秋山の性格。飲んでベロベロになったりして、何度注意しても言うことを聞かない。良からすると飲みたくても飲めないし。仙台のバードランドの時に俺と秋山が外で飲んでたら、そこまではずっと酒を断ってた良が俺たちを見て「飲みやがって、えーい」とか言ってビール飲んじゃったんだよね。そこから良はまた酒を飲み始めちゃったんだ。

あと、サンダルでドラムを叩くのが秋山のスタイルなんだけど、良はそれをずっと嫌がってた。

「フールズはフールズなんだ。ビンボーズのノリを持ち込むな」っていうことが最大の理由だったらしい。耕とばっかり話してるのもビンボーズの雰囲気なのかな。良はもともとビンボーズに対して良くは思ってないから。それは俺も納得するのに時間がかかったけど。

他にも突然訳のわかんないことを言ってきたんだよ。当時良は俺がやってたバンドを観に来てくれたことがあったの。それで「お前のとこのドラム。あいつどうだ?」って。「いやいやいや、絶対無理。あいつ、だってメタルでありパンクであり。ファンクとかできませんよ。絶対ダメ」「いや、やれると思うんだ。ちょっとセッションの段取りだけでもつけてくれないか、マジに」って食い下がられて、そこまで言うんだったらって一回セッションの場を作ったんだけどね」

誠二がやっていたバンドとは前述したSOOのこと。ドラマーの名前はケンといい、次節で詳しく触れる。誠二が続ける。

「セッションの時はまるで昔の俺を見てるような気持ちだった。ケンもその時はフールズに入るなんて話は言われてなくて、自由に叩いてた。で、それが終わった後、「俺はいけると思うんだよね。決めた。秋山をクビにしてあいつを入れる」って言うんだ。俺は「いやいや、それは待ってよ」って反対して、耕に電話して「良がこんなこと言ってんだけど、なんとかしてやってくれよ」「わかったわかった」とかってなったんだけどね」

こうしたことと前後して、5月25日には、耕、良、カズ、マーチンがやっていたSYZEのライヴ音源からなる11曲入りのCD『UPPER NIGHT Revisited』がグッドラヴィン・プロダクションからリリースされ、6月12日には渋谷のタワーレコードで、耕と良の二人によるインストア・ライヴが行われている。この時の彼らは軽妙なやり取りで場をなごませつつ、ギターとヴォーカルの絶妙なコンビネーションをしっかりと聴かせ、終了後はサインを求めるファンがずらりと列をなしていた。誠二の電話に耕が鷹揚な態度で応じた背景には二人の間のそうした穏やかな関係が存在していた。誠二がさらに語る。

「ケンが次にスタジオに来て、フールズの曲を何曲かやった後に、良が「こいつをフールズに入れるから」って切り出したら、音合わせをしてみるだけのつもりだった耕は、「ちょっと待ってくれよ」って戸惑って、「良がどうのこうのの前に、まずあんちゃん本気でやる気あんのかよ?」ってケンに聞いたんだよ。でもケンは何の邪気もなく「あります」って答えちゃったから、耕は困っちゃって、「俺もう帰るわ」ってスタジオから逃げ出しちゃった。

で、俺は追っかけてってスタジオの外で「俺、なんか嫌なんだよね。ケンは俺の後輩で弟分みたいなもんだし、あいつのドラム知ってるから。絶対フールズには合わないんだよ。良をなんとか抑えてよ」って言ったら、耕がぽろっと本音を吐いたんだ。「しょうがねえな。フールズはもう良のリハビリ・バンドだと思ってるからよ」って。それで「ああ、耕はそう思ってたのか、なるほどね」と」

こうしてフールズの三代目ドラマー秋山公康は、加入して1年でお役御免とされてしまった。秋山が振り返る。

「ライヴの1週間前に良さんから電話がかかってきて、突然「秋山、辞めてもらう」と。さすがに一瞬「何だよ!?」っていうのはあった。でも良さんと険悪にはならなかった。僕も毎回毎回緊張してたから、「あー、クビになってホッとした」っていう安堵感もどこかあったかもしれない。クビになった理由は、音楽的なところって言うかもしれないけれど、僕から見るともっとジェラシー的なところもあったように感じてましたね。僕と耕さんが良さんの前で酒飲むと「この野郎、うまそうに飲みやがって！」って怒ってたし。

耕さんはめちゃくちゃな時が多かったし、僕もいつも酒飲みながらひどいドラム叩くっていうところで、耕さんとしては安心する部分があったんじゃないかな。ダメ人間の連帯意識みたいな（笑）。そういうところも含めて、僕と耕さんの間にはブルースビンボーズでの信頼関係が出来上がっちゃってたんですよ。「秋山のドラムだったら間違いないよ。俺は秋山のドラムがやりやすいよ」って。僕がフールズで叩けって言われた時、良さんに「ブルースビンボーズになっちゃうよ」って言ったのはそこなんですよ。でも良さんがその時に「いいんだ」って言ったのは、「そんなのはいいよ、入ってから俺が変えるから」っていう含みがあったのかもしれない。あとから考えればね。

良さんと耕さんの間には入り込めない何かがあった。Pちゃんと良さんはすごいかぶるところがあって、スタジオなんかではいつもPちゃんが耕さんに怒る。ちゃんとこうしろああしろっていうのがPちゃんの役目で、僕なんかは座ってそのやり取りを見てるだけ。でもPちゃんと耕さんの間にだったら僕は入れるんですよ」

ようするに秋山は、そのプレイ・スタイルとは別のところで、やはりあくまでもブルースビンボーズのドラマーだったのである。では、フールズのヴォーカリストであり、ブルースビンボーズのヴォーカリストでもある耕にとって、両者の違いはどんなところにあったのだろう？

「確かにステージの雰囲気は違うよね。フールズは予期しないゲストが多いし（笑）。なんでかな？なんだか流れでこうなりましたみたいな。あと、ビンボーズだとライヴをやる時も5バンドぐらいでつるんでる。みんなかみさんとかも連れて来てて、ファミリー的、仲間内の延長。みんな仲間で、それでワーッと一体になって盛り上げようってなる。だからビンボーズはギグだね。完全なギグ。ビンボーズはボヘミアン！　世捨て人!!　住居不定人間!!!　社会から逸脱したレベル。人生のサヴァイヴァルやってるヤツばかり。ミュージシャンのグループというよりもチームだね。フールズにもそういうところはあるけど、フールズは貧しい都市生活者。生活があるから、結構動員も考えてる。でもビンボーズは基本的にサヴァイヴァーだから、どこでも行くよ、みたいな感じで、ライヴハウスじゃないところでも歌っちゃう。良は準備万端でやる方だから、そういうのが結構嫌なんだ。だから二風谷はビンボーズが似合う。二風谷みたいなところは、車が無いと出られない。誰かを足代わりにするために自分からアクションを起こさなきゃならない。俺はそういうところも面白い。便利すぎるとつまらないじゃない？　めんどくさいことはめんどくさいんだけど、それ以外のことはめんどくさくないんだ。そんなもんじゃないの？　むしろ普通の人がやってる細々したことの方がめんどくさい。俺の人生にとってあんまり意味が無い。やってもいいのかもしれないけど、とりあえず優先順位が低い。だいたい日本人って生活がパターン化されてて、仕込まれちゃってる。面白くないよね。ただ、そこにある甘い汁を吸いたいなって憧れもあるよね。憧れてやってみて、やっぱり面白くないってなるのか、ぬくぬくとそのシエルターの中にいるのか？　でも残りの時間が限られてるなかで、叶わない夢は全部排除する！　考えたくもないね。まずできるところからやらなくちゃ」

後半で語られているのはブルースビンボーズのファースト・アルバム1曲目「バビロンのぬくもり」に描かれた世界観そのままだ。が、それはともかく、ここで耕が言っている「みんな仲間で、それでワーッと一体になって盛り上げようってなる」ビンボーズの「ギグ」と、先にマーチンが語った「みんなウワアァ!!って、喜んで座布団投げて騒いでるみたいな光景」とは、ほとんど同じもののように感じられる。だとすればこれはかつてのフールズでは許されていたものがブルースビンボーズに受け継がれているということであり、耕はけっしてそれを否定はしていなかったことになるはずである。だから、長い休止期間を挟んでフールズが復活してからの耕には、たとえマーチンに「理解しづらい」と言われたとしても、大事にしたい別のものがあったのだと思う。それは耕が自らのフリー・フォームのヴォーカルと一緒になって転がっていくことができる良のギターに他ならない。そしてもちろん、そんなギターを奏でながら身体を蝕まれていた川田良という存在そのものだ。

秋山は耕と二人きりの時に、「秋山、本当に悪かったな。俺は良が言うことには逆らえないんだよ。俺は秋山とやりたいよ。でもあいつが秋山のことをクビって言ったら従うしかないんだよ」と耕から告げられたという。この言葉に秋山は握手で返し、その後も耕との関係が変わることはなかった。

一方で秋山は、その後の良との関係を、このように述べている。

「フールズをクビになったあと、良さんとはもっともっとフレンドリーになりましたね」

2　バビロンをぶち壊せ

若造ドラマー奮闘す

2009年6月、ケンこと庄内健がドラマーとしてフールズに加入した。1984年生まれ、秋田県出身の彼は、福島誠二より20歳年下。つまりこの時のケンは、ちょうど誠二がフールズに加入した頃の年齢だったことになる。

ケンの初陣は6月17日の池袋Adm。川田良は事前に「フールズはライヴ・バンドだ。お前に〝現場〟を分からせるためにライヴをやる」と言い渡していたという。誠二がその時の様子を語る。

「スタジオでリハーサルやっても、フールズってライヴでは全然違うじゃない？　実際に始まると、インストの部分とかセッション的な部分でバンバン変化していく。ケンも甘く考えてたんじゃないかな。もう全然ついてこれなくなって、途中でドラムが止まっちゃったりした。全員で「叩けー！」とか言っても、パニック起こしちゃって。やりながら「これでケンはクビだな」って思ってた」

ケンもこの日のことははっきり覚えているという。

「フールズはリハとライヴではまるで違う！　あんなに定型通りに演奏しない、ステージでどんどん即興が繰り広げられるロック・バンド、日本にひとつしかないから。ドラムの腕はそれなりに自信があったのに、3人の自在な演奏の中に入ったら、それまで培ってきた技がまるで通用しなかった。終わった後は悔しくてライヴハウスの非常口の陰で泣いてました。すると耕さんがやってきて「フールズって大変だろ。それでもやってくか？」って声をかけてくれて、「はい」と答えたら、黙って握手してくれたんです」

終演後、酒を控えなければならない良を先に帰すと、伊藤耕と誠二はケンと池袋で飲み、さらにタクシーを拾って高円寺のライヴハウス、稲生座に連れていった。古めかしい酒場の雰囲気を漂わせるこぢんまりとしたこの店を行きつけの場所としていた耕は、そこで初めて良を介さずに直接ケンの目を見ながら語り合ったという。7月に大阪へのツアーを予定していた彼らは差し迫ったスケジュールをこなすため、ここから週に3回というペースのリハーサルでケンを鍛え始めた。誠二が語る。

「本当にかつての自分を見るような不思議な感じだった。でもケンよりは俺の時の方がマシだったかな？　俺の時もきつかったけど、半年くらいかけてフールズをやるにあたっての仮免みたいなものがあったわけ。でもケンにはそんな仕込みの時間は全くなかった。ツアーまで1ヵ月もなかったから、時には俺とケンだけとか、耕抜きの3人とかで、こまめにスタジオに入った。大変だったと思うよ。でもそうしないとフールズにならなかったんだよね。

ケンはもうゆとり世代に近い。最初から携帯持ってる世代だから、ケンが耕とか良に接するのは、俺が感じた未知の世界より、もっともっと違う、きっと夢でも見てるような感じだったんじゃないかなと思うよ。俺は口を出せなかったから、助けることはなかったけどね。本人が「やる」って言ってるし、もともとそういうジャンルをやったことがない人間が短期間で雰囲気を覚えるには二人の言ってることは一理ある。しょうがないから我慢しろよって」

ケンが加入直後の特訓を振り返る。

「リハーサルでは良さんに「もっと気合い入れて叩け」とか、「スネアが聞こえねぇんだよ」とか、「ノリが違うんだよ、ノリが」とか、曲が終わるたびにネチネチと、たまにガツンと言われました。誠二さんに目線で助けを求めても上を見つめてるだけ。「ケン、ここは我慢じゃ、乗り越えるんだ」と言わんばかりの感じでしたね。なにせ若造なものですから、良さんがどんな人かわかっていなかったし、あれだけ言われれば腹が立ってくるのも当然で、「ぶち殺したい」って殺意が湧いたことは何回もありました。でもそんなスパルタは私が加入して1～2ヵ月くらいで、だんだんバンドにハマってきたときはそんなに言われなくなったと思います。スタジオが終わった後は、いつも飲みに連れて行かれ、良さんを置いて帰るパターンでした」

この時フールズは、7月に大阪、9月に新潟、10月には仙台と地方へのツアーも頻繁に行っていた。当初はケンが叩きやすいタイプの曲を中心にするなどの配慮をしつつ、ライヴの合間を縫ってはリハーサルを懸命に繰り返す日が続いた。その甲斐あって、秋にはだいぶこなれてきたと誠二は言う。

「9月には叩きながらコーラスもとれるようになったし、まあ完璧じゃないんだけど、成り立った。それで耕も良も「やれるじゃないか!」って感じたのかな。ケンのドラムはツイン・ペダルを使ったりとか、そういうハードな部分を盛り込んできて、秋山とは全然違うタイプ。マーチンとも違うし、ちょっとした〝ニュー・フールズ〟になりかけてた」

振り返ってみると80年代終わりから90年代初頭にかけてのフールズは、ライヴだけでなくリハーサルやミーティングでメンバー全員が時間を共有する機会を多く持っていた。が、その後メンバーが個々の活動にも時間を割くにつれてバンドとしての一体感は失われ、休止に至ったという経緯がある。この時はまずケンを鍛えるという目的があって、一緒にいる時間を増やさざるを得なかったわけだが、その結果バンドの結束力は再び高まっていったことが誠二の言葉からうかがうことができる。

ならずもののヘッドライナー

タイミングの良いことに、誠二の言う〝ニュー・フールズ〟の形がどうにか見えてきた頃、彼らにとって晴れの舞台が用意された。ライヴハウスの草分けである新宿ロフトを会場に開催されるビッグ・イヴェント「DRIVE TO 2010」への出演である。

このネーミングは第1章で触れたイヴェント、1979年8月28日から9月2日までの6日間、西新宿にあった新宿ロフトで行われ、耕と良がSYZEで出演した「DRIVE TO 80's」に由来している。20年後の1999年にはそれを受け継ぐ形で、10月25日から30日にかけて、歌舞伎町に移転した新宿ロフトを会場に「DRIVE TO 2000」が開催された。そしてそこからさらに10年の時を経て三たび企画されたのがこの「DRIVE TO 2010」であり、その内容は、まず開催日が10月5日から11月11

日までの間の30日。そしてそこに「DRIVE TO 80's」の関係者だけでなく、彼らに影響を受けた後続世代を含む多彩なアーティスト約300組が出演するという、日本のライヴハウスの歴史上前例のない大規模なものとなったのである（ただそれだけにラインナップは幾分か細分化されたものではあった）。フールズは、開催期間中最後の日曜日にあたる11月8日、「メインストリートのならずもの」と銘打たれた回のヘッドライナーとしてステージに上がった。

「イエーイ！　お前ら生まれ変わったら、今度は北極海に行ってもらお～。アザラシとペンギンとシロクマ、どれがいいんだ？　選びなさ～い。あ～ん？　どっちも嫌だ？　じゃあ地獄だ～！　北極と地獄どっちがいいの～？」

転換の間をつなぐお笑い芸人がスベって失笑を誘うといった感じのMCで、耕はこの日のステージの幕を開いた。1曲目はファースト・アルバム『Weed War』に収録されたファンク・チューン「WASTIN' TIME, OFF YOUR BEAT」。ステージ下手で誠二が踏むステップとケンがスナップを効かせて振り下ろすスティックのリズムがシンクロし、たちまちのうちに場内を心地よいグルーヴで包み込んでいく。良、誠二、ケンが地声で「ウ～ラララ！」とコーラスすると、それに応じて「ムダな時間でいっぱいさ!!」と耕が叫ぶ。そんな歌詞の一節が反語に聞こえるかのようなこのコンビネーションこそ、短期間の濃密な訓練と実戦で鍛え上げたニュー・フールズの真骨頂だった。

他のバンド目当ての来場者も巻き込んで、フロアに詰めかけた観客がこぞって歓声を上げる。とはいえ何か決まった振り付けがあるわけではない。その場にいる者がそれぞれの思いのままに体を揺らし声を発する、心身の解放区的な空間がそこには生まれていた。SEXの時代からのパンキッシュなレパートリー「TVイージー」の演奏を終えると、耕が「最近調子どうよ？」と客席に問いかける。「最近」とはこの1週間のことなのか？　それとも10年なのか、あるいは30年なのか？　そんな一見何気なく、しかし含みの多いやり取りが、「DRIVE TO 80's」から30年というこの場にはふさわしいものとしてハマっていく。耕の言語感覚は会場を訪れた人々の意識下にあるものと反応して、それらを引き出していくかのようだ。が、だからと言って耕は〝スピリチュアル〟〝カリスマ〟といった言葉で祭り上げられるような人間ではない。そしてもちろんそのことを知っている観客も、空気を一切読まない芸人のように振る舞う彼に対して様々な感情の入り混じったバカ笑いで応えるのだった。

ステージの最後に「川田良！　ギター！　ベース、誠二！　イエーイ！　ドラムス、ケン！　My Name is 耕！　Thank You! We are THE FOOLS!!」と、耕がメンバー紹介するのを受けて、すかさず「伊藤耕！」と叫ぶ良は、満足げな笑みを浮かべていた。

終演後、イヴェントのプロデューサーでもあったサミー前田がDJとしてじゃがたらの「タンゴ」を流すと、伊藤耕と江戸アケミ、フールズとじゃがたらの関わりを知っている観客からは大合唱が沸き起こり、しばらく余韻が漂ったのち、徐々に出口へと向かう人の流れが出来ていった。誠二はこのイヴェントまでの日々を、こう振り返っている。

「たまにスポ根出て来るよね、フールズ。『ロッキー』のテーマが流れてる感じ。耕、プロレス好きだし（笑）。「DRIVE TO 2010」はそのピークだったね！」

この現実が私の〝夢〟

フールズの次のステージは11月19日、新宿のライヴハウスclub Doctor（この店は2012年荻窪に移転した）だった。ところがライヴ前日の午前中、耕の自宅に家宅捜索が入った。

通常、家宅捜索は対象となるものが見つからなければその時点で終了する。だが、この時は午前中から夕方まで警視庁組織犯罪対策本部や警視庁渋谷署の警察官が入れ替わりで居続け、耕とパートナーの満寿子は、その間強制的に自宅に留め置かれるという異例の扱いを受けていた。また家宅捜索の令状には1年前の嫌疑が捜索の理由として記載されていたという。これは、裁判所が1年も前のやり取りの物証を目的に家宅捜索の令状を発付したことを意味する、極めて不自然な記述だったのだが、ともあれ結果的に耕は薬物使用の容疑で逮捕されてしまったのである。

この日フールズはリハーサルを予定しており、誠二がスタジオに着いた時は、それを電話で知らされた良が途方に暮れているところだった。翌日のライヴをどうすればよいか戸惑う誠二に、良はこう言った。

「明日のライヴはやるよ！　決まってんだろ、やるしかないだろ。歌は全員で歌うんだ。俺は歌う。みんなで歌えばなんとかなる。俺らはキャロルになるんだ！」

広島出身の誠二が矢沢永吉のファンであることを知っている良の咄嗟に放ったセリフだったが、この時ばかりは笑う気になれなかった。とりあえず良だけにリード・ヴォーカルを任せるのは荷が重すぎるので、誠二も歌詞カードをマイク・スタンドに貼り付け、ヴォーカルを分担するという話になる。誠二にとっては初めてのことだ。

こうして良、誠二、ケンの3人によるフールズの活動がスタートする。club Doctorの次は11月22日の「第21回武蔵野はらっぱ祭り」。12月には24日のクリスマス・イヴに新大久保アースダムでのワンマン、翌25日のクリスマスに２００９年のライヴ納めとなる国立・地球屋でのステージが控えていた。やむを得ず選んだトリオ編成ではあったが、この時は周囲の仲間や観客のサポートも厚く、ステージの上は飛び入りが次々と参加するなど温かいムードに包まれていた。ケンが振り返る。
「「フールズ、大丈夫かぁ?」って冷ややかな目もあり、そんな不安を良さんが、「俺らフールズだぞ!」と一蹴。「耕がいないとフールズじゃないとは言わせない」って感じでした。「はらっぱ祭り」の最後に演奏した「空を見上げて」では、お客さんがみんな歌って会場と一体になったんですが、あれがフールズ・トリオのパワーですね!」
誠二が語る。
「耕が捕まったのが1ヵ月くらい前だったら、キャンセルとかしてやらなかったかもしれない。たまたまライヴの前日だったから勢いでやっちゃった。奇跡だよ! バンドが一番ピークの頃に突然いなくなっちゃったから、耕に対する思いも強かったしね。メンバーは「チキショー!! 耕がいなくてもやってやるぜ」って団結した。みんなで歌うフールズなんて初めてだったけど、自然で勢いもあったし、全員がしっかりしてた。歌とか練習すればもっともっとうまく回せるって気合が入ってたよ。みんなも応援してくれたしね」
2010年1月21日、東京地方裁判所で耕の裁判が始まり、翌22日にはアースダムで3人フールズのライヴが行われた。その後の経過はこんな具合である。
2月9日　伊藤耕、第2回公判
2月12日　フールズ、アースダム公演
2月26日　伊藤耕、第3回公判
そして3月3日、「FREEDOM伊藤耕」と銘打たれたフールズのライヴがアースダムで行われ、NOBU、サダ、秋山公康、鉄アレイのBUTAMANなど十数人の仲間たちがヴォーカルやドラムでステージに登場した。ＮＯＢＵはこの時フールズのナンバーを一曲歌っているが、それは良がDEEPCOUNTを脱退した後、二人一緒にステージに立つ久々の機会だったという。ＮＯＢＵが語る。

「どの曲をやろうかって色々考えた末に「CHINA BLEEDS」って曲にしたんだ。あんな長い曲を選ぶやつ誰もいなかったし。でも実は、あれは良がすごく思い入れのある、良の曲って言ってもいいくらいの曲だった。すごい細かい決めとかもあるし。それをやるって言った時に「マジかよ?」って言われたな。あの曲を選んだってことも、多分良は嬉しかったんだと思うけど、終わった後「この曲は耕よりもお前の方がいいな」なんて言ってくれた。「じゃあもらっちゃうよ、これ」「ダメ!」なんてやりとりがあったっけな（笑）」

耕の不在という逆境のなか、３人で活動を継続する道を選んだフールズは、ＮＯＢＵの言葉が示すようにそのライヴの場でファミリー的な結束力に満ちた空間を生み出し、会場では裁判費用カンパのための缶バッジ販売や耕の減刑嘆願の署名活動が行われた。この署名活動は全国から瞬く間に１０００通以上が寄せられるという展開を見せる。

３月11日、第４回公判が開かれた東京地方裁判所第５３２号法廷の裁判官の手元には、分厚い束となって積み上げられた署名があった。そして減刑を求めるレコード会社や出版社の関係者への証人尋問なども終わったところで、裁判官はこんな問いを発して耕に陳述を求めた。

「あなたは今後の人生に、どんな〝夢〟を抱いていますか?」

すると耕はこのような陳述を行った。

「私は今の自分が社会のゴミのような立場に置かれていることをわかっています。自分のバンドの仲間や応援してくれている人たちにも迷惑をかけているし、音楽をやるための時間も無駄にしてしまっている。こんなことをこれ以上繰り返すつもりはありません。でも私は今までずっと自分のやりたいことを、全力でやってきました。ですからこれからの人生で、やり残したこと、いつか実現させたい〝夢〟なんて、もはやありません。今の私が、傍からどんなに無様に見えようと、やりたいことをやってきた結果が、この現実なんです。私はそれを誰かのせいにしたりするつもりはありません。この現実が私の〝夢〟なんです」

裁判官の問いは、情状を酌量して温情判決を下す理由となるような反省の言葉を耕に期待して発されたものだったかもしれない。ただ、そうであったなら、耕の陳述は裁判官にとって、また検察官にとっても想定外のものだっただろう。背筋を伸ばし厚い胸板を張った耕の表情は穏やかで口調も丁寧だった。裁判官を困らせようといった邪気はなく、端的に自分の視点でとらえた内面の真実を、できるだけ飾ることなく、いきがることもなく伝えようと努めた結果のものだったのである。

そしてそこには、国家という強大な権力装置を前に、たとえ徒手空拳であっても自分の内面の真実だけはけっして手放そうとしない愚直なまでの正直さと、それゆえの異様な迫力が漲っていた。耕の陳述に胸を衝かれた傍聴者の中には泣き出す者さえいたが、裁判官は一瞬「被告が一体何を言っているのか理解できない」とでも言いたげな当惑した表情を浮かべた後、厳かな口調で閉廷を宣言した。

そして4月15日に下された判決は、執行猶予も付かず懲役が科された厳しいもので、耕の法廷の闘いは高等裁判所に舞台を移し、控訴審で続けられることとなった。

耕と誠二の初コラボ

この裁判が始まる前、耕は歌詞を書き溜めたノートを3人のメンバーに託していた。その意を汲み取った誠二は、歌詞の中にある〝バビロン〟という、耕から送られてくる手紙にも頻繁に出てくる言葉をもとにイメージを膨らませ、曲作りに取り掛かった。彼はそれまで歌詞に曲をつけたことはなかったという。そのうえ耕の歌詞は言葉数が多く、ラップのように歌の音節を区切っていかないと楽曲として成立しない。それでも誠二は、自宅の多重録音機材を使い、試行錯誤を重ねながら全体像を作り上げていった。

誠二が曲をメンバーに披露したのは4月下旬、耕の裁判が一審から二審へと舞台を移す最中のことだった。たまたま良が来られなかったスタジオの中で、誠二はケンに歌わせてみて、新曲としていけそうだという感触を摑んだという。フールズ史上初めて福島誠二作曲とクレジットされることになるこの曲は「バビロン・ブレイカー」と名付けられた。

俺はバビロン・ブレイカー　狂った企みを壊してやるぜ
俺はバビロン・ブレイカー　時代のナイフの先っちょで
俺はバビロン・ブレイカー　魂を叫ぶのさ
俺はバビロン・ブレイカー　この世界を歌うのさ

BREAK OUT !

たった一人になっても　俺は言いたいことを言うのさ
やりたい様にやるのさ

奴らの言いなりになんて　まっぴらゴメンさ！

俺はバビロン・ブレイカー　自由な魂のプレイヤー
俺はバビロン・ブレイカー　ムショの塀の上でダンスを踊る
俺はバビロン・ブレイカー　奴らのカラクリを見破るのさ
俺はバビロン・ブレイカー　仲間達も黙っちゃいねえ

BREAK OUT！

たった一人になっても　俺は言いたいことを言うのさ
やりたい様にやるのさ
奴らの言いなりになんて　まっぴらゴメンさ！

バビロン・ブレイカー　今夜も
バビロン・ブレイカー　笑い飛ばしてやるぜ
バビロン・ブレイカー　今夜も
バビロン・ブレイカー　ぶっ飛ばしてやるぜ

BREAK OUT！

たった一人になっても　俺は言いたいことを言うのさ
やりたい様にやるのさ
奴らの言いなりになんて　まっぴらゴメンさ！

バビロン・ブレイカー　今夜も
バビロン・ブレイカー　笑い転げてやるぜ
バビロン・ブレイカー　今夜も
バビロン・ブレイカー　転がり続けてやるぜ

奴らの言いなりなんて　まっぴらゴメンさ

バビロン・ブレイカーという歌の中の主人公が伊藤耕本人であることは明らかだろう。それを踏まえて例えば「ムショの塀の上でダンスを踊る」というフレーズなどは、刑務所と娑婆の境界線上、すなわち法廷での耕の振る舞いを連想させ、そこからはどんな場所でもしたたかにサヴァイヴしていこうとする強い意志が伝わってくる。しかもトーンはあくまでユーモラスなものだ。このように緊迫した状況に置かれた自分自身を突き放して洒落のめすかのようなその歌は、伊藤耕という自由人ならではの言葉に満ちた作品と言える。
なお、これはタイトルが「BABYLON BREAKER」と英語表記に改められ歌詞にも変更の加えられたヴァージョンが2016年のアルバム『REBEL MUSIC』に収録されることになり、それについてはあらためて述べる。ここでは誠二作曲のそのファンク・ロック・チューンが〝後期〟フールズにとってそれだけ重要なレパートリーになっていくものだったということを記しておく。

頼もしき共闘者

控訴審の裁判を争う中で耕は90年代からのパートナーである満寿子と、彼女の誕生日である5月10日に入籍している。耕の裁判を担当していた女性弁護士の加城千波から、耕の身元がしっかりしていた方が情状酌量などで有利になる可能性があるとのアドバイスを受けたことがきっかけだったという。

加城は司法試験の勉強をしていた時に丸井英弘弁護士の指導を受ける機会があり、それが縁となって弁護士登録をした86年には丸井に請われて同年の耕の裁判の弁護団に参加。そしてその後は何度も耕の弁護を担当してきたという経緯がある。加城が語る。

「ライフワークというのは自分から望んで選ぶものだと思うんですけれども、耕さんの場合は自分から選ぶわけでなく、向こうから依頼がくるわけです。面会室のボード越しに接する時間の方が、普通にお会いするより圧倒的に多かったですけれど、ここまで長く関わってきた人は他にはいないですね。逆に事務所で普通にお会いする時はなんか照れ臭そうでした（笑）。でも自分がどんな状況にいても、決して相手を不快にさせることのない人で、それどころか、元気を与えてくれたり、すっと肩の荷を下ろしてくれるような雰囲気を持っていました」

満寿子が耕と加城のことについて語る。

「耕は加城先生のことを、よく天使って言ってたんです。私との信頼関係もかなり前からできていました。偉ぶってないし、わけへだてしない人だから、なんでも喋れるんですよね」

一方、良、誠二、ケンの3人フールズは新大久保のアースダムと国立の地球屋という二つのライヴハウスを中心に活動を継続。12月20日に控訴が棄却され、耕の裁判が敗訴となると、彼らはすかさずクリスマス・イヴにアースダムで「FREEDOM伊藤耕2」と銘打ったライヴを敢行している。

また、この間誠二はSOOのヴォーカリストであるSAKULAと7月7日に入籍し、11月22日には結婚披露パーティを開いていた。パーティには拘置所から耕の祝電が届き、駆けつけた多くの仲間の中には良の姿もあった。が、パーティの翌日から良は再び入院し、誠二はその事実をあとになって知ったという。

実は、誠二が結婚するかどうかを考えていた時に「誠二、人から祝ってもらうってのはいいものなんだぞ!」と言ってその背中を押してくれたのは良だった。なにかと強面なイメージはあるが、そんな形で優しさを示してみせる一面があるのもまた良という人間である。誠二は改めて心からの感謝を、良に捧げた。

ニュー・フールズを記録する

2011年に入ってからも、フールズはアースダムで月1回ペースのライヴを行っていた。この年の3月11日には東日本大震災が発生、直後に福島第一原発でメルトダウンの事故が起き、東北地方を中心に未曾有の災害に見舞われたが、そうしたなかでフールズは耕がなおまだ収監中、そして良は病気を抱え、万全の状態と言えるものではなかった。が、それでも彼らは4月から四谷のライヴハウス、アウトブレイクを新たな活動拠点に加えるなどして、前年よりもライヴの回数を増やしていったのである。また、音楽関係者による震災支援ライヴとしていち早く開催された4月9日新宿ロフトでの「DON'T FORGET UNITE JAPAN ~ LIVE from JAPAN, LIVE for JAPAN. There is No Reason.」に、DEEPCOUNT、鉄アレイ、ザ・パンツなどとともにフールズは出演している。

夏になるとローリング・ストーンズのカヴァー・バンド、万国ローリングストーンズに良、誠二、ケンが揃って参加。8月12日にアースダム、9月5日にアウトブレイクでライヴを行っている。このバンドは元自殺のジョージが率いる藻の月のメンバーを中心に、ザ・パンツのＡＩＫＯ、元ルージュのオスなどを迎え、藻の月からは後にフールズのギタリストとなる大島一威も参加していた。

ところが、9月30日のアースダムでのフールズのライヴを終え、ケンと帰路を共にしている時に、誠二はケンから実家の工場の仕事を手伝うため秋田に帰らなければならなくなったことを告げられる。

これを聞いた誠二は、ケンの後釜を探すことと並行して、彼が東京を離れる２０１２年2月をタイムリミットに、ケン在籍時の記録となる音源集を制作しようと思い立つ。当初考えたのは、ケンの貢献を称えてライヴの来場者に配るＣＤ-Ｒといったイメージで、ラフな出来でもいいからケンのドラムで「わけなんかないさ」や「ＴＶイージー」など、代表的なレパートリーを何曲か録音してひとつにまとめるというものだった。つまり公式の作品として発表することは想定していなかったのだが、途中でヴィヴィド・サウンドの配給によりＣＤを出すという話が決まり、急遽フル・アルバムへとアップグレードすることになった。こうした過程を経て完成したのが、２０１２年2月22日に約20年ぶりのフールズの新作としてリリースされた全9曲収録の『BABYLON BOMBERS』である。

前半の5曲は、良、誠二、ケンのトリオによるスタジオ・レコーディング。ＳＥＸ時代のレパートリーである「ＴＶイージー」の新録で幕を開け、フールズ結成後早い段階で書き上げられライヴの定番曲となった「わけなんかないさ」の新録、前述した誠二作曲による新曲「バビロン・ブレイカー」、『ライヴ・フリーダム！』に収録されていたがスタジオ録音として発表するのは初めてとなる「SO TOUGH!」、そして5曲目の「となりのFREEDOM」は、『Weed War』の冒頭に収められた代表曲「MR. FREEDOM」に、コーラスで「となりの誰かに」の一節を組み合わせたヴァージョンだ。イントロに耕のライヴのMCを添え、よりラウドなファンク・ロックのアレンジを施している。

後半の4曲には、ケン在籍時の中でも特別な盛り上がりとなった新宿ロフトの「DRIVE TO 2010」でのライヴ・パフォーマンスから、「街を歩いてみろ」「Hello My Pain」「HIGHWAY SONG」「まるで宝物のように」がピックアップされている。SYZE時代のレパートリーである「Hello My Pain」で耕は、ブルースビンボーズの「誰もがキリスト」から「新しい朝はやって来ない」というフレーズを織り込むなどしており、その時々で演奏だけでなく歌にも新たな息吹を吹き込んでいたことがわかる。また曲の前後での耕のMCを収録しているのも貴重な記録と言えるが、「俺たちは長生きするんだよ。不死身だからな、悪いけど」と言っているくだりなどは、いまとなっては何とも言えない気分にさせられるものでもある。

誠二はディレクション、プロデュースに加えてアート・コンセプトを担当。森早起子がエグゼクティヴ・プロデューサーとプロダクト・マネージャーを務め、「Thanx」のクレジットにはアースダム、アウトブレイクなどのライヴハウスとそのスタッフ、サミー前田やザ・パンツのAIKO、誠二夫人のSAKULAの名前もある。また、レコーディングとミキシングを担当した佐藤boone学はアウトブレイクのスタッフで、後に『REBEL MUSIC』のレコーディングで貢献を果たすことになる人物である。

本作は、これまでのフールズのアルバムがそうであったように、周囲からの様々なサポートを得て制作され、そこからまた新たな出会いや展開へとつながっていく、結節点のひとつとなった作品であると言える。ただ、そうした新たな出会いや展開が作り手のところにとどまることなく、広く受け手の側へと波及していくということがなかったのも、残念なことにこれまでのフールズのアルバムと同様であった。２００7年の活動再開に合わせて開設されたフールズの公式ＢＢＳによると、発売直後、首都圏を中心とするレコード・チェーン店ディスクユニオンの「日本のＲＯＣＫ」週間チャートでは第3位を記録したという。だから、フールズのアルバムを待ち望んでいた人のところには情報が届いていたと言えるだろう。その絶対数がどれくらいのものであったのかはともかくとして。

『BABYLON BOMBERS』が音楽雑誌で取り上げられた事例は、筆者が確認できた限りでは『ミュージック・マガジン』２０１2年3月号の「アルバム・レヴュー　ロック　日本」のみである。そこにあるテキストは、概ね好意的ではあるものの、誠二の言うニュー・フールズの意味合いなどには触れることがなく、彼らの音楽を往年のままとする残念な内容だった。

バンドの話に戻ろう。1月28日、アルバムのリリースに先立ってアースダムでは「庄内健 送別&ＣＤ『BABYLON BOMBERS』発売記念ライヴ」が行われた。この日はDEEPCOUNTのＮＯＢＵとザ・パンツのＡＩＫＯをゲストに迎えたのに加え、誠二とケンはフールズだけでなくＳＯＯのリズム隊としても出演するという粋な計らいのあるステージ進行だったが、誠二本人はライヴ全体の仕切りで忙しく、ケン在籍時のフールズの最後のステージをしみじみと噛みしめる暇はなかったという。

その後2月3日深夜に新宿ロフトで行われた「DON'T FORGET UNITE JAPAN Vol.3～東日本震災支援ＬＩＶＥ」に、誠二がメタル・バンドC.O.R.E.（Creator Of Resistance Ego）のベースとして、また良がザ・パンツで出演していたところにケンがやってきて3人が揃ったため、急遽フールズとしても2曲演奏している。さらに2月11日には「送別&発売記念パーティ」があり、23日には誠二がC.O.R.E.で出演したアウトブレイクでのステージにケンが飛び入りするなど、この時期誠二とケンはたびたび顔を合わせており、ネット上では「粋なラスト・ライヴを1月に演出したのに、その後はやたらと会う機会が多すぎて、せっかくの感動も興醒めじゃ!」などと発信していた。

そして2月24日、羽田空港で秋田行きの飛行機を待っているケンの前に、彼がドラムで在籍していたフールズ、SOO、SUGARBUZZといったバンドのメンバーや関係者たちが揃って姿を見せ、ケンは仲間に見送られ故郷への帰途についた。ケンがフールズに在籍した期間は2年9ヵ月。そのうち伊藤耕と一緒に活動したのは5ヵ月で、その後の2年4ヵ月は、川田良、福島誠二とのトリオによる活動だった。

空港からの帰り道、品川で一杯やろうということになり立ち寄った居酒屋の席で、誠二は良からこんなふうに語りかけられた。

「あいつ本当に帰ったのかな? 何かその辺から帽子かぶってフラッと出て来そうで、全然実感がわかねーよ! 寂しいとか悲しいとかじゃなくてよ、俺は悔しいって感じだよ!」

この時期再び酒を飲むようになっていた良の言葉に相槌を打ちながら、誠二もケンと過ごした日々を思い起こしていた。そして後日ネットにアップしたのはこんなコメントだった。

「兄弟! 総合的に楽しかった…いや、楽しませてもらったぞ! そして、俺もお前には色々と救われたんだぜ! ほんま! ありがとう。お前のロックの筆跡はここ東京にも、ツアーで行った各地にも、俺の中にもバッチリ刻んである! これからは、ジャンルや職種は違う環境になるけど、お互い転がり続けようぜ！　スラッシャー魂忘れる事なく、最高の鉄を作れよ！　マシンの事故には気をつけろよ！　じゃ、また逢う日まで　We are THE FOOLS!!!!!!!!!!!!!!」

3　同志は倒れぬ

俺がやるしかねえ

２０１２年２月、故郷に帰った庄内健の後任ドラマーとして、村上雅保がフールズに加入する。きっかけは福島誠二が旧友のミュージシャンの中島れいかから受けた一本の電話だった。

れいかは誠二がフールズに入った頃からの音楽仲間で、１９９１年のフールズのアルバム『NO MORE WAR』の1曲目で「戦争反対！」の掛け声を上げたゲストの一人である。他方で彼は同年の10月10日、中島れいかとその仲間達の名義による4曲入りのＣＤ『オレがれいかだ』をキャプテンレコードからリリースしており、これにはフールズから誠二、耕、マーチンがゲストで参加した。また前述したようにマーチンがドラムを叩いていたハードコア・パンク・バンド、カラード・ライスメンの2代目ギタリストでもあった。そのれいかがドラマー探しに難儀していた誠二のところへ電話をして、声をかけてみたらどうだと言って候補に挙げたのが、れいかと共に『NO MORE WAR』で「戦争反対！」の掛け声を上げていた一人である村上だった。

やっちゃんこと村上雅保は１９６５年生まれの静岡県出身。高校生でドラムを始めてバンドを組み、浜松のライヴハウスに出演するようになる。高校卒業後の83年春、東京デザイナー学院に入学して上京。耕の遠い後輩としてデザインを学びながらバンド活動に励んだ。フールズのことは上京前から気になっていたが、80年代末にれいかから耕を紹介され、ライヴを見て魅了されてからは、打ち上げにもしばしば顔を出し、メンバーと面識を得て『NO MORE WAR』へのゲスト参加に至る。90年代半ばにフールズが活動を休止してからは連絡が途絶えていたが、その間はバブルガム・ブラザーズの初代バンマスであったドラマーのTom Tom〝とうりょう〟沖田に師事して、ドラムの腕に磨きをかけていた。

村上のことを誠二に推薦したれいかは、一方で村上に「フールズやらない?」と誘いをかけていたという。村上は即座に「やるやる！ ちょっと見に行くよ」と返答し、2012年1月28日アースダムでの「庄内健 送別&CD『BABYLON BOMBERS』発売記念ライヴ」に駆けつけた。村上が語る。

「あの頃はTRASHのひろし君とかFORWARDのISHIYAとか、会うやつがみんな「フールズのドラム空いてるよ。やればいいじゃん」って薦めてきてたんです。そう言われるたびにその気になってきちゃって。でも決め手は良さんですね。ライヴで痩せてしまった良さんを見て、「やばい、フールズのピンチだ！」と思ったんですよ。そこは誠二と同じですよね。それで「これはもう俺がやるしかねえ」って決めて、誠二に連絡取って、「ちょっとスタジオ入ろうや」ってことになったんです。

僕はドラムのブランクが5年くらいあって、個人練習して立て直ししながらだったんで、ちょっと早めにスタジオに行って、ドラム叩きながら待ってたんですけれども、良さんが入って来たら「いま叩いてたのお前だろ、わかったよ。フールズのドラム、お前で決まるんだな」って言ってくれたんです。そのあと2月14日のアースダムでのパンツのライヴに「フールズで参加するから、そこで3曲叩いてみろ。お前のテストだ」って言われて、やったんですよ。結局その時は5曲くらいやったのかな。終わってから「良さん、どうでした?」って言ったら、「80何点、合格!」って(笑)。良さんは、ケンちゃんがいなくなるってことで「またかよ」って落ち込んでたんで、フールズの体制整えるためにそういう早い展開になったんだと思います。

それからは結構なペースでライヴがあったんで、ガンガンやりましたね。ライヴで慣れてくのが俺たちのスタイルだと思ってて。トリオっていう必要最小限の編成なので、もう怖がることは何もないっていうか。曲はあるんだし、覚えて歌ってどんどん変化つける。新曲もできていくし、また新たな始まりだったと思います」

村上はフールズに加入すると新たにブログを開設し、自ら情報を発信することで誠二の負担を減らしており、そのブログの中で「尊敬出来るメンバーと一緒に演奏できることが、バンドマンにとって〝なにものにもかえがたいシアワセ〟であることを痛感した」と述べている。

一方、誠二はネット上でこのように書いた。

「やっちゃんとは久々に音出したけど、昔に比べて随分ファンキーに、ソウルフルになってた！　とても演り易かった。久々に再会して、「お互い成長したね〜」って感じよ（笑）。伊藤耕も知ってるし！　同世代だから俺も楽だし!!　性格的にも合うし!!!」

悪戦苦闘の中で

川田良、福島誠二、村上雅保のトリオとなったフールズは、2012年3月17日のアースダムを皮切りに、ほぼ月2回のペースでライヴ活動を展開していった。また村上は、ザ・パンツにも9月の関西ツアーから参加することになり、そのため良が曲を作る際、「リズムが欲しいから付き合ってくれない？」と請われて、二人でスタジオに入ったりするようにもなっていった。誠二は、村上が良の体調を気遣っていつも親身でいることをネタにして、「やっちゃん、介護バンドやる?」といった冗談を口にすることもあった。

ただ、それは良の病状が悪化の一途を辿っていることの表れに他ならなかった。良もそのことは自覚して、再び酒を絶っていたものの、詳しいことは誠二に伝えないまま悪戦苦闘していた。2012年の暮れには指先が痺れるようになり、ギターのピックを落とさないよう指に松ヤニを塗るようになった。薬の服用次第で演奏中に曲の構成を見失うこともしばしばだったという。しかしこの時期、誠二は誠二で肘の腱鞘炎に悩まされていたこともあり、そうした良のステージ上での振る舞いを持て余すようになっていた。

2012年のライヴ納めとなった12月27日のアースダムでは、ヘロヘロになった良が、客が帰っても自分の演奏に納得がいかずギターを弾き続けているのに誠二は無性に腹が立ち、機材を片付けてさっさと帰ってしまった。そんな時、良の面倒を見るのは村上の役割となっていた。2013年1月下旬の関西ツアーの思い出を、村上が振り返る。

「1月26日の四日市は雪が降りましたね。家族でやってるパンク・ショップの店に寝泊まりさせてもらって、ライヴやったんですけど、お風呂はこっち、食べ物はこっちって世話してくれて、寝るまでいたせりつくせりでした。ライヴの後にはみんなで鍋して楽しかったですね。この時期の良さんは酒を抜いてて、「俺と一緒に寝てくれたのはお前ぐらいだよ」なんて言ってました。トリオでやってる時は伊藤さんのことはほぼ考えてなかったです。〝いま〟のフールズという意識になっていたので。出てきたら一体どうなるんだろうってくらいの感じでしたね」

一方、誠二には奇形児のベーシストという新しい役割が出来ていた。1982年結成、翌年元スターリンのタムが立ち上げたＡＤＫレコードからレーベル第1弾のソノシートを発表し、以後解散と再結成を繰り返すが、ヴォーカルのYasuとギターのヒロシこと關口博史のコンビネーションは揺らぐことなく一貫してきたハードコア・パンク・バンドである（ただ、そのYasuも２０２１年12月に62歳で他界している）。２００９年の「DRIVE TO 2010」ではフールズと同じ日に出演した奇形児について誠二が知っていたのはそのバンド名ぐらいのもので、特に馴染みがあったわけではなかったが、フールズのマネージャーの森早起子が彼らと交流があったことから、脱退が決まったベースの代役のオファーが誠二のところに来た。初めはその代役を務めるだけのつもりだったという誠二が語る。

「以前のフールズでは良がしっかり合図を出してたのに、だんだんできなくなっていった。それで俺が合図を出すようになったんだけど、手がつけられないくらいグシャグシャになったりして……そんな時に奇形児のリハをやったら、歌も演奏もものすごくしっかりしてる！「なんか久しぶり、この感覚」みたいな。だから「やります」って言っちゃったんだと思う。そこからフールズと奇形児で二足のわらじが始まったんだよね」

誠二は村上がいたからこそ、彼に良を任せることができ、自分は奇形児のメンバーになった。ただ、そのことが後に大きな意味を持つことになるのを、誠二はこの時想像だにしていなかった。

覚悟の旅立ち

関西ツアー直後の1月30日、伊藤耕が逮捕から3年3ヵ月ぶりに戻り、フールズは耕、良、誠二、村上の4人となった。このメンバーでの初ライヴは、2月14日、開店7周年を迎えた新大久保アースダム。共演には中島れいかを擁するマルカッターゾネス、鉄アレイ、ＯＫ横丁といったフールズとは馴染み深いバンドが揃った。そうしたなかで耕は、全てのバンドのステージに飛び入りするという離れ業をさっそくやって見せては、その存在感を改めて印象付けている。また村上がフールズと並行してやっていたバンドである東京ホームランセンターが3月13日に高円寺のライヴハウス、ショーボートで行ったコンサートに耕と良がゲストで出演したところ、ステージ上は総勢13人ものミュージシャンがひしめき、いわゆるひとつの祝祭空間の場と化してしまった。このように伊藤耕という人間が放つヴァイブレーションとその伝播力は、いささかの衰えも見せることがなかったのである。

夏になると7月25日にファースト・アルバム『Weed War』発表前後のライヴ音源とライヴ映像をパッケージした『Weed War PARTY!』がグッドラヴィン・プロダクションからリリースされ、その翌日からは広島、大阪、京都へのツアーに繰り出している。村上をドラマーに迎えた新体制のフールズは、ようやく彼ら本来のバンド・マジックを取り戻しつつあるかのように見えた。

ところが9月22日、伊藤耕はまたしても逮捕されてしまう（そしてこの逮捕がまたしても違法性の疑いのあるものだったことは次節で詳述する）。翌23日のアースダムでのライヴは3人で乗り切ったものの、10月に予定していた四谷アウトブレイクのライヴはキャンセルとなった。彼らと親交の深い山口冨士夫の訃報の衝撃もさめやらぬ初秋の出来事だった。

２００９年11月に耕が逮捕された時は、減刑嘆願の署名運動が行われ１０００通以上の署名が集まるなど支援の輪の広がりがあった。だが、そこから4年が経過したこの時には、長い付き合いのある仲間たちからの熱いエールは相変わらずだったものの、一方ではＳＮＳ上での匿名による罵倒や揶揄が顕在化してくるという残念な現実があった。それは、こうした匿名による誹謗中傷がやがて日常化していくことになる、その始まりの出来事だったと今なら言えるかもしれない。フールズというバンド、伊藤耕というヴォーカリストが一般的には決して知名度のある存在ではないにもかかわらず、いや、知名度のある存在ではないからこそと言うべきか、この誹謗中傷はいとも易々と行われていた。そして、そのようにいとも易々と行われるということは、この誹謗中傷がＳＮＳの浸透した社会の構造的な問題に他ならないという意味でも二重に残念なのである。

また、残されたメンバーもこの時は以前のように逆境をバネに団結して精力的なライヴ活動へ向かうといったことができる状態ではなかった。そして、そうであるにもかかわらず、いや、そうであるからこそだったのか、良はこんなことを言い出したのである。

「ヨーロッパに行くぞ！　向こうで活動の基盤を作ってくる。前科持ちじゃアメリカにライヴに行くのは無理だけど、ヨーロッパならフールズ受けるんじゃないか？」

２００７年にフールズを復活させた時、良は「日本制覇はフールズ、パンツは海外派兵部隊で、まずヨーロッパを攻略だ」と言い出したことがあった。おそらく、石渡明廣などを通じて渋さ知らズオーケストラ（彼らについては説明不要だろう）が行ってきた数度のヨーロッパ・ツアーのことを聞き、ヨーロッパで活路を開くというアイデアが芽生え、それを抱き続けてきたものと思われる。とはいえ体の不調が深刻なことは傍目にも明らかで、パートナーのＡＩＫＯは「あんたそんな体で行けると思ってるの？」と猛反対だった。が、良が言い出したら聞かないことを知っている誠二は、良に対して釘を刺すような言葉が言えない。そうしたなかで良は、村上に相談する体を装って、こう切り出したという。

「このあいだ下北沢で知り合ったＤＪがいて、そいつがドイツのクラブでライヴやるからそれに合わせて行こうと思うんだ。俺もこんな状態だけど、どう思う？」

良が求めているのは行くための口実だけであることを察した村上は、意を決して答えた。

「行きたいんだったら、死ぬ覚悟で行ったほうがいいよ」

「そうだよな、行くわ」

と言って良は10月30日、ヨーロッパに旅立った。

しかし搭乗中の飛行機の中で体調を崩し、到着地のベルリンで緊急入院する羽目になる。良が無事に戻ってくることを前提にスケジュールを立てていたフールズは、年内に残り4回のライヴを予定していたが、良がそのステージに立てる見込みは絶望的となった。ヴォーカリストは獄中、ギタリストは異国の地で入院と、バンドの二枚看板が不在のフールズは、最早どうにもならない状態にあった。

この残り4回のうちの最初のライヴである11月17日、横浜のクラブ・センセーションでのステージは、前々からフールズを呼びたいという横浜の企画者の熱烈なラヴ・コールを受けてのブッキングだった。すでに耕が逮捕された時点で誠二は事情を伝えていたが、その時も返ってきたのは「それならぜひ3人で!」という温かい言葉だった。だが良も出られないとなっては、もはや万事休すである。一体どう説明したらいいかと思い悩む誠二に、村上はこう言った。

「二人で2、3曲やって土下座してお詫びしようよ」

そのやり取りの直後に奇形児のギタリストのヒロシから「フールズやるんだ? 俺、遊びに行くよ。頑張ってね!」と言葉をかけられた誠二は、事情を説明しようと一瞬考えた後、不意に思い立ってこう尋ねた。

「ヒロシくん、見に来るんだったらギター弾いてくれない? ギター持って来て何か1、2曲できるかも。フールズの曲できる?」

ヒロシが答える。

「いいよ！　どうせやるならちゃんとやりたいから、一回リハに入ろうよ」

こうして11月17日のクラブ・センセーションでのライヴは、誠二の発案で急遽〝THE奇形FOOLS〟と名乗り、誠二、村上、ヒロシのトリオで行うことになった。3人は詰め掛けた大勢の観客が見守るなかで「MR. FREEDOM」「WASTIN' TIME, OFF YOUR BEAT」「空を見上げて」「HIGHWAY SONG」など、フールズの代表曲を演奏し、予想以上の盛り上がりをもって迎え入れられた。

同日、ＡＩＫＯは良のもとに、日本から飛んで行った。そして異国の地での慣れないやり取りに苦労しながらも、なんとか手筈を整え、良を11月末ＩＣＵ付きのチャーター機で日本に帰国させることができた。良は成田空港に着くと、そのまま救急車で東海大学医学部付属東京病院に搬送され、闘病を続けることになった。ＡＩＫＯは添乗が適わず、別の旅客機で帰国した。

その間、誠二と村上はステージに穴を開けないための奮闘を続けていた。12月9日のアースダムでは、以前からフールズのファンだった奇形児のヴォーカリストYasuも加わり、4人編成のTHE奇形FOOLS（ドリーマーズ）と名乗ってステージを敢行。さらに23日のアースダム、25日の国立・地球屋もその編成で臨み、事前に組んでいたスケジュールをどうにか乗り切ることができた彼らは、新しい年を迎えるにあたって、耕の不在と良の闘病によるフールズの活動休止をネット上で表明した。

屍を越えていけ

２０１４年1月29日、川田良が他界した。享年58。長時間のフライトによるエコノミークラス症候群、感染症など、様々な疾病を併発した末、肝硬変が致命症となった。

良は探究心旺盛な人間だった。その関心の向かう先は、音楽はもちろんのこと、例えば『星の王子さま』を原語で読みたいという思いからフランス語を、さらにはドイツ語、ロシア語、スペイン語、イタリア語、アラビア語、韓国語、ラテン語なども、ラジオの外国語講座で学んでいたという。

読書家でレーニンやトロツキーなどの思想家、ランボー、セリーヌ、ブレヒトなどの文学者の作品を好み、日本の思想家・文学者では60年安保世代に多大な影響を与えた埴谷雄高を敬愛していた。その思い入れの深さは、自らが主催するイヴェントのタイトルに埴谷の世界観を言い表したキーワードを使う許可を得るため、吉祥寺にある埴谷の家に本人を訪ねていったことを嬉しそうに語るほどだった。「アンドロメダの兄弟たちへ」というのがそのタイトルである。

アンドロメダの兄弟、すなわち250万光年もの空間を隔てた場所に存在する「孤独な共感をもった私と同じような何か」（埴谷雄高『薄明のなかの思想――宇宙論的人間論』より）へと向かう、あらかじめ不可能性を前提としたコミュニケーションへの希求と取れるこの言葉は、良という人間の複雑な性格を言い表したようなところもある。

特に耕との関係には紆余曲折があった。耕のヴォーカルに惚れ込んだ良は、89年に耕が復帰した際、それ以降はフールズの活動だけで生計を立てられるよう、バンマスとしてしっかりした青写真を描いた。だが、良が抱いたそうした理想は、耕とのぶつかり合い、そして耕のドラッグ絡みのトラブルにより頓挫をきたしてしまう。挙げ句、フールズが活動を休止していた時期には――NOBUのように親しい人間には見透かされていたようだが――耕に惹かれる自分の感情から目を背けるようにもなっていた。逆の言い方をするなら、2007年のフールズの復活は、良がそうした自らの本心とあらためて向き合うことによって実現したということもできるだろう。

第1章の「SEXという名のバンド」で記したように、良が耕と出会い、新しくバンドをやろうと持ちかけた時、堅気の仕事に就いていた耕は二人が乗っていたタクシーの窓からその堅気の仕事のカバンをいきなり投げ捨ててしまったという。このエピソードを振り返りながら、「耕の人生狂わせたの俺かな、みたいな（笑）」と良がはにかみながら呟いたのは、筆者が彼に取材を行った2009年6月のことだ。耕との長い関わりを半ばのろけるかのようなその時の表情は、川田良という人間がどれほど深く伊藤耕に惚れ込んでいるのかを雄弁に物語るものだった。

とはいえ、それから4年が経ち、著しく体の衰弱した良がそうした状態にもかかわらずヨーロッパ行きを決意し、結果として自ら死期を早めることになったのも、元はと言えば耕の逮捕によって良がいま一度描いた青写真が狂ってしまったからだったのだ。だから良の人生は自らが惚れ込んだ耕という相手によって翻弄され続けたとも言える。つまり良の言葉とは裏腹に、耕が良の人生を狂わせたと言うべきなのかもしれない。

そんな良のやっていたツイッターは、耕の出所を祝う2013年1月30日の発信が最後のものとなっているが、その末尾は「気が向いたら電話してください。祝　復帰!!」といった言葉で締め括られていた。

2月2日に行われた告別式で、AIKOは良がノートに書き記していた覚書の中から、故人のメッセージとしてこんな言葉を伝えている。

「同志諸君、私の屍を越えていけ」

この良のメッセージに応じるかのように、誠二は弔問客の前で挨拶した。

「川田良はフールズを本当に愛してました。伊藤耕も好きでした。何よりもフールズが最優先事項でした。俺らもしょっちゅう怒られてましたよ。「お前らいろいろバンドをやるのはいいけど、フールズが優先なんだからな」と口を酸っぱくして言われ続けてきました。そして亡くなられる四日ぐらい前に面会に行った時には、こう言われました。「今はお前がフールズのリーダーなんだから、決定権はお前にある。お前が全部決めろ！」と。遂にリーダーにまで私は昇格しましたよ。なので、川田良の愛したフールズ、命を懸けて守ろうとしたフールズを俺が引き継ぎますんで。といっても、二人しかいないからね。一人はいないですからね。何をやっていいか、今のところ見当もつかないですけれど、ここにいる皆さんの協力や力を借りると思います。その時はほんと、よろしくお願いします」

4 激動の一年

スペシャル・バンドでいこう

川田良の死から3週間後の2014年2月24日、新大久保アースダムで「伊藤耕カンパLIVE "Help me! I'm Rock"」が行われた。その名の通り耕の裁判費用のカンパを募るためのライヴで、ブルースビンボーズなどが出演した2月17日のそれに続く2回目である。本来ならフールズで臨むべきものではあったが、福島誠二と村上雅保は、この日の出演バンドのねたのよいにバッキングを頼み、誠二と村上がフロントを務めるスペシャル・バンド〝ねたのフールズ〟の編成でステージに立っている（2003年結成のねたのよいは、これも名前からうかがえるように村八分から多大な影響を受けているグループで、また〝フリーダムロックバンド〟と名乗っていることからフールズに対する敬意も多分にあると思われる）。

村上が語る。

「僕もまんざら歌うのは嫌いじゃないんで、「この際やっちゃおうか、もう誰もいないんだから歌っちゃおう。俺たちブルース・ブラザーズみたいに歌うしかないからさ」って、ねたのよいに演奏を頼んでやりました。3曲ぐらいやりましたね。「COME ON BOOGIE」「OH, BABY」「HIGHWAY SONG」だったかな」

ステージ上で誠二は、良の葬儀が無事に済んだことの報告と感謝を述べつつ、「これがフールズの最終形じゃ！　ざまあみろ伊藤耕！」などと憎たれ口も叩き、村上と揃いのハチマキ姿で陽気に振舞っていた。が、ライヴの後では村上に「フールズはもう無期限に活動休止でいいよね？」とその胸中を明かしていた。

それからしばらくして誠二は「なんか機会がある時にフールズの曲を一緒にやんねえか？　火を消すわけにはいかねえからよ」と書かれたメールを受け取る。送り主は、自殺のメンバーというところにまで遡れば耕や良とは30年以上の腐れ縁的な関わりを持つ、藻の月のジョージだった。ちょっとした目ウロコだったと誠二が振り返る。

「ああなるほど、この手があったかと！　メンバーを集めてフールズとして動くんじゃなくて、企画フールズというか、お祭りフールズというか、そういう風に人に手伝ってもらってフールズ・スペシャル的なバンドでやることは可能だなと思った。で、やっちゃんに「こういうスペシャル・バンドを年に1、2回やってもいいんじゃないかな」って話したんだよね」

また、その頃、誠二と村上は、藻の月でジョージと一緒に活動していたギタリストの大島一威（かずい）とも親しくなっていた。1968年東京生まれの大島は、中学2年でギターを始め、それと同時にフールズのライヴに通い始めていたという早熟なロック少年だった。二十歳の時にはフールズのメンバーとスタジオに入る機会を得て、意気込んでセッションに臨んだものの思うようにギターを弾けず、マーチンからたしなめられたこともあったという。

その後、大島は紆余曲折を経て、2004年頃から藻の月で活動し、ジョージのことを実の兄のように慕った。前述したように、2011年の夏には万国ローリング・ストーンズで良や誠二とステージを共にしている。そして2012年5月フールズが出演したアースダムの楽屋に大島が顔を出し、村上と初対面の挨拶を交わした。村上が回想する。

「その後に別のバンドのリハーサルでスタジオに入っていた時に再会して、なんか「こいつと話さなきゃ」ってピピーンときた！ そこから付き合いが始まって、自転車で高円寺の街中をいっしょに走ったりとかしてたんです」

ところが大島は肝臓の具合を悪くしてライヴにも穴を開けるようになってしまう。そのためやむなく藻の月を抜け、2014年の4月から5月の半ばにかけて沖縄にいる友人の元で療養生活を送ることになった。するとその友人は誠二とも知り合いだったことから、良を失ったフールズを案じて「大島が東京に戻ったら、後任のギターに迎えてはどうか」という提案を誠二たちに持ちかけたという。

村上が回想を続ける。

「それで誠二と「フールズ・スペシャル・バンドのギターどうする？」って話になったら、「ヒロシくんは奇形児だし、やってとは言えない」ということだったので、「じゃあ、ちょっと大島とスタジオに入ってみようよ」ってことになったんですよね」

3人はスタジオに入って音を出すとすぐに「これはいける」と直感した。そのあと飲みに行った場で誠二が「いっしょにやらないか？」と切り出すと、大島は「やります」と即答したという。とはいえ誠二は大島の体調を考え、こう付け加えることも忘れなかった。

「フールズとしてやるわけじゃないからね。耕が復帰するまで、ジョージさんとかのゲストを入れて、当分は年に1、2回くらいの感じでやっていくから」

大島にはかほりという仲の良い姉がおり、20代に入った頃の大島は、かほりもロックが好きだったことから、フールズのライヴに連れて行くこともあった。その姉が自分の住むアパートに来た時、大島は静かな口調で「フールズで弾くことになったから」と告げた。彼の体調を案じていた姉は驚き、そして「いつまでやるのか」と尋ねると、強い決意と喜悦を湛えた表情で、穏やかに「死ぬまでだよ」と答えたという。

フロントマンの帰還

前年9月に逮捕・起訴された伊藤耕の裁判は、第1回の公判が11月11日から始まり、そこでは強制的な権限がない状態にもかかわらず、何時間にもわたって耕を路上に留め置いた警察の捜査の違法性が争点となっていた。

高円寺・稲生座のスタッフであるレイチェルが、現場に駆けつけて撮影し、証拠として提出した動画には、明け方の中野の路上で多くの警官が耕を取り囲み、身体検査令状を取りに行く間、どこにも行かせまいとしている様子が映っていた。彼らは各警察署の管轄区域を超えて職務質問を行う自動車警ら隊の所属ということだったが、ともあれこれをもって丸腰のひとりの男への任意捜査の範囲内であると警察は言い張っていたのである。2014年5月27日の第8回公判で東京地裁の江見健一裁判長が、審議の終了間際、被告である耕に「何か言いたいことがありますか?」と発言の機会を与えると、耕は警察への怒りをぶちまけるというよりも日本の行く末をしみじみと憂うといった口調で、路上での一件について言及した。

「まるで戦前の特高警察（特別高等警察）のようでした。こうしたことが安倍政権の暴走と一体となって、日本が戦争への道を進んでいるのではないかと心配です」

江見裁判長はその言葉に深く頷きながら、一瞬考え込むような表情を見せた後、閉廷を宣言した。

それから3週間後の6月18日、フールズのアルバム『憎まれっ子世に憚る』と『NO MORE WAR』がウルトラ・ヴァイヴ傘下のソリッドレコードから再発された。後者は1991年末発売のCDシングル「WHAT YOU WANT ?」の3曲を追加収録するとともに曲順を変更し、タイトルも『NO MORE WAR～地球の上で～＋3』に変え、ブックレットにはリイシューのプロデューサーとして福島誠二の名前を記載している。つまりこれも誠二にとっては、思うように活動ができない状態のもとでフールズのリーダーとして火を灯し続けるために果たすべき務めだったのである。

そして7月7日のアースダムで行われた「七夕祭」というタイトルのイヴェントに、フールズ・スペシャル・バンドとして出演。誠二、村上、大島の3人に、ザ・パンツのＡＩＫＯ、ＳＯＯのＳＡＫＵＬＡによるコーラス隊、藻の月のジョージ、The Ding-A-Lingsというバンドを率いるようになっていたオスを迎えてのトリプル・ギター編成という、これもなかなかにスペシャル感のあるラインナップである。次に彼らが動く時は、ＣＤ再発記念となるライヴの予定だった。

そうしたなか、7月14日東京地裁の８１６号法廷では、被告の伊藤耕に無罪の判決が下され、即日釈放された。「違法な捜査による証拠には効力が無い」というのがその趣旨で、特に逮捕へと至るプロセスの辻褄を合わせようとして虚偽の報告をした警察官に対しては、江見裁判長から「軽率にもほどがある」と厳しい言葉で批判がなされた。

耕の弁護を担当した加城千波弁護士が語る。

「無罪判決の時は、それまで挑んでも挑んでもなかなか崩せずにいたので、また無理だろうなと思っていたので驚きました。違法捜査による無罪判決自体少ないのですが、この時のように違法捜査による証拠を有罪の根拠とできないとまでされる例はもっと少ないと思います」

この加城弁護士の言葉の背景には、耕が2009年11月18日に家宅捜索を受けた挙げ句逮捕されてしまった時のことがある。刑法では被疑者に対する警察の捜査に重大な違法があった場合、被疑者が犯罪を犯したことを立証する証拠としての価値は喪失するとされるが、何をもって「重大な違法」とするかは、裁判官の判断に委ねられる。そしてそのような実情に乗じたかのような警察官の陳述がなされた2010年の控訴審は、加城弁護士には本当に目に余るものがあったという。

「その時は証拠の辻褄が合わないことがありました。特に耕さんを逮捕した現場に居合わせた警官が、耳の裏を真っ赤にしながら裁判所で嘘を言うのに腹が立って、満寿子ちゃんと国賠をすることにしたんです」

ここで加城弁護士が国賠と言っているのは、2011年4月5日に耕の妻の満寿子が原告となって提訴した国家賠償請求訴訟のことを指す（国家賠償請求訴訟は公務員の不法行為によって損害を受けた市民が国家賠償法に基づいて国や地方自治体の賠償責任を問う訴訟）。これは耕を自宅で逮捕した際、満寿子に対しても強制的に捜査するに至った経緯が違法であるとして起こした裁判である。2012年11月26日に下されたこの国家賠償請求訴訟の一審判決で、裁判所は一部ではあるが満寿子の主張を認める支払い命令を出している。

それに対し警察は同年12月10日に控訴。年を跨いで2013年1月30日には耕が出所してフールズの活動に復帰すると共に、原告として法廷に立つ満寿子を見守るように国家賠償請求訴訟の二審を傍聴する機会も持っている。この裁判が7月10日の判決で逆転敗訴になると、満寿子と加城弁護士は7月23日にこれを不服として上告・および上告受理申立を行ったが、9月5日にはいずれも取り下げるということになった。そして9月22日には耕が再び逮捕されてしまったのである。

先に述べたようにこの逮捕もまた、当初から違法性の疑いが強かったことはわかっていたのだが、にもかかわらず耕の周りの人間たちのほとんど誰もが裁判の行方については悲観的だった。言い換えればそれだけ諦めの感情が支配的だったということだが、ただ、その背景には耕が大きな信頼を寄せる加城弁護士をして右のように言わしめる、これまでの裁判の経緯というものがあったのだ。第1章の「ほんとだと感じさせる何か」に記したように、「大掛かりなインチキをやられてることに対して、俺の目の黒いうちは絶対許さないって決めたんだ!」と当時耕は心に誓っていた。すなわち86年の逮捕の時から一貫する彼のそうした信念が、27年を経てようやくこの日の法廷で判決に反映されたとも言えるだろう。

さて、釈放された耕は、高円寺へと向かった。連絡を受けた誠二は、村上、大島と連れ立って、稲生座で耕を迎えると、ただちに祝杯を上げげに繰り出した。居酒屋で乾杯が繰り返される間に、話を聞きつけた仲間が次々とやってくる。興奮の中で誰からともなく「もうライヴをやっちゃおう!」という話がさっそく持ち上がった。

一行は再び稲生座に戻り、「飛び入りでステージに上がった。これが伊藤耕、福島誠二、村上雅保、大島一威の4人となったフールズが、川田良の死を乗り越えて動き始めた最初の一歩となった。前日までほとんど誰もが「あと3年は待たないとかなわない」と思っていたバンドが、そこに現出したのである。

こうして、誠二が考えていたフールズ・スペシャル・バンドの構想は新生フールズの本格稼働へとシフトすることになった。8月30日、アースダムでの「FOOLS PARTY『NO MORE WAR』リリパ！地球の上で」と銘打たれたワンマン・ライヴは、そのタイトル通り当初CD再発記念のコンサートとして企画され、またギターに大島を迎えての新生3人フールズがメイン・アクトを務めるという形で告知がなされていた。そこにフロントマンの帰還という喜ばしい番狂わせが加わったのである。

2月に誠二と村上をサポートしたねたのよいがオープニング・アクトを務めた後、くわえタバコでギターを抱える良の遺影をステージの上に掲げて本編の第1部は幕を開けた。奇形児のYasuとヒロシ、グレイトリッチーズを経てMAMORU & THE DAViESで活動中のワタナベマモル、藻の月のジョージ、短期間ではあったが80年代末のフールズでキーボードを担当した石井啓介、ザ・パンツのサックス奏者・若林一也など、フールズを取り巻く仲間たちが入れ替わり立ち替わりステージに登場するという賑やかな展開である。第2部は『NO MORE WAR』のジャケットのアートワークで貢献したラッパー・射ラップ一郎のバックで耕がドラムを披露するという珍しい組み合わせからスタート。『BABYLON BOMBERS』では良、誠二、ケンの3人によって歌われた「バビロン・ブレイカー」が、遂に耕のリード・ヴォーカルで披露された場面はこの日最大のハイライトだった。終わってみれば3時間を超える、この特別なライヴについて、誠二はネット上で以下のように報告した。

「今年2月の地点ではフールズも遂に2人になってしまい、無期限活動停止も考えましたが、周囲の暖かい応援と、故川田良の「フールズを頼んだぞ」の言葉を胸に、何とかここまでやる事ができ、感無量です！　ほんと、皆さん、ありがとございまーす！　まだまだ何が起きるか？　分からんフールズですが、これからも応援ヨロシクお願いしますね」

かけがえのない仲間

続くフールズのライヴは、藻の月を対バンに迎えた9月16日の高円寺ショーボートだった。新加入の大島にとっては古巣への恩返しといった意味合いのある晴れ舞台だったが、実は体調が悪化するなかで臨んだステージであった。演奏中に指がつり、途中からは立っていることもできなくなる状態で、それでも彼は椅子に座ってギターを弾くことで自らに課せられた役割を全うした。終演直後の楽屋で大島の腕をマッサージした村上は、激痛に苦しむ彼の悲鳴を聞くのが辛かったという。

大島は懸命に、そして一日も早くフールズのギタリストになろうとしていた。誠二は大島から、夜中にたびたび電話を受けては、フールズの楽曲について、演奏に関するアイデアや意見を伝えられたという。また9月28日の夜、誠二は彼が参加した奇形児の新作『脱・人間　紛いモノの狂気は世の中を不快にさせるただの糞』の発売記念フリー・ライヴに「スタッフとして入りたい」というリクエストの電話を、大島から受けている。誠二がゲスト・リストに名前を入れておくよと返すと、大島は「そうじゃないんだ。明日はスタッフとして入って、いろいろ勉強したいんだよ。フールズでやっていくからには違うこともやって、なんでも覚えたいんだ」と言って熱意を示したという。

ところが、大島は29日のライヴに姿を見せなかった。誠二は何回もメールを送ったがレスはなく、さらに30日のフールズのリハーサルにも現れなかった。耕、誠二、村上の3人は練習を終えてから大島の自宅まで様子を見に行き、何度もチャイムを鳴らしたが応答はなかったという。

事態が明らかになったのは10月1日だった。警察官の立ち会いのもと、大家から預かった鍵で部屋に入ったジョージが、すでに息を引き取っていた大島を発見したのである。検死の結果、亡くなったのは29日で、死因は静脈瘤破裂とされた。大島の姉のかほりは警察官から「一人暮らしで部屋の中で亡くなって二日で見つかるなんてまずないです。お友達に恵まれましたね」と慰めるように言われたという。

仙台に住む両親は急いで東京に駆けつけたもののショックで何もできず、葬儀の手配はかほりが行わなければならなかった。彼女が遺影に使う写真について村上に相談すると、彼は「良い写真を準備する」と請け負い、これから高円寺で耕のバースデイ・ライヴがあると言って別れた（その日2014年10月2日は伊藤耕の59回目の誕生日だった）。夕方、かほりは阿佐ヶ谷に出向き、兄貴分として長い間大島を見守ったジョージに葬儀の段取りを伝えたところ、ジョージはかほりをフールズの面々に引き合わせようと、耕のライヴが終わる頃を見計らって高円寺のArt Bar天に彼女を連れて行った。

誠二はかほりの存在を知らなかったので、ジョージから「大島のお姉さんだよ」と紹介されると一瞬驚いたが、すぐに葬儀への協力を申し出た。この日かほりは「明日は喪服を買いに行くから、そろそろ帰らなきゃ」と言いながらも、結局引き止められるまま、フールズのメンバーと共に高円寺で朝を迎えている。

通夜は5日、告別式は6日に、高円寺南の長龍寺で行われた。誠二と村上は、大島のバンド関係の知人とはほとんど面識がなかったかほりのそばでサポートに徹した。出棺間際、誠二はフールズのTシャツを棺の中の大島の胸の上にかぶせて別れの言葉をかけた。誠二のブログから引用する。

「大島、フールズのメンバー同士としての付き合いはわずか4ヶ月だったけど、良さんと同じ肝硬変に身体を冒されながら、命を賭けてフールズを支えてくれたお前は、かけがえのない仲間だ。ありがとう！　お疲れさま、安らかに。向こうで良さんによろしくな」

かほりはこの後、亡き弟の部屋に泊まり込んで、遺品の整理や形見分けのために訪れる知人への応対にあたった。それとともに、四十九日に向けて大島の写真集を作って関係者に配ろうとしていた。村上はそんなかほりのところに足繁く通っては手伝いを買って出ている。村上が語る。

「一威とやり残したことや「自分があいつにもっと何かやってあげられたんじゃないか？」とか考えると、いてもたってもいられなかったんです。後片付けをやるのがこの人だけじゃできないって思ったし。良さんのこともあって。あの時は誠二が凄い頑張ってやってた。じゃあ今度は俺の番だなみたいな意識もちょっとあって。「今夜はもう遅いから来なくて良いですよ」って言われても、「いや行きますよ」とか言っちゃって、押し付けがましいことに気がついてなかった（笑）。でもとにかく一生懸命だったんですよ」

他に代え難いゲスト

10月17日、東京高等裁判所で耕の第二審の裁判が始まった。検察が第一審の判決を不服として控訴したのである。一方、フールズはこれと並行して、ゲスト・ギタリストに奇形児のヒロシを迎えてライヴ活動を継続することになった。

ヒロシこと鬫口博史は1962年生まれ、香川県の出身で群馬県育ち。ロックンロールをはじめプログレ、ジャズ・ロック、ファンク、ソウルなど幅広いジャンルへの探究心を持ったギタリストで、田口トモロヲ率いるばちかぶりや大槻ケンヂ率いる筋肉少女帯といったバンドでの活動は知る人ぞ知る事実だろう。エフェクターを駆使してアンサンブルに様々な彩りを添えるプレイ・スタイルは、良や大島とは異なるタイプだが、それだけにバンドに新しい風を吹き込むようなところのあるのが魅力だった。人柄は温厚で、いつも穏やかに微笑んでいるような佇まいも、誠二にとっては頼もしく感じられた。

THE奇形FOOLSで誠二らを助け、大島の加入後は、健康に不安があった大島をバックアップする形でバンドに協力してきたヒロシは、この時期にはフールズのレパートリーの大半を演奏できるまでになっており、ゲストと言ってもそれこそ他に代え難い存在になっていた。「ヒロシを次のギタリストに」といった期待がバンドの内外に芽生えてくるのも自然な流れだった。

とはいえヒロシは奇形児が何度解散と再結成を繰り返しても、必ずヴォーカルのYasuの横でギターを弾き続けてきた男である。つまりYasuとヒロシは奇形児の二枚看板であり、また誠二はそんな奇形児というバンドのベーシストなのだ。フールズにも奇形児にも長い歴史がある。それらのバンドのギタリストとベーシストが互いに掛け持ちをしているといった見方がされれば、イージーな印象を招きかねないかもしれない。そうしたことを考えると、バンマスの誠二としてはどう舵を切っていいか判断に迷ってしまうのだった。

実際のところ、ヒロシは耕や村上からはフールズ加入への誘いを受けていた。だが誠二の考えていることがわかるヒロシは、「誠二が良いと言えば良いですよ」と返答するだけだった。すると耕も村上も、良からリーダーを受け継いだ誠二に対して、あえて差し出がましい振る舞いをしようとはしない。そんな状態ながら、フールズは年末には新大久保アースダム、国立・地球屋といった彼らにとってのホームグラウンドでライヴを行い、大いに気を吐いてみせた。

振り返ればこの年は、1月に川田良、9月に大島一威という二人のギタリストを見送った年であり、また3月29日に初代ドラマーの佐瀬浩平、12月18日にバンドの名付け親であるギターの青木真一という二人の元メンバーが鬼籍に入った年でもあった。しかし大晦日フールズのネット掲示板には、努めて明るい口調による誠二の言葉が躍っていた。

「2014年、フールズにとって激動極まりない一年だったけど、ブラザーシスター、ダチのミュージシャン、バンドマン、皆の助けもあって何とか転がり続ける事ができて感謝感激!! 来年のフールズは？ 久しぶりの平和か？ またまた激動か？ どっちに転がってもいいように、メンバー全員腹はくくってます（笑）」

5 最後の夏の日々

生きてるうちに

川田良の一周忌にあたる2015年1月29日、フールズはスタジオに入り、酒を絶っていた晩年の良のお気に入りだったバームクーヘン、そして仲間内では川田ドライと呼んでいたノンアルコールビールをギター・アンプの上に供え、福島誠二の仕切りのもとで良が生前に遺した楽曲を練り上げていった。スタジオ作業で故人が遺した楽曲を形にして供物の代わりにしようというわけである。

こうした作業を経て、「TOP & JOY」「やつらWOO」といった曲がフールズの新しいレパートリーに加わることになった。

その日、スタジオで作業を終えたフールズのメンバーは、高円寺のショーボートに足を運んでいる。ジャジー・アッパー・カット、DEEPCOUNTという良がギターを弾いたNOBUのリーダー・バンド二組による特別なライヴを観るためだ。１９９０年江戸アケミの追悼ライヴをきっかけに結成され、94年に活動を休止した後、96年一回限りの再結成を行ったジャジー・アッパー・カットは、19年ぶり2度目となる一夜限りの再結成。11人という大世帯のうえに海外で活動するメンバーもいるため、スケジュールの調整には手間を要したものの、良の一周忌というタイミングに合わせて実現することの出来た貴重なステージだった。ただ、この時も追悼といった言葉を使うことはなく、良が主催していたイヴェント「アンドロメダの兄弟たちへ」をＮＯＢＵが引き継ぐという形で行われている。

ＡＩＫＯが語る。

「良さんは葬式とか追悼ライヴとか、自分も出ることはもちろんあったけど、苦手だったみたい。そもそも自分が死んでも葬式はおおっぴらにしないでほしいって言ってたぐらいだから。音楽で生計を立てようと本気で思っていたからこそ、それなら生きてるうちに聞いてくれよ！と思うところもあったんじゃないかな。「追悼」「イヴェント」となった途端に人が集まってくると、正直、死んだ人に便乗してという空気もどこか流れてしまう。死なきゃやんねーのかよ、みたいな。そういうふうに見え隠れする人間のエゴの部分を敏感に読む人だからこそ、「おいおい、やめてくれよ（笑）」というのがあったんじゃないかと思う。「乗っかるな、俺なんかに構わず自分でどうにかしろ、お前のやり方で俺を吸収して乗り越えていけ」と。音を吸収して音で出せって。長年隣で見てきて私はそう理解してました」

3月1日には、ずばり「伊藤耕！判決3日前ギグ！」というタイトルのワンマン・ライヴをフールズはアースダムで行っている。オープニング・アクトのマンホールは、4月にライヴ盤のリリースを控えたベースレス、スリー・ピースのブギー・バンド。フロントマンの久家隆は晩年の良のローディを務めた好漢である。彼らも意識を共有していることが自ずと伝わる緊張感みなぎった演奏でその場をあたため、2部構成からなるフールズのステージへと熱気をつないだ。

満を持して現れた耕はハイテンションで曲間もずっと喋り続け、全編がそれこそラップのようでもある。ザ・パンツのサックス奏者ワカこと若林一也やコーラスで参加したAIKOとSAKULAなど、この時期はレギュラーでサポートしていたメンバーにゲストも加わり、ステージ上は終盤には10人以上のミュージシャンが居並ぶ状態となっていた。彼らのライヴでは恒例とも言える光景だが、かつてこういう場面を巧みにさばいていた良に代わって、この日ステージ中央でメンバーのインタープレイがスムーズかつダイナミックに展開するよう采配を振るう誠二の姿は、今やどこから見てもリーダーそのものだった。

口元には笑いを

3月4日東京高等裁判所第720号法廷にて15時から始まった第4回公判で耕に下された判決は、懲役2年10ヵ月、未決7ヵ月の逆転有罪だった（未決は判決が確定するまでの間に勾留されていた日数。このうち一部が刑期に算入されるとその分だけ懲役の期間が短縮される）。

一審では江見健一裁判長が警察の違法性を毅然と批判したのに対し、「捜査は違法だが証拠は有効」と判決理由を説明する小坂敏幸裁判長の話しぶりは、傍目にもおどおどとした落ち着きのないものに見えた。日本国憲法第76条には「すべて裁判官は、その良心に従ひ独立してその職権を行ひ、この憲法及び法律にのみ拘束される」とあるが、矛盾の明らかな判決文を読み上げるこの裁判官に、果たして従うべき良心は存在するのかとさえ思える。とはいえ判決は下されたのだ。今後の命運は、耕の最高裁への上告が受理されるかどうかによって分かれることになった。

この判決から6時間後、耕の姿は京王井の頭線新代田駅すぐそばのライヴハウス、フィーバーにあった。ブルースビンボーズのライヴがまもなくそこで行われるからである。会場には裁判所での判決に傍聴人として立ち会った人間も少なからず来ていて、その中にはフールズのドキュメント本を書くライターと名乗り耕のことを追いかけている男もいた。

出番が来る前、フロアの片隅で佇んでいる耕に、しかしその男はどう声をかけてよいものか迷っていた。なんといっても逆転有罪を言い渡された直後なのだ。どれほどの憤りを胸の内に抱えているかと想像すると、通り一遍な慰めの言葉を口にすることなどは当然ながらはばかられる……。そんな風にためらっている男に気づいた耕は、自分の方からこんな言葉をかけるのだった。

「よっ、志田ちゃん！　タバコ切らしてるんだったら、よかったら俺の吸うかい？」

男は、ブルースビンボーズによるひなびたカントリー調のナンバー「太陽のまばたき」の歌詞にある、「口元には冗談と笑いを絶やすな　心には反逆と優しさを！　神様このひどいジョークをありがとう」という一連のフレーズを思い起こした。

ライヴが始まり、例によって歌ともラップとも区別のつかないパフォーマンスを繰り広げる耕が、「俺は今しか信じちゃいない！」とひときわ大きな声で叫ぶ。それがいつにもましてリアルな凄みを帯びて客席に響き渡っていくのを男は感じた。耕の心境を察するかのようにバンドのメンバーにも勢いがみなぎり、演奏はあっという間に終盤へと向かっていく。

クロージング・ナンバーは、ジミー・クリフ「ザ・ハーダー・ゼイ・カム」の日本語カヴァー。この曲を収録した『The Harder They Cover』のジャケットで、耕がジミー・クリフ扮する映画の主人公、すなわちお尋ね者として追い詰められるシンガーと同じポーズを取って写っていることは、リリース当時彼らの周りではちょっとしたジョークのように受け止められたものだった。が、それがジョークにならないような日が来ることなど誰が想像しただろう。男は映画という虚構の世界と現実との境界が、今まさに目の前で融解していくかのような感覚にとらわれ戦慄した。

誠二が判決後の耕の様子を振り返る。

「二審に負けてからの耕は、イライラしたり怒りっぽくなったりするんじゃやなく、むしろ逆に仏みたいに笑ってる感じだった。出頭間近だった8月ぐらいにライヴのリハをやってて、耕が遅れて来たことがあったんだけど、いつもだったら二重になってる扉をいきなりガーッと開けて入って来たり、「悪い悪い」って言う前にすぐマイク持ってガーッと歌うんだけど、その時は外側の扉が開いて「あ、耕が来た!」と思ったのに、なかなか入ってこない。「何やってんのかな?」と思って、内側の扉を開けたら、なんだか仏みたいな顔でみんなの顔をじーっと見てるの。にこにこ笑いながら。あの顔はよく覚えてる。あれが最後に耕と入ったスタジオだった」

願いを込めて

耕の二審が逆転有罪となってからまもなく、誠二はレコーディングの手はずを整え始め、4月から作業を開始すると共に、ヒロシがフールズのギタリストとして正式に加入したことをネットで発表している。きっかけは、「耕さん、歳も歳だし、いるうちに何かやっておいた方がいいんじゃやない?まだどうなるか分からないけど、いつ何が起こるかわからないから、できる時にできることをやっといた方がいいと思うよ」というヒロシからの提案だった。

レコーディングの場所に選んだのは四谷のアウトブレイク。ライヴハウスの営業を終えた後の深夜の時間帯を使い、始発で帰るという段取りである。エンジニアは前作『BABYLON BOMBERS』から引き続き佐藤boone学が担当。いわゆるアイデアマンの彼はこの頃にはアウトブレイクの店長として様々な企画をブッキングしていたが、それだけに深夜のレコーディングという無理筋の要求にもこれを受け入れる融通無碍なところがあった。誠二が語る。

「アウトブレイクはオープンの頃から知ってて、付き合いがずっとあったんだよね。最初は2週間もしたら耕がいなくなるんじゃないかってノリだったから、1週間以内でパパッと録れないかなっていったらここしかないってことで、無理言ってねじ込んでもらったの。一番初めはアルバムってことすらも考えてない。単に録っときゃいいかなと思った。いつも（耕が）いなくなっちゃうとできないけど、録っとけば何か使えるだろうと。もういなくなるのはわかってたから、なんか残しておこうよって程度だった」

4月の時点で用意していたのは4曲。良の遺作で1月からアレンジに着手していた「TOP & JOY」「やつらWOO」に、『BABYLON BOMBERS』では作詞の耕が収監され不在という状態のなかで録音された「バビロン・ブレイカー」と、誠二がだいぶ以前に作曲していた「ピンときたらGO!!」である。当初は耕が5月までしか参加できないという想定のもと、これら4曲と「SILLY BLUES」のセルフ・カヴァーを録るということで作業が進められた。

右に良の遺作と書いた「TOP & JOY」だが、実はこの曲は未完成だった。良はメインのリフを中心に据え、そこから様々な展開を試みた音源を膨大な量で遺しながら、転調後のパートから再びメインのリフに戻る部分については決着をつけていなかったのである。そこで誠二は良の遺した音源を丹念に聴き込み、展開を繋ぐキメやフレーズを新たに作ったうえで良の一周忌に合わせてスタジオへ入り、メンバーからのアイデアも取り入れて曲を仕上げていった。また、歌詞についても耕のノートの中から曲調と合いそうなものを誠二が選んで組み合わせるところまで準備して、レコーディングに臨んでいる。一方、「やつらWOO」は90年代半ばの活動休止前に下地が作られていた曲で、歌詞も良が耕のヴォーカルを想定して書き、バンドで演奏する機会をうかがっていたが、日の目を見ないままに来てしまったものだという。

録音の手順は最初にリズム・セクションをかため、次にギターなどの楽器の演奏を仕上げてから、最後にヴォーカルのレコーディングや細部の調整にとりかかるというのが一般的な進め方だが、この時は時間的な制約の中で耕のヴォーカルのトラックを可能な限り多くストックすることが最優先された。そのため、まず演奏を仮の状態で録音し、耕がそれを聴きながらヴォーカル・テイクを録り溜め、正規の演奏はその後で録り直すという手法が採られている。

ヴォーカルの録音も、最初はコンデンサー・マイクに息がかからないようウインドウ・スクリーン越しに歌うというオーソドックスなやり方を試したが、極力ライヴに近いノリを求める耕は、これを嫌がった。そのため、途中からはハンドマイクで踊りながら歌うという、ブルースビンボーズの『ロックンロールソウル』の時のようなスタイルを選択。すると、耕は歌詞カードが床に散らばってもそのまま激しいアクションで歌い続けたりして、その結果同じ曲でもテイクによって歌詞が違ったり、さらには歌詞どころか音声の状態さえも異なるヴォーカル・テイクが次々とストックされていくことになった。そして、少しでも多くのヴォーカル・トラックを録り溜めておくため、別の曲で同様の作業が一から始まることになる。エンジニアの佐藤にとって、これは経験どころか想像すらしたことのない進め方だったという。

だが、およそ一般的とは言えない衝動重視のこんなヴォーカルの録音方法こそ、耕が好むものだったのである。振り返ってみれば、『Weed War』の時にも耕はスタジオ・ライヴ形式でヴォーカルを演奏と同時に録音していた。誠二によれば、例えば『憎まれっ子世に憚る』のレコーディングでも、プレイヤーがそれぞれのブースで演奏するのと同時に、耕はミキシングルームにマイクスタンドを持ち込んで歌っており、歌だけ後で録音することはあまりなかったという。

6月7日新大久保アースダムでは「【自由が最高裁】〜シャバーフォーエバー2015〜」と題されたフールズのワンマン・ライヴが行われた。サックスの若林一也やブルースビンボーズのドラマー秋山公康などをはじめとする仲間たちが、入れ替わり立ち替わりゲストとしてステージを賑わせる2部構成である。ライヴのタイトルはもちろん、耕の最高裁への上告が受理されることへの願いが込められたものだ。その耕はこの日もステージ上をせわしなく動き回ったりしゃがみ込んだりしながら歌いまくり喋りまくって、会場に熱気の渦を巻き起こしていく。そしてまたその熱気を鎮めるかのように歌われるバラードの「OH, BABY」では、フロアの方から大合唱が沸き起こったのである。この時観客はその歌の中に「いつもお前ばかりが辛い目にあうなんて　考えちゃだめさ」という一節があることを思い起こしていたであろうことは間違いない。伊藤耕はこうした歌を25年以上にわたって歌い続けてきたのだった（ただ、その間、いくつかの、いや、いくつものブランクがあったということは付け加えておかなければならないだろうけれども）。

非常識な使命感

この時点で誠二が当初想定していたレコーディングのタイムリミットは過ぎていたが、耕の上告の手続きには予想以上の時間がかかっていた。そこで誠二はあらためてスケジュールを調整し、作業の続行をメンバーに告げた。そしてここから若林一也がレコーディングに参加している。

１９８４年生まれ、会津若松市出身の若林は、小学校1年でピアノを、高校でクラシックのサックスを始め、日本大学藝術学部音楽学科でクラシックを専攻後、ジャズ、ロックに転向。２００７年から川田良率いるザ・パンツのメンバーとして活動し、２０１４年に良が亡くなった後は、メンバーの中で最年少でありながらバンマスを務めていた。フールズのステージで初めて演奏したのは２００８年12月。それからしばらくのブランクを経た後、あらためてゲストでの出演を重ねていくなか、このレコーディングへの参加を機にメンバーとなった。若林が語る。

「フールズは最初怖くて近づけなかったけど、ライヴは前から見ていました。２０１４年のライヴにゲストで呼ばれてからステージに参加する機会が増えて、レコーディングにも呼ばれたんですけど、「今日からメンバーね」みたいなことはなくて、いつのまにか自然にメンバーになっていた感じ。あの時期のフールズはライヴとかレコーディングとか、いろいろ決めたりしなければならないことがありすぎて、それどころじゃなかったのかもしれないですね。レコーディングに参加する時は、誠二さんから録音中の「TOP & JOY」「やつらＷＯＯ」「BABYLON BREAKER」「ピンときたらＧＯ‼」「SILLY BLUES」の音源を受け取りました」

こうして伊藤耕、福島誠二、村上雅保、關口博史、若林一也の5人編成となったフールズは、深夜のアウトブレイクでレコーディングを続けていった。その頃は耕がギターの弾き語りで新曲を披露するようになり、メンバーはこれを受けて大急ぎでアレンジを施す。「SPY OF LOVE」「バラッド」といったナンバーが、そこから新たに録音されることになった。誠二が語る。

「とにかく耕の予定が次から次へと変わっていくわけ。最高裁に申請してそれからまた延びて、また1ヵ月生き残ったみたいな。じゃあ録っとこう、何かあっちゃいけないから録音しておこう。また延びた、じゃあ録っとこうって。出頭日がどんどんどんどん先になっていったから、いる間にとことん録っちゃえって。それをその場でアレンジして録れちゃうわけだから、このメンバーじゃないとできなかったんじゃないかな。「バラッド」は、結構前からあった曲で、特別な想いがあったみたい。歌入れの最中に涙ぐんだかと思うと、突然「戦争のくそったれー！」とか「パレスチナの恋人たちに捧げるよ」とかいったフレーズが入ることもあった。

演奏の方はあんまり考えてなかったな、歌だけ録れてればまあいいやって。ドラム以外はほとんど仮の状態で、レコーディングの常識が全く通用しない世界だったね。本当にメチャクチャだった(笑)。何も計画通りに進行しない。勢いだけでただただやっていった。使命感というのかな。耕がいなくなるまでの間にとにかく何かやっておこうという、それだけ！　他のバンドじゃありえないと思うよ」

また、このレコーディングの最中の6月22日には、ホテルニューオータニのレストランで村上と亡き大島一威の姉かほりとの結婚パーティが行われている。かほりにとってこのパーティは一威を失った悲しみを乗り越えて新たな一歩を踏み出す門出に他ならなかったが、わずか4ヵ月の間ながらギタリストとしてバンドの危機を支えた弟の死後、ドラマーのパートナーとして自身がフールズのファミリーの一員に加わったことにかほりは感慨を覚えざるを得なかったという。一年足らずの間に相次いで二人のメンバーを失ったフールズにとっても、村上とかほりの結婚は何よりの慶事だった。メンバーは耕の作った「バラッド」をアカペラで披露してこのカップルを祝福した。

またとない晴れ舞台

6月25日、二審の判決を不服とする耕の最高裁への上告は棄却された。即日それに対する異議申立てを行うも7月9日に棄却され、二審の有罪判決が確定する。

この知らせが広がっていくと、バンドの元には耕が出頭するまでにフールズのライヴを観ておきたいというオファーが続々と寄せられるようになった。それを受けて誠二は、アルバムのレコーディングを少しでも進めることと並行して、可能な限りライヴのブッキングをはさみ込んでいった。これが「最後の夏の日々」というツアー・タイトルの付けられた、以下の8公演である。

7月3日　西横浜・ELPUENTE
7月9日　高円寺・稲生座（ワンマン）
7月19日　阿佐ヶ谷・天（ワンマン）
7月20日　仙台・バードランド
8月10日　国立・地球屋
8月12日　新大久保・アースダム
8月19日　新大久保・アースダム
9月3日　新宿・ストレングス（ワンマン）

このうち7月3日と20日は6月の時点で決まっていたが、他は直前になってからのオファーを受けて予定が組まれたものである。またラストの9月3日も6月に話があったものの、耕の出頭予定日が8月下旬と伝えられていたため、一度はキャンセルすることも考えられた。ところが出頭日が9月中旬に延びたため可能となったものだった。

耕はこの時勾留ではなく在宅の状態で懲役が決定したわけだが、そうした場合は郵便で送られてくる出頭要請を受けて検察に出頭することになり、その具体的な日にちは職業上の事情なども考慮した上で決定される。耕はミュージシャンの職務であるステージがあることの証拠として、ライヴのフライヤーなどを検察に提出したところ、出頭日は誠二が想定していた日よりもうしばらくの猶予が与えられたものとなった。かくして新編成のフールズは、オリジナル・メンバーの伊藤耕をフロントマンにライヴハウス・ツアーを行うというまたとない晴れ舞台を得ることとなったのである。

レパートリーには「TOP & JOY」「やつらＷＯＯ」が加わったほか、ドアーズ、ストゥージズ、デヴィッド・ボウイ、ローリング・ストーンズ、ボブ・マーリーなどのカヴァーも日替わりで演奏された。当初はラストになると思われた8月19日のアースダムでは、この日の主催バンドであるザ・パンツのステージでＡＩＫＯから呼び込まれた耕が即興のラップを披露。フールズは4組の出演者のトリという時間的な制約のなか、代表曲を余すところなく演奏するため、本編の最後では「MR. FREEDOM」〜「GIVE ME 'CHANCE'」〜「酒のんでPARTY」〜「MR. FREEDOM」のメドレーという離れ業も行っている。サポートの時は動きも控えめだったギターのヒロシはセンターに出て耕と掛け合うようになり、誠二と耕のアクションに至っては邪気のなさを突き抜けてバカ野郎(フールズ)どものバカ騒ぎのごとし。アンコールの「空を見上げて」で、あたかもそこに空があるかのように天井を仰ぎ見ながらベースを弾いていた誠二は、終演直後、満面の笑顔で両手を振り上げていた。

そして最後の最後となった9月3日、新宿ストレングスでのワンマン・ライヴは、遠方からのファンも多数詰めかけ、異様なほどの熱気に包まれるなかで始まった（ただしここは普段なら50人も入ればいっぱいになるような小さなライヴ・バーだった。2017年に閉店している）。2曲目でヒロシのギターの弦が切れるというハプニングが起こると、弦を換えている間も耕のMCにメンバーが即興で合わせ、音楽的なうねりは途切れることがない。何より客席からの大合唱がこの日は尽きることがなかった。良のレジェンドTシャツを着た誠二が全体のアンサンブルをコントロールするなか、村上は楽曲が展開する直前その誠二に目線を送りながらエネルギーを一気に注ぎ込んでいく。若林は穏やかな表情が板についているが、いざソロに入るといきなり空気を変えてしまうようなアドリブを繰り広げていた。

こうしてあらかじめバンドが用意したレパートリーを出し尽くした後には、なおもリクエストを求める客席からの声に応えて即興で演奏するという嬉しいひとコマもあった。そして最後は若林のサックスが「蛍の光」を奏でるなか観客を送り出すという形で幕を閉じている。若林が語る。

「『最後の夏の日々』は、いきなり集中したライヴでした。なにしろミュージシャンが大勢見に来てましたしね。これからこのメンバーでやっていくにあたって『自分は何を見て、どういうフレーズを持っているのか？　どういう音楽を作っていくのか？』というすり合わせの期間でした。常に創造的でなくてはいけないと思ってますが、奇をてらって変えることほどダサいことはないじゃないですか。

そこで解決の糸口を示してくれるのが伊藤耕！　取捨選択がきちんとあり、耕さんがいたので常に最高な状態でできた。変えるのかなぞるのか、すごい経験をさせてもらいました。ストレングスが一つの答えでしたね。「蛍の光」は誠二さんの仕込みだったんですよ」

このツアーでは、ヴォーカリストが服役して2年間不在になることがわかっているという状況のなか、「やり残すことがないよう全てを出し切ろう」といった意識がメンバーの間で自然と共有されていたという。そのうえで短期集中的にライヴを行ったことが、メンバー同士のコミュニケーションを高めバンドのアンサンブルを鍛える形に結果した。フールズがこの後、耕不在の状態でアルバムの完成にまでたどり着いたことに「最後の夏の日々」の経験が与っていたことは間違いないだろう。

霞が関の真ん中で

9月14日の月曜日、早朝から高円寺にフールズのメンバー、スタッフ、友人が集まって24時間営業の居酒屋でカラオケを備えた個室に陣取り、午後2時に出頭する耕を囲んでの歓送会が行われた。村上がイーグルスの「ホテル・カリフォルニア」を歌うと、ドアーズやストゥージズを歌っていた耕は「こんな曲歌うか?」と大げさに驚いてみせる。誰もが極力湿っぽくならないよう振る舞ってはいるが、なんとも微妙なムードが漂うのは致し方ない。正午を回り、耕が「そろそろ行くわ」と切り出すと、それではみんなで霞が関まで一緒についていこうという話になった。

例えば有名な芸能人や社会的地位の高い人物の場合なら、厳戒態勢を敷きマスコミをシャットアウトしたうえで、車に乗せて密かに出頭させるといったやり方をすることもあるだろう。だが、この時は本人が、それまで宴会を開いていた酔っ払いたちと連れ立って堂々と現れたのだった。しかもその取り巻きたちは庁舎の前にたむろしては、あたかもチャンピオンに挑むボクサーをリングに送り出す時のような熱いエールを出頭する人間に送っているのだ。さらに、その輪の中にはいつのまにか動画撮影用のカメラを構え、この場の様子をそこに収めている人間まで入り込んでいた。かくして耕の出頭は、良の葬儀、大島の葬儀、村上とかほりの結婚式など、この2年の間に喜怒哀楽を共にしてきたブラザーズ&シスターズによるパレードのような様相を呈するものになったのである。

「撮影はやめてください!」「もうそろそろ庁舎に入ってください!!」といった検察庁の職員の声が何度か上がるなか、通りがかりの人間も程度の差はあれ興味を示して足を止めるような状態になった。そうした人だかりをよそに、耕が次作のための歌詞を書きためたノートを誠二に手渡す。そして耕は、妻の満寿子に付き添われて庁舎に入ろうとする直前、振り返って片手を高々と掲げ、見送りに来た仲間に向かってフールズのステージのようにシャウトを決めてみせた。

「ロックンロール!!」

その声が霞が関の官庁街に響き渡ったことを確かめると、耕は見送る人たちに手を振り、颯爽とした足取りで建物の中へと入って行った。それが2015年、フールズによる「最後の夏の日々」のラスト・シーンであり、耕がシャバで発した最後の一言だった。

フールズの「最後の夏の日々」が行われた2015年の夏は、耕が自身の被った〝不当逮捕〟について一審の法廷で「まるで戦前の特高警察のようでした。こうしたことが安倍政権の暴走と一体となって、日本が戦争への道を進んでいるのではないかと心配です」と陳述した、その「安倍政権の暴走」という事態の中で、これに反対する人々の声が挙がった時期でもあった。安倍内閣によって国会に提出された安全保障関連法案が集団的自衛権の行使容認を含むことから、これを戦争への道を開く〝戦争法案〟であるとして反対する国会前での抗議行動の高まりである。周知のように法案は7月16

日衆議院を通過した後、9月には参議院での審議が行われ、19日には強行採決がなされるという経緯をたどり、14日の月曜日から始まる週はこの抗議行動が最も高揚した1週間となった。14日夜の国会前での抗議行動に参加した人々の人数は4万5000人とされる（朝日新聞2015年9月15日朝刊）。

東京地方検察庁は霞が関の中央合同庁舎のビルの中にある。ならば出頭した日の夜の耕の耳には、国会前に集まった人々が挙げる戦争法案反対の声や打楽器の音がエコーとなって届いていたに違いない。その響きを壁越しに聞きながら、耕はどんなことを思っていたのか。筆者は迂闊にもそれを聞き損ねてしまった。その代わりに、というと弁解めくが、2017年7月服役中の耕から筆者に送られてきた手紙の中身について少しだけ触れたい。

そこには、この年の6月に安倍政権が法案を強引に成立させた「テロ等準備罪」が「共謀罪」の名称を変更したものであること、そしてそれによって国民の言論や思考への監視が合法化されたことへの危惧が綴られていた。引き合いに出していたのはデヴィッド・ボウイの「1984」。イギリスの作家ジョージ・オーウェルによるディストピアSF小説『1984年』に触発されたボウイのアルバム『ダイヤモンドの犬』の核となるナンバーである。こうした例を見ても、ステージ、法廷、刑務所など、耕という人間が身を置く境遇にその時々の変化があっても、彼がメッセージを放つ際の視点は一貫していたことがわかる。

かつて耕はフールズのインタビュー記事で、「フールズとして首尾一貫しているものとは、なんなのだろう」という小野島大の問いに対し、「自分に正直に生きるってことじゃないかなぁ。そのときどきの感情とかにさぁ」と、いたってシンプルな言葉で答えている（『ミュージック・マガジン』1990年10月号）。筆者はこの耕の言葉に「どんな代償を払ってでも」という一節を加えたい誘惑に駆られもするが、それは筆者が先のような手紙を耕から受け取っていたからかもしれない。まず自らの身体で現実に体当たりしていくということ、まさしくそれが伊藤耕の倫理だったのである。

6　25年ぶりの新作

塀の向こうとの絆

7月から9月にかけての「最後の夏の日々」の間もフールズはレコーディングを並行して行っていた。そしてツアーが終わり、伊藤耕が出頭すると、そこからはまた新たな局面を迎えることになる。誠二が語る。

「それまではヴォーカルをがむしゃらに録りだめていったんだけど、一回リセットされた。歌の編集は置いといて、全部仮の状態だったベースやギターの差し替えを気が済むまでやったんだ。でも時間のゆとりができちゃったら、1ヵ月ぐらいポカーンとなってしまってね。放っておくとフェードアウトしそうな感じだったから、「このままじゃいかん、なんか起爆剤がないと」ってことで、じゃあ、これのリリースに向けて動いた方がいいんだろうなと。で、レコード会社にプレゼンをかけることにしたの。そうしたらメーカーからの返事が予想外に早かったのね。それも「すぐ出しましょう!」って言われて。「え、まだ曲足らないんですけど?」みたいな、そんな状況になった。

リリースが決まったことで、俺は「やべえ! ヴォーカルを編集しなきゃ」って、最後の最後に残しておいた重労働をやらなきゃいけないことになったわけ。何十テイクも残して、歌うだけ歌って行っちゃってるでしょ。あの膨大な歌を全部聴いてチェックして、どれを使ってどうするか。「ああ、これをやらなきゃいけないのか」って、あれが一番地獄だった！　1月2月ぐらいからは、時間が無くなって、「やべえ、今までちょっとのんびりやりすぎた」って火がついた。そこからは地獄の突貫工事。大慌てになって、もう分担しないとやってらんねえってことになった」

誠二の言う「最後の最後に残しておいた重労働」とは、同じ曲でもテイクによって歌詞も音声レベルも異なる多くのデータを組み合わせて、耕のヴォーカル・トラックを完成させる編集作業のことだ。エンジニアの佐藤boone学が語る。

「毎回作業を開始する前に、誠二さんからはどの曲のどの部分でどういうことを行うかというポイントをまとめた指示書が渡されるんですよ。歌ったものが丸投げじゃないというところに凄い愛を感じましたね。エディットによって、歌ったものの雰囲気も変わるんですけど、誠二さんの美学でそれをやっている。「これは耕に手紙を書いてわかってもらうから大丈夫だよ」って言いながら、自分の感覚で耕さんの歌を作り上げていくわけです。あんなことができるのって、多分誠二さんしかいないですよね」

佐藤の言葉を誠二が補足する。

「それはやっぱり絆なんだよ。塀の向こうとこっち。普通のバンドじゃわからないと思うんだ、この絆って。託された者の務めと言うかね。編集とかしながらも、耕目線にもならなきゃいけないし。多分耕はこんな感じを求めているんじゃないのかなとか、こっちのテイクのほうが本人は好きなんじゃないかなとか、憶測でしかないけど、それを信じるしかなかったかな」

耕のヴォーカルを編集していく作業で誠二が特に手を焼いたトラックは、フールズ史上初めて自分の名前が作曲者としてクレジットされた「BABYLON BREAKER」だったという。耕がアドリブで紡ぎ出す歌詞には、その都度初めての言葉が現れ、結果として全く異なるテイクがいくつも残された。しかも耕は誠二の想定を超えて、イントロ、間奏、エンディングにまでギッチリと歌を詰め込んでいた。そのため、どこを生かしてどこをカットし、どのテイクとどのテイクを繋げるか、アルバムの収録曲としてたったひとつのテイクを選ぶジャッジには、相当な労力が必要とされた。だがそれは、耕の閃きを最大漏らさず収めようと考えていた誠二の腕の振るいどころでもあった。奇形児のヴォーカリストYasuをコーラスに迎えて仕上げたトラックについて誠二が語る。

「レコーディング現場にいないヴォーカリストのテンションに、演奏やコーラスのテンションを合わせるのはかなり苦労したけど、貴重な体験だし、それができたことは自信になった。今の時代でなけりゃできないやり方だけどね」

今の時代でなけりゃできない、と誠二が言うそのやり方についていえば、実は過去にもよく似た作品がある。1978年に発表されたドアーズの『An American Prayer』。フロントマンのジム・モリソンが死の7ヵ月前の70年12月8日、27歳の誕生生パーティーで行った自作の詩の朗読などの音源に、残った3人のメンバーらが演奏を加えてレコード化したものだ。このアルバムはリリース当時はヒットしなかったが、95年にCD化された際はビルボードでチャート1位を獲得しており、おそらく耕も聴いていたのではないかと思われる。というのも耕は自分のことを「ジム・モリソンの生まれかわりだと思ってる」と言ってはばからなかったことがあるからだ（『ミュージック・マガジン』90年10月号掲載のインタビューより）。が、それはともかく、ここでは服役して不在となるヴォーカリストの歌をまず録音し、それに付けていた仮の伴奏を差し替え、その上でヴォーカリストの歌声に編集作業を加えるという、つまり『An American Prayer』などと比べればはるかに手間のかかるプロセスが踏まれていたわけである。デジタル化の進んだ時代だからこそ可能になったものとはいえ、作業に費やす手間と時間で見るなら、これはこれでバカ野郎(フールズ)どもでなければ選ばないまったくもって非効率的な方法だったとも言える。

それゆえ、レコーディングの締め切りが決まってからの誠二は時間に追われ、作業の一部をヒロシが分担することになった。そしてそこでヒロシがアレンジを請け負ったのが、スポークン・ワードのスタイルによるナンバー「ＦＲＢ」である。

周知のようにＦＲＢはアメリカの中央銀行に相当する機関（Federal Reserve Board：連邦準備理事会）の略称で、２００８年のリーマン・ショックをめぐる報道を通じて日本でもよく知られるようになったと思われる。歌詞の内容はそのＦＲＢのことを皮肉たっぷりに戯画化したもので、そこから例えば江戸アケミの綴る歌詞との類縁性を直観することはたやすいはずだ。耕は出頭前、真夜中のアウトブレイクでワン・コードの弾き語りによって曲を提示していたという。ヒロシはそこにいくつかのコードを加えて曲に起伏を持たせるとともにベース・ラインを設け、さらには若林のサックスのディレクションも行い、ヘヴィなジャズ・ファンク・チューンへと仕上げていった。アルバムのブックレットに作曲者として關口博史の名前がクレジットされているのはそのためだ。

異議を申し立てずにはいられぬ人々のために

この「ＦＲＢ」を含めて、アルバムの収録曲は8曲とする方向で見通しを立てていたが、年が明けたところでアルバムのリリース元であるソリッド・レコードから、収録曲をあともう1曲増やして欲しいという要望が伝えられた。それを受け誠二はいったんインストの新曲を書き下ろし、少し考えて、服役中の耕に歌詞を書いてもらい、耕以外の全員で歌ってみるという案を思いつく。

運良く、ということに結果的にはなっていたのかもしれない、アルバムのタイトル・ナンバーがなかったので、服役する前に耕が考えていた『REBEL MUSIC』というアルバムのタイトルと同名の歌詞を書いて欲しいと誠二は手紙でリクエストを出した。すると耕はその返事として、誠二の想像を絶するほどの長大な歌詞を書き送ってきたのである。そこで今度は村上が、耕のこの長い歌詞をエディットする役目を引き受けることになった。ブックレットに伊藤耕との共同作詞者として村上雅保の名前がクレジットされているのはそのためだ。村上が語る。

「あれは作詞というよりパズルみたいな感じ。誠二が出してくるフレーズに、言葉をリズミカルに乗っけてく。僕も詩人じゃないし、ヴォーカリストじゃないんで、ドラマーの観点から作っちゃってるかもしれない。リズムで作ってる感じだと思う。耕さんが書いたものには、「放射能いらない」だとか、「原発いらない」とか、言いたいことがもうバーッと書いてあったんですけど、そこに「LOVE SUPREMEを連呼してくれ!」っていうのがあったんですよ。「REBEL MUSIC」に「至上の愛」をのせろって、すごいなって思いました。耕さんとはいろんな話をしましたけど、結局最後は「みんな幸せになろうよ」とか、「気づいて進化していこうよ」とかって話になるんですよ。俺も考えていることは一緒でしたから、それを何とか中に入れたかった。これで全部が語り切れているなんて思いませんけど、ちょっとでもその破片が入っていれば、何か受け取る人が少しでもいてくれたらいいなって思いました。だからすごい悩みましたけど、やりがいのある仕事をさせてもらいましたね」

『A Love Supreme：至上の愛』は、よく知られているようにジョン・コルトレーンのカルテットによる64年12月録音の、名盤の誉れ高いアルバムのタイトルである。このアルバムのテーマは敬虔な信仰心と寛容の精神を併せ持ったコルトレーンによる神への賛歌であり懺悔でもあるとされているが、伊藤耕はよりにもよってそうした「至上の愛」と「REBEL MUSIC：叛逆の音楽／造反の音楽／抵抗の音楽 etc.」を結びつけろというようなことを書いてきたのだ。これはコルトレーンと彼が信仰する神と、それから日本にも少なくないとされるコルトレーンの〝崇拝〟者に対する冒瀆のように見えるものかもしれない。だが、仮にそうであったとして、それでも耕はそのことを百も承知で「LOVE SUPREMEを連呼してくれ！」と書いたのではないだろうか。村上が補足する。

「耕さんはこの曲に関してコルトレーンのことには触れてませんでしたが、コルトレーンと現在の日本人では、時代背景、黒人の境遇などもあって、宗教観が違いますよね。日本人は神道、仏教、自然崇拝、諸々のミックスで、神の子、神の一部、神の分け御霊。突き詰めれば全員が神です。

Supremeをシュープリームスとしたのは、沢山の人が至上の愛に到達して欲しいという願いを込めて、造語でもいいや、と思いそうしました。楽曲上連呼出来なかったので複数形にしたというのもあります（笑）」

この曲のレコーディングについて、誠二が語る。

「刑務所に入ってるヴォーカリストが歌詞を送ってきて、残されたメンバーでそれをレコーディング！ こんなやり方を真似できるバンドは日本中探してもいないだろうって、ちょっとウキウキしながらやってたね。もともと俺は変わったことをやるのが好きだから（笑）。ヴォーカルはどうせやるなら、もう全員で、せめて耕に近づければな、みたいな感じ。だって勇気いるでしょ？ あのアルバムの中で、あの曲だけは耕抜きで俺らが歌わなきゃいけないんだもの。だったらもうＳＭＡＰ方式というか、全員で歌って４人で力を出すみたいな（笑）」

誠二、村上、ヒロシ、若林の4人で歌入れをする現場ではハンド・クラップなどのアイデアも次々と出て――だからこの曲はフールズ流のゴスペル・ソングとも言える――盛り上がりのうちに作業が進行したという。ともあれ、そうこうしてようやくレコーディングは終了した。結果的に丸1年の時間を費やしたが、その間には誠二が当初描いた青写真をはるかに超えた試行錯誤があった。そしてこの試行錯誤を経て、耕のヴォーカルとスポークン・ワードからなる8曲と耕以外のメンバーが歌う1曲の全9曲入り、25年ぶりのフールズのスタジオ・レコーディング・アルバムが完成したのである。

ジャケットには2015年9月3日、新宿・ストレングスでの「最後の夏の日々」のステージでシャウトする耕の顔のアップが使われた。撮影は耕の30年来の友人であるカメラマンの福田真。カバー・デザインは村上緑の名義でかほりが担当。ドキュメント本の取材を進めていた筆者もライナーノーツとして短い文章を書かせてもらった。そして2016年5月18日、ソリッド・レコードからアルバム『REBEL MUSIC』はリリースされた。

誠二がアルバム完成後に、感想を漏らしている。

「みんな気持ちが強かった。危機感が強かったぶん、結束力も半端じゃなかったよね。こういうケースは初めてだったから興奮してたんじゃない? 全員に何かやらなきゃいけないっていう使命感があったから、ああいうパワーが生まれた。俺も何が何でも良の遺作を収録してやんなきゃと思ってた。今となると「あれはなんだったんだ?」って感じだね。振り返ってもう一度やろうと思ってもできない。というか、絶対やらないよ、こんなこと(笑)」

誠二の言う「危機感」や「使命感」が、フールズの新作を待ち望むファンには伝わったのだろう、インディーズを扱うCDショップでの『REBEL MUSIC』の売れ行きは好調で、早々に在庫切れと

『REBEL MUSIC』のジャケット=ブックレット表 1（上）、ブックレット表 3（左下）、ブックレット表 4（右下／写真は左から福島誠二、村上雅保、關口博史、若林一也）

なる店舗もあったという。

『ミュージック・マガジン』6月号では、小野島大が「ロック、ファンク、R&B、レゲエ、ジャズなどの旨みがたっぷりと凝縮したアナログなバンド・サウンドは、強靭にしてしなやかなグルーヴを叩き出す。人間性を疎外し毀損していくシステムへの徹底抗戦を訴える歌詞は、持って回った気取った表現など一切ないストレートなもので、どこまでも陽性のエネルギーを放つ耕が歌ってこそ生き、輝くものだ。耕のしゃがれ声は抑圧されはみ出してしまった者たちの悲しみと強さを示している。見事だ」と絶賛している。

また音楽雑誌以外でも、先に記したように、朝日新聞記者の近藤康太郎が『アエラ』6月20日号で本作を取り上げ、「妙なキノコかじったみたいに、笑いが止まらない」「こんな傑作ができるなら、なぜもう少し早く、シャバに戻ってきてくれなかったか」「笑い過ぎたか。目尻から、涙まで出てきた」と綴っている。そして6月20日月曜日の朝日新聞夕刊「for your Collection 国内ポピュラー」のコーナーでこのアルバムが取り上げられ、音楽評論家の湯浅学が寸評を書いた。以下に引用する。

伊藤耕がボーカルをとっている新録のフルアルバムとしては25年ぶり。あけすけにストレートに、思いをコテコテにロックンロールする。世の中を動かし司(つかさど)っているつもりの人々に異議を申し立てずにはいられぬ人々のための音楽。騒然としたずぶとい音に迷いなし。爽快でシリアス。

限られた文字数の中で湯浅は、このアルバムを本当に必要としているのは誰か、このアルバムに収められた音楽は誰に向けて差し伸べられたものかということを的確に記した。それは例えば耕が検察に出頭した2015年9月14日の夜、国会前に集まった、安保とは名ばかりの戦争法案に反対する4万5000人の人々の中の誰か、さらに言うなら、こうした国会前のデモでしばしば見かけることがあった、忌野清志郎のCDをかけることで反対の意思表示を行わずにいられなかったような誰かであるだろう。ともかく、このように音楽雑誌や音楽関連サイトやバンドのオフィシャル・サイトなどとは異なる回路を通じて、「世の中を動かし司っているつもりの人々に異議を申し立てずにはいられぬ人々のための音楽」がここにある、そのことにどうか気づいてくれ、というメッセージが発信されていたのだ。その効果は小さいものではなく、いや、小さいままに終わらない可能性を持っていたはずである。が、このアルバムのリリースから6年が経った本稿執筆時、いまだその可能性は現実のものとなってはいないようだ。

ハンデを逆手に取って

この年のフールズはアルバムのリリース前からライヴを行ってきていた。まず1月17日に、良がネーミングした企画を受け継ぐ「アンドロメダの兄弟たちへ 2016」に出演している。この時は下北沢のベースメント・バー、THREEという二つの会場を使って、DEEPCOUNT、ザ・パンツ、瀬川洋トラヴェリン・オーシャン・ブルーバーズ、The Ding-a-Lingsなど、生前の良と深い関わりを持っていたバンドが次々と演奏し、三回忌間近の良をしめやかに、ではなく賑やかな形で偲ぶものとなった。

2月12日のアースダムは、誠二の発案によるブルースビンボーズとのジョイント・ライヴ。耕をフロントに擁する二組のバンドが耕のいない状態で共演するというチャレンジングな試みだったが、耕の存在の大きさを改めて感じる場となってしまったことは致し方なかったかもしれない。4月23日宇都宮のライヴハウス、ポップガレージでのステージは熱心なファンが企画して実現に至ったもので、ゲスト・ヴォーカルに奇形児のYasuを迎えている。そして5月4日の国立・地球屋では、グレイトリッチーズの頃からの長い交流があるワタナベマモルをゲスト・ヴォーカルでフィーチャー。これをきっかけに誠二はマモルから誘いを受け、マモルのリーダー・グループであるMAMORU & The DAViESに加入することになった。

6月22日に阿佐ヶ谷の天で行った『REBEL MUSIC』の発売記念ライヴでは、キーボードに同作でピアノを弾いた石井啓介、トロンボーンに渋さ知らズの高橋保行を迎え、誠二の主導による凝ったアンサンブルと彩りのあるサウンドが印象的な演奏を聴かせた。そして半年後の12月27日高円寺ショーボート、翌2017年2月17日、同じく高円寺のJIROKICHIは、いずれも藻の月とのジョイント・ライヴ。後者では再び石井と高橋をゲストに迎えている。

誠二がこれらのライヴについて語る。

「ミック・ジャガーとキース・リチャーズがいなかったら、ローリング・ストーンズって言えないでしょ？　耕と良がいないフールズってそんな感じに見えるんじゃないかなって葛藤があった。だから2016年以降のステージは、〝フールズのライヴ〟を成り立たせるために実験的にやってたんだよ」

つまり耕不在のハンデを逆手に取る形で色々と趣向を凝らし、その時々ならではの組み合わせから何が起きるのかをむしろ楽しもうとするようなステージを行っていたわけである。そしてフールズはこれ以降、耕の復帰まで、雌伏の時を過ごすことを選んだ。2017年11月の伊藤耕の出所まであともう少しという時期に、誠二はバンドを代表して、以下のメッセージをネットで発信している。

『BABYLON BOMBERS』の頃は、耕さんがいない時から段取りして、復帰する時はバンドも完璧な状態で迎えようとしてた。でも準備してても耕さんが加わった時点でリセットされるから、あまり意味がないんだよね。耕さんにもプレッシャーがかかっちゃうし。耕さんはサーヴィス精神旺盛だからステージでは弱音を吐かないけど、歯とか腰とかけっこう悪いところがあって大変なんだよ。本当ならそういうのも治療してからやるべきなんだ。もう前みたいにバタバタと焦って始めるようなやり方は変えようと思う。俺も他のメンバーよりはフールズ長くやってるからね、一周回って考え方が変わったんだ。全員がスタートラインゼロから始めた方が、耕のペースでやりやすいようにできるんじゃないかって思うんだよ。だからもうちょっとだけ待ってて欲しい。復帰までもうすぐだから！〝最後の夏の日々〟をやり通して『REBEL MUSIC』を作り上げた5人が、どんな音楽を生み出すのか？　俺たちも楽しみにしてます。だからこれからも応援よろしく！　Thank You! We are THE FOOLS!!!!!!!!!!!!!!」

7　耕のいない世界

悲しむよりも前に

２０１７年10月17日、北海道中西部の樺戸郡にある月形刑務所で服役していた伊藤耕が急逝した。享年62。２週前の10月2日には62回目の誕生日を迎えたばかりで、６週後の11月26日には出所を予定しており、復帰後の活動への期待が高まっていたなかでの突然の出来事だった。

福島誠二はその知らせを、稲生座のレイチェルからの電話で伝えられたという。

「重い口調だったから、電話を受けた最初に大体分かった。「あーそうか……」みたいな感じ。伊藤耕ってみんなには不死身のキャラクターみたいなイメージがあるでしょ？ 〝スーパーバッド伊藤耕！〟とかって。でも俺はずっと身近で一緒にいたから、〝人間、伊藤耕〟というか、弱っていく伊藤耕をずっと見てきたんだよね。だからこの時はからだが心配だった。持つかなっていうのがあって、万が一のことも考えておかなきゃいけないんだろうなとは思ってたよ。耕とは手紙でやりとりしながら、いつも「ほんとにからだだけは気をつけて」って伝えてたんだけどね。

だってからだ治さないんだもん。結局、持病を全部持ったまま（刑務所に）行っちゃった。ヘルニアだって「気合で治す！」とか言っちゃって治さなかったしね。しまいには、何もしてないのに「誠二、俺の背骨は進化したんだ」とか言って。「進化じゃねーよ、それ」みたいな。そんな状態だったから、ほんと心配してた。良の時は、覚悟はしておかなきゃいけない状態だったから、いつそういう連絡が来てもいいように心構えだけはしておいて、「あーきたか」って感じだったけど、耕の時も、悲しむとかショックとかの前に、「あーやっぱきちゃったか……」っていうのがあった。

でも得難いパワーの持ち主だったから、「ほんまにいなくなっちゃったの？」っていう思いも強くて。ステージでもスタジオでも、存在感が強烈というかね。音を出してる時の、いや、音を出していようがいまいが、もう、あの人がいるとみんなあのオーラに引っ張られるみたいな感じ。こっちがしんどいなっていう時も、あの人にガーッとステージやられると、こっちもウワーッて頭の中が真っ白になっちゃうような感じになってたよね。

だからフールズのライヴは、俺も冷静なようでいて、実はほとんど冷静じゃない。人からは「誠二が仕切ってる」みたいに見られてたけど、俺も耕のあのオーラに引っ張られちゃうから、もう無我夢中で真っ白になって一緒に燃え尽きる、そんな感じだったよ。あの独特な高揚感というか、あの人がステージに現れて、「Oh, Yeah!」とか言ってるだけで、空気がガラッと変わっちゃう。それまでボーッと見てた人まで巻き込んじゃうパワーがあるじゃない？　耕の留守の時にメンバーで歌って、俺も歌ってみたいな感じでやってたでしょ。でも、耕がいた時のあの高揚感っていうのは、ステージの上にも客席にもなかった。それは肌で感じてたよ。ああいうのって持って生まれたものなんだろうね、人間性もあるし。伊藤耕ぐらいすごいロック・ヴォーカリストは見たことがない。見たことはないし、この先もお目にかかることはないだろうなと思う」

安置された遺体

耕の死というこの突然の出来事に、生前の彼の仲間たちは協力して葬儀の手配を進め、会場として平安祭典高円寺会館を何とかおさえた（高円寺は耕が長く住んでいたゆかりの場所でもある）。そして10月23日と24日に通夜と告別式が行われた。

場内は弔問客で溢れ、彼らは互いに生前の耕がいかに多くの人から慕われていたかを改めて知ることとなった。館内には耕の写真を展示したコーナーが設けられ、その前では革ジャンを身に纏った一見いかめしいハードコアなパンクスがポロポロと涙をこぼしているといった場面もあった。葬儀自体に大きな混乱はなく、故人を偲ぶ親密な雰囲気の中でセレモニーは進み、心の込もった弔問の挨拶が重ねられ、無事に終わりを迎えた。

ただ、ひとつだけ、この葬儀には一般的な次第と異なる点があった。通常であれば告別式の終了後には出棺があり、遺体は火葬場に運ばれ、そこで荼毘に付される。が、この時は出棺がなく、遺体は平安祭典の中に安置されることになったのである。その理由は、解剖の機会を探るためであった。耕は、実際には月形刑務所から搬送された月形町立病院で亡くなっていた。死体検案書には死因として出血性ショック（不明）、その原因には肝細胞癌破裂、肝硬変、C型肝炎と列挙されていたが、そのいずれにも（推定）と付記されていた。ところが17日未明、耕の妻である伊藤満寿子のもとに刑務所の職員から電話がかかってきた際には、「CT検査でも死因がわからなかった場合は解剖となります」と伝えられていたにもかかわらず、同日夕方の電話では「解剖しないことになりました」と告げられたというのである。こうした経緯に違和感を抱いた周囲の知人からの勧めもあり、満寿子は耕の死因を突き止めるため、遺体を荼毘には付さず、解剖を受け付けてくれる窓口を探そうと決意したのだった。

1週間後、満寿子は知人から紹介された弁護士のもとへ、この間の経緯を伝えに訪れている。そして島昭宏という名前のこの弁護士こそ、86年7月に行われたシリーズ・ギグ「JUST A BEAT SHOW」の主催者としてフールズとブルーハーツの共演の機会を作ったロック・バンド、ザ・ジャンプスのリーダー、島キクジロウその人であった。

1962年生まれ、名古屋出身の島は81年早稲田大学政治経済学部に入学し上京。82年からシリーズ・ライヴ企画「JUST A BEAT SHOW」を始め、前身バンドを経て85年にジャンプスを結成。以後、中断を挟みながらも、「JUST A BEAT SHOW」は2002年に300回を迎えるといった具合に活動を継続してきた。2005年駒澤大学法科大学院に入学し、2009年司法試験に合格。2010年末から弁護士としての活動を開始し、2012年7月に自ら代表を務めるアーライツ法律事務所を開設した。また、2014年から原子力発電所で発生した事故に関して原発メーカーが責任を問われない制度となっている原子力損害賠償法を違憲とする原発メーカー訴訟の弁護団長を務めた。自ら〝ロックンローヤー〟と名乗り、法律と音楽で「社会をひっくり返す」と不敵に言い放つ弁護士であありミュージシャンである。

島が80年代リアルタイムで体感したというフールズについて語る。

「東京出てきて初めにまず法政大学学館ホールでスターリンを見てぶっ飛んで。でもスターリンも凄いけどもっと凄いのがいるっていうんで、屋根裏にじゃがたら見に行って、またぶっ飛んで。もう、じゃがたら大好きで毎月行くようになった。フールズで第一印象として記憶にあるのは、そのじゃがたらを見る流れで行った81年の学館ホールのオールナイト・イヴェント。ジャングルズもいた。あの頃のフールズのイメージは、じゃがたらよりもっとやんちゃな人たちっていう感じだった。

でも当時の俺なんか、しょせん大学生じゃない？　法政大学でやってるイヴェントなのに、ジャングルズの良さんは、「俺は大学生のためにやっているんじゃないんだ」って言ったりしてた。そういうのを見ると、やっぱり自分は大学生という立場でロックをやっているんだっていうコンプレックスを感じたね。それを一番強烈に突きつけられたのがフールズだった。なんか「…勝てないな」「こういう本物がいるんだ！」っていう、そういう匂いがした。もう言葉がどうこうとか、音楽が斬新なのか古いのかとか、そういうことを言ってる次元じゃないロックンロール・バンド！　そういうイメージが強烈だった」

この島と満寿子との面会から、耕の死因を巡って国家賠償訴訟の提訴へと至った経緯については後述する。

フールズは消えた

２０１８年10月、「KEEP ON ROCK&DANCE 耕もね！」と銘打たれた耕の一周忌の追悼イヴェントが、高円寺の稲生座、新大久保のアースダム、阿佐ヶ谷の天と場所を変えつつ、15日から18日までの４日間にわたって開催された。初日はライヴなしのパーティだったが、他の３日間は耕の仲間たちが代わる代わる出演。その中で16日のアースダムにイトウコウサンズと名乗ってステージに登場した面々はほぼブルースビンボーズのメンバーだった。リーダーでギタリストのPちゃんが語る。

「耕さんとはお互い死ぬまでやってくつもりだった。バンドってツアー回ってなんぼみたいなところがあったんで、ビンボーズではひとつのバンドとして全国を回ったって思い出がある。最初の頃は広島まで行ってライヴをやったりして、誰も知らないわけですけれども、アルバムを作って何年かしていくと、もう全然違う。ハードコア関係のコミュニティとかもありますから。お葬式の時には、ツアーで回った時に知り合った人たちとかも多かった。若い人たちが日本全国から来てくれたんです。

今後のビンボーズは、解散はしないけどやりようもない。１年間は喪中なので、ビンボーズの名前ではライヴもやらない。やるとしてもパーティ・バンド的な形でと考えています。これまでの耕さん復活の時は、たまたまビンボーズのライヴが入ったりする時があったりしたから、喪中明けはフールズを立てたいんですよね」

「KEEP ON ROCK&DANCE 耕もね！」は、２０１９年にも、耕の誕生日の２日後にあたる10月４日と三回忌にあたる10月17日にアースダムで、そして翌18日に高円寺のショーボートで開催され、イトウコウサンズは17日に出演している。さらに１年後の２０２０年10月24日、荻窪のclub Doctorで開催された三度目のこの追悼イヴェントに、ブルースビンボーズは耕の死後、初めてその名前で出演しライヴを行った。

しかし、これらのイヴェントにフールズという名前を冠したバンドが出演することはなかった。耕の一周忌を迎えた際、誠二が語っている。

「俺の中でフールズは続いてない。耕が死んだ時に「スパーンと消えた」って感じ。消えちゃった方がいいのかなと思うしね。フールズって活動休止しますとか解散ですとか、そんなことを言う感じのバンドでもないと思うんだ。やっぱりみんなライヴで動いてシャウトしている伊藤耕とか、動いている川田良の姿を見たいと。それに「耕が出てくるまで頑張るぜ！」みたいな、そういうのが原動力になってたんだけど、それがなくなっちゃった。その前の良に対しての思いもあったでしょ。その二つがパーンと無くなってしまうと、さすがに、何にもしようがないというか、何にもしなくていいでしょって。だからこの前の追悼でも、俺らいっさい何もやらなかったし。

耕がもし生きてたら、『REBEL MUSIC』ひっさげてツアーはやりたかったね。フールズはほんとに（全国を回る）ツアーはやってなかったから。マモルのところ（MAMORU&The DAViES）でツアー行くと「いや〜僕、フールズのファンで！」って人がいるんですわ。新潟行ったら誰々、鳥取行ったら誰々、前橋、群馬に行ったらなにがし、大阪行ったらそこの店長が大ファンで、みたいな。昔のCD持ってきて「サインください！」って人がくるから。そういうところにフールズで行きたかったね」

誠二が『REBEL MUSIC』について、あらためて語る。

「制作当時、俺は「これを機に新生フールズ、スタートだ！」みたいな感じで盛り上がってた。ずっと音源がなかったでしょ？　昔からのメンバーも俺がギリギリいるくらいだけど、「やっぱり今のこのメンバーがフールズなんだよ」って知らしめるためにも良いアルバムができたなと思ったのね。普通だったらヴォーカルが出頭して、服役してる中でリリースしちゃうっていうのはありえない。向こうのギャングスタ・ラッパーみたいな話でしょ。そんなことをできたから、ある意味充実はしてたと思うよ。これで耕が出てきたらツアーに行く時、いい武器になったなみたいな、そういう戦略とかもあった。新製品のはずだったんだ。

だから、耕が亡くなって遺作になって、これについてしんみりするようなことになっちゃったのが不思議な感じ。でもあれをやったのは大きかったと思う。あの体験は俺の宝物かもしれない。あんなのやったことないし、忘れることないやろな。あれがなかったらほんとやばかった。さみしい感じ、悲しい感じで終わっちゃう。あれがあったから、今となっては耕にも良にも恩返しできたと思うし。あれを出したことによって、俺もけじめをちゃんとつけることができた。耕にも「あんたの最後の作品、ばっちり作ったぞ」って、そこは言いたい。「ちゃんと歌も聞こえるようにミックスしたし、ばっちり仕上げておいたよ」ってね。でも耕自身は刑務所の中にいたままだったから、結局完成したアルバムを聴くことは、なかったんだけどね」

スピリットは受け継いだ

耕がその音楽人生の始まりの時にロック・バンド、ルアーズを自ら進んで結成したのは1975年、彼が二十歳を迎えた年のことだった。東京デザイナーズ学院で知り合ったギタリストのクリこと栗原正明と意気投合し、以来クリとはフールズの初期の頃まで苦楽を共にするバンド仲間となった。

前述したようにクリはフールズを脱退するとともに音楽活動を止め、結果的にクリと耕とが共に参加したスタジオ録音の音源を残すことはなかった。しかし、そこでクリと耕との親交が途絶えたわけではない。というのも耕の息子とクリの娘がクリの知らないうちに親しくなり、２０１１年には結婚へと至った。そのためクリは耕の葬儀に親族として立ち会うという巡り合わせになったのである。クリが語る。

「昔、あいつとふたりで朝まで「なんのために人間生きてるのか?」って話し合ったことがある。ノートに色々ふたりの想いを書いたっけな。その時あいつの出した結論に、「幸福に死ぬためだよ」っていうのがあった。全然ダメだったけどね。悔しい死に方だったよ。最後にアザだらけの耕の遺体を見て、「全然違うじゃないかよ!!」って。でもあいつらしいよ、一貫してたからね」

そして若き日の耕とクリに誘われてルアーズに加入した、彼らより一つ年下のドラマーが、マーチンこと高安正文だった。以来、耕とはＳＥＸ、ＳＹＺＥ、フールズ、Ｐソルジャー、ＬＯＯＰＳといったバンドで30年以上にわたって活動してきた。「最高の批判者になってくれるマーチンにぜひ話を聞いてくれ」という生前の耕から筆者に託された要望に従い、２０２０年1月11日茨城県で暮らすマーチンのもとを訪れ行ったインタビューで、彼はこう語った。

「耕くんが亡くなったって聞いた時は「やっぱりな」と思いましたよ、悔しいけど。そのまま続けたらそうなることはわかりきってる話なのに、何故それをって。まぁ本人が確信あったからかなとも思うけど。自分はある程度、いろんな人の不幸を、少なからず知ってるんで、そのまま行ったら大体こうなるっていう、ほとんど思い描いた通りになってしまったことは、本当に悔しいことであります。でも耕くんや良くんは、今もまるで自分のとなりに一緒にいる感じですかね。

「最高の批判者にぜひ話を聞いてくれ」って言ってたと知って、僕は嬉しかったですよ。彼は現場では「なんだお前」とか言ってるけど、「ちょっと待てよ、やつが言ってることも一理あるな」と思ってくれてたってことは本当に嬉しいです。やっぱりマブダチだと思ってます。愛してます！」

インタビュー時体調不良を訴えていたマーチンはそれから半月後に入院した。そして医者からすでに手の施しようがない状態の末期がんであると伝えられ、2月6日に息を引き取っている。享年63。耕への友愛の情を率直に明かした最後の一言は、だから紛れもなく遺言だったのだと思う。

マーチンが亡くなった後、誠二がこんなエピソードを語った。

「MAMORU & The DAViESでギターをやってる原たかしっていうのがいて、DAViES以外にもいろんなところでセッションやイヴェントをやってるんだけど、そのライヴにたまたまマーチンが遊びに行っていて。原とマーチンは面識なかったんだけど、マーチンが原くんのギターをえらい気に入ったみたいで、二人が意気投合したのね。後日、原くんから「マーチンが、誠二さんと俺と3人でやろうって言ってましたよ」って話を聞かされたの。それで耕の三回忌の時に久しぶりに会ったマーチンに話をしたら「あのギターすごく面白かったし、誠二も入れて3人でなにかやれればいいかなっていう野望を僕は抱いてるんだよ」って言われたのよ。で、「いいよいいよ、やろう！」って言ったんだ。マーチンとは結局、フールズを再結成してから一回も一緒に演奏できなかったから、俺もモヤモヤしてたし、「やろうぜやろうぜ！」って盛り上がった。

そのあとは頻繁に連絡を取り合って、ライヴもやろうって話になってた。2020年はスタジオに入りましょうかって、どういう曲をやっていくとか、具体的な内容まで決めてたんだけどね。セッションやってみて、サービスでフールズの曲も、「わけなんかないさ」とか、それから「無力のかけら」とかをやろうみたいな。バンド名も「ウエスティン・タイマーズにしちゃおうぜ。俺たちが久しぶりに組むってなれば話題にもなるし、今やればちょっと盛り上がるんじゃやねぇ？」とか言ってた。

でも結局それが出来なかった。マーチンが入院して、先にお見舞いに行ったシゲさんたちから話を聞いて、「これはもう早く行かないと危ないぞ」って思って、やっちゃん（村上雅保）とお見舞いに行こうって決めてたんだけどね」

しかしマーチンは誠二たちの予定していた来訪を受ける前に亡くなった。その訃報を受け、「久々にみんなでスタジオに入ろう」と提案したのは村上だった。そして村上、誠二、關口博史、若林一也の4人は2020年2月12日、フールズがよく使っていた吉祥寺のスタジオに集まり、耕の没後以来初めてとなるセッションを行って、「WASTIN' TIME, OFF YOUR BEAT」「MR. FREEDOM」「わけなんかないさ」「無力のかけら」「つくり話」などの曲を演奏したという。

「やっちゃんは耕が亡くなってからもずっとスタジオに入りたがってたんだよ。でも俺の中では、フールズはもう半分終わってたから、俺にはその気が無かった。ただ、あの時は、マーチンと「フールズの曲も久しぶりにやろうぜ」って言ってたけどできなかったから、俺も久しぶりにフールズの曲を演奏したくなってスタジオに入ったんだよ。俺の中では完全にマーチンへの追悼というか、マーチンに捧げるスタジオだった。でも、俺以外はそんなにマーチンと接点ないじゃない？　みんなは『REBEL MUSIC』とかの曲を演奏したかったんじゃないかな。実際にやった曲は「無力のかけら」とか『Weed War』の頃の曲とか、マーチンと一緒にやってた曲ばかりだった。しょうがないんだけど、その辺は思いが違ってたというか。

メンバーに関しては、俺はフールズの再結成でも分かったけど、ずっと戦場みたいなところに一緒にいたメンバーとは、久しぶりに会ってもあんまり久しぶり感ってないんだよね。いつもどこかでつながってるみたいな。それは『REBEL MUSIC』のメンバーでも、どんなメンバーでも。苦労を共にした戦友みたいな連中とは、どんなことがあろうが、お互い何しようが、会えば会ったで何も変わらないんだよね。

耕が死んじゃったことは、いまだに「えっ?」って感じはしてる。それはそうなんだけど、でも現実は現実だから。現実を受け止めるとフールズは動きようがないんだというのが、俺の率直な感想だから。何かきっかけがあれば、気持ち的にも「フールズやろうかな」ってなるけど。でも歌を歌えないじゃない? 前は耕が帰って来るからってことで、俺も歌ってたけど、今はそれがない。歌う必要がないし、俺も歌いたくないしっていうのがあって。そうなってくると歌がいないからどうするのっていう問題があるよね」

「歌がいない」と誠二は言う。以前であればこれは決して「耕がいない」ことと同義ではなかったはずだが、今はむしろそれが「耕がいない」ことと限りなく同義に近いものになっているのかもしれない。そして、川田良、伊藤耕に続いて高安正文がいなくなった2020年、世界は一変した。新型コロナウイルスの存在する世界に、である。それは例えば本書と並行して制作が進められていたドキュメンタリー映画が無事完成し、上映の日程も組まれ、これを機会にフールズを何らかの形で再起動させるといったことが、そう簡単には出来なくなってしまった世界の中にいるということだ。誠二がさらに語る。

「そう。コロナ前は、それこそ大パーティやれたらいいなと思ってた。映画の後にライヴやって、うわっと盛り上がれるっていう。ステージ上もゲスト呼んでゴージャスにしてパーティで行けるなって思ったけど、コロナになっちゃったから、規模を縮小してやらざるを得ないじゃない? だから今は俺も色々複雑な心境ではある。それは俺らに限らず、どのバンドでもそうだけど。

それに、フールズの看板背負うとか、もういいよ。終わったというのが強いから。ずっと関わってきたでしょ？　それで、良が亡くなった、耕も亡くなった。で、とどめにマーチンも逝っちゃったっていうのがある。もう本当に終わったというのがあるから。俺はそれこそフールズって伝説になってしまえばそれでいいって思ってる。その方がフールズにとってもいいんじゃないかと。

カズさんと俺が残された。ある意味、俺とかは生き残ったわけじゃない？　じゃあ生き残った人間は何をすべきかっていうふうに考えちゃう。俺はあの人たちのスピリットを受け継いで、どんどん露出すればいいなと思ってる。それが、まあ、生き残ったものの宿命なのかなと。俺は、耕、良、大島を常に背負って、体が動く限りいろんなところでプレイし続けると思う。そこにマーチンも加わっちゃった。でも、生き残ったからフールズというバンドを継続させるっていうのは、これは違うと思うんだわ。可能性があればやってもいいんだけど、歌がいないってどうしようもないじゃん？　やりようがない。3人フールズみたいに俺が歌って、ってのも説得力がないからさ。スピリットは受け継いでるよ、ばっちり。でも必要以上にはひきずりたくない。懐かしいと思う時もあるけど、振り返るより、今やってるバンドで先に進みたい。良がそういう人だったし、その辺の遺伝子を受け継いでるのかもね」

8　真実を求めて

訴訟の提起

亡き夫、伊藤耕の三回忌を終えて間もない2019年10月30日、妻の満寿子は、刑務所や病院で適切な処置がなされなかったために耕が死亡したとして、国家賠償請求訴訟を東京地裁に提起した。この日彼女は提起の直後、弁護士の島昭宏と共に司法記者クラブで記者会見を行っている。そこでは、耕の死から2年を費やして慎重に裁判の準備を進めてきたことをうかがわせるものとして、耕が体調を崩してから亡くなるまでの詳細な経過が明らかにされた。以下がその要点である。

２０１７年10月15日の昼食後、腹痛と嘔吐で苦しみ始めた耕は、13時25分に看守を呼んで胃薬を求め、これを服用した。だが症状が治まる気配はなく、13時50分にまた看守を呼び、14時25分に医務課の准看護師でもある副看守長が触診した結果、月形町立病院へ搬送するという判断が下された。そして同病院では胃痙攣と診断され、鎮痛剤のブスコパンを2回投与されたのち、月形刑務所に戻されている。

翌16日症状は悪化した。朝食を少し食べたのち座ってさえいられなくなり床に倒れてしまった耕は、刑務所内の委託診療所で受診し、急性腸炎と診断される。この時エコー検査によって肝周囲および全体に腹水が溜まっていることがわかったが、何ら対処はなされなかった。その後16時30分に顔面蒼白になって倒れ、血圧を測ると上が40、下が37という異常に低い数値だったが、繰り返し測定し直すうちに通常の数字になっていったとの記録がなされている。

耕は同日夜の20時30分、さらに22時43分と繰り返し倒れ、荒々しかった呼吸が遂には小さくなり、そのまま動かなくなって、問いかけにも反応しなくなってしまう。救急車が23時7分に到着し、救急隊員がマッサージ、人工呼吸をして月形町立病院に向かったが、23時26分に心肺停止。そして日をまたいだ17日0時1分に死亡と診断された。

この裁判へと踏み切るにあたって決定的な証拠となったのは、満寿子の懸命な働きかけによって得られた検死結果だった。

現在日本では不自然死の際の遺体の検案、解剖を行う公的機関として監察医務院という施設があり、全国に置かれている。が、例えば東京都の監察医務院は23区内で死亡したケースしか担当しない。つまり北海道の刑務所で死亡した耕の場合、その遺体の解剖は北海道の監察医務院が担当するということだが、実は北海道には監察医務院が置かれていないのだ。よってこれまで道内の大学の法医学教室に勤務する医師が道警の検案嘱託医として職務にあたってきた。ところが、この検案嘱託医への解剖の依頼は紹介者がいないと断られるケースが多いという。

もともと日本の監察医制度は公衆衛生の向上を目的としたもので、終戦直後の飢餓、栄養失調、伝染病などを死因とする事例を把握して対策を講じるため、「連合軍総司令部（GHQ）が、国内の主要都市に監察医を置くことを日本政府に命令したことにより、昭和22年に創設された」（厚生労働省HPより）という経緯がある。そのため都道府県の違いや人口密集地域と過疎地域との違いなどによって扱いが大きく異なり、これについては医療関係者の中から、もはや時代にそぐわなくなっている制度への疑問や批判、さらには解剖のための窓口をあらためて創設すべきだとの声もあがっているのが現状であるという。

こうした事情のため、満寿子は耕の死因を知りたいとは思ったものの、そのためにはどこで何をすればいいのかさえわからない状態だった。最初は弁護士の相談所に行き、その後、検察庁や警察署にも尋ねてみた。検察庁の電話相談窓口は、死因が分からず家族に説明がないのはおかしいと指摘してくれるほど親身な対応だったものの、結局は「外部機関からの出向のため、協力できなくてすみません」と詫びられ、肝心の情報はどこからも得ることができず、時間ばかりが過ぎていった。相談先が見つからなければ荼毘に伏すという約束の期限は11月11日。その日が迫るなか、一時は正式な検死ではなく、死因を知りたい親族のためにCTを撮る団体に頼むことも考えたという。

そして期限の前日の11月10日、満寿子は「このまま諦めるのはよくないんじゃないか。最後にもう一度だけ連絡してみよう」と、日本病理学会に電話をかける。そこは手分けして相談先を探していた時に親族の一人が連絡をしたところ、相談できる可能性がある病院の紹介をしてくれた学術団体だった。その時は紹介された病院に断られてしまったのだが、満寿子はあらためてこの団体から10ほどの病院と5つほどの大学の法医学教室の名前を教わり、番号を調べて順番に電話していった。

この時、満寿子はたまたま病院の名前を聞き間違えたことから、そうと気付かぬうちに検索で見つけた新潟にある病院にも電話をかけてしまっていた。すると偶然にも、その病院に最近まで勤務していた医師が、監察医制度の現状に疑問を感じ、死因究明のためのネットワーク作りに尽力している人間の一人だったのである。そのため、病院からこの医師のところに連絡が行き、ここから言わば奇跡のような形で解剖のための窓口が開かれることとなったのだ。

前述したように満寿子が耕の死の直後に受け取った死体検案書には、死因として出血性ショック（不明）、その原因として肝細胞癌破裂（推定）、肝硬変（推定）、C型肝炎（推定）と記されており、これは死因究明教育研究センターのスタッフが警察からの依頼を受けて書いたものだった。また死体検案書を作成した時点で、センターのスタッフは全員一致の見解として「解剖した方がいい」と進言していたこともこの日のやりとりの中で満寿子が知るところとなった。

そしてそれにもかかわらず解剖は行われていなかったというのだが、いずれにしても11月10日を境に状況は大きく変わった。耕の遺体は14日に北海道大学死因究明教育研究センターに搬送され、15日に解剖が行われた。そしてその結果、耕の死因は死体検案書の記載とは全く異なり、腸閉塞の一種である絞扼性イレウスであることが明らかになったのである。満寿子が語る。

「10日は金曜日で週末だったので、本当にギリギリのところで、奇跡的に死因を調べてもらうことができたんです。

ここまで約1ヵ月でしたけど、あまりにもめまぐるしかったから、訴えるとか考える余裕もなく、とにかくまずちゃんとした死因を知りたいとばかり思っていました。ただ耕が亡くなったと連絡があった時から「何かおかしい」とは思っていたので、弁護士の加城（千波）先生には最初から「追及していきたいと思ってるんだけど、相手が相手なので、一般人の私に手に負えないことがあったら力を貸してください」とお願いしていたんです。そうしたら先生から刑務所に電話してくれたりしていましたね。

日本病理学会には、あとで電話して感謝を伝えました。そうしたらその人たちも、自分たちが目指してやっている活動が、私たちみたいな普通の人間にも知られたことがとてもありがたいって言ってくれました。あと、新潟の病院にいらした先生と話した時にも、人の命の大切さを感じて仕事をしている方のすごい誠実な気持ちがほんとに伝わってくるように思いましたね」

こうした過程で、さらなる矛盾も明らかになっていった。前述のように耕が体の不調を訴え始めたのは10月15日の昼食後だったが、満寿子のところに耕の死の知らせが伝えられた際には16日の23時に倒れたということになっていたのだ。また満寿子が入手した月形町立病院の診断書には死因として急性胃粘膜病変という病名が記載され、当然ながらこれは死体検案書の記載とも異なるものであった。そして耕の死から半年が経った2018年4月11日、満寿子のところに届けられた死亡当日のCT検査の結果に記載された病名は、解剖の結果と同様イレウスだったのである。

裁判に臨むにあたり、島が語った。

「この件をお願いしたいって話をもらった時に、その間に加城さんが、証拠保全とかやってくれて。俺から見たらもう揃ってる。あとは医者のちゃんとした説明があれば、もう法律的にいけるじゃんっていう状況を揃えて持ってきてくれたんで、これはきっちり法的に組み立てて淡々とやって、必ず勝たなきゃいけない裁判だなと。それで友人の医師に紹介してもらった日本医科大学武蔵小杉病院の救命救急科の医長である田上隆先生に、この事案の資料を全て渡して意見書を書いてもらいました。

田上先生によれば、「10月15日の昼間からお腹が痛いという話になって、月形町立病院に運ばれていった時に、聴診またはレントゲンをしていれば、高い確率で異常所見が見つかったであろう。何かおかしいということになればそれをはっきりさせるために、当然腹部CT検査が行われるべきであり、それをやっていれば簡単にイレウスだってことはわかったはずだ。この段階でイレウスだということがわかってすぐ手術すれば、簡単に救済できた」「仮に診断に自信がないということであれば、他の病院に搬送したりして、もっと専門的な知識を持つ医師が診断を行うべきだった」ということです」

では耕の死の直後のCT検査の結果がその時点で明かされなかったのはなぜか。島はこう推測した。

「CTの段階でイレウスという確定した判断だったのか、イレウスかもねっていう判断だったのか、そこまでは詳しく分からないけども、であればなおさら解剖するべきだった。でも解剖しなかったということは、「CTをやったら死因はイレウスだった。これは大変だ！」ということになったんじゃないか？　だから解剖もしない。「とりあえず適当なことを書いておこう」って考えたんじゃないかなって思っても、邪推とは言えないですよね。そして「あなたのだんなさんはこういう理由で亡くなりました」って、全然関係ない理由を知らせるということ自体が違法な行為じゃないかと思うわけです」

このように島は、死の直前の耕への刑務所と病院の対応について厳しく追及していく姿勢を明らかにしたが、島をしてそうなさしめたものはもちろん、夫である耕の死をめぐってその真実を誰よりも追求してきた妻の満寿子の意志と熱情に他ならない。これは生前自身について「本当のことにしか興味がない」と語っていた耕のことを深い次元で受け止め、支え、そして愛したパートナーだからこそのものだろう。

裁判の共有

記者会見から5ヵ月後の2020年3月26日、第1回の公判が東京地方裁判所803号法廷で行われた。傍聴席の座席数は52という小規模な法廷である。島はこの裁判の持つ意味合いの重要性から、100人以上が傍聴できる法廷の使用を求めたが、その要求は叶えられなかった。さらに新型コロナウイルス感染症の感染拡大防止のため、一席おきに「使用不可」と記された紙が貼られた状態となり、結果として傍聴できたのは19人、法廷の前の廊下は傍聴できない人々で溢れかえるという異例の事態となった。

しかしそうした扉の外の熱気をよそに、法廷の中でのやり取りは拍子抜けするほどあっけないものだった。島弁護士が、耕が適切な処置を受けられずに死に至ったことを明かす証拠が揃っている旨のことを述べると、被告側は答弁書の提出のためには6月中旬まで時間がかかると応じるにとどまったため、約30分で閉廷してしまったのである。

直後に島が弁護士会館で行った説明会は、用意された部屋に参加者が入りきれず、急遽入れ替え制で2回行うこととなった。島はその場で、適切な治療をしていれば耕の命は救えたこと、そしてその可能性は4回にわたって見逃されてきたという事実を指摘し、それが法的な義務違反といえるかどうかが争点となるだろうと説明した。参加者の中からは自身の服役体験をもとに、体調を悪くした受刑者にちゃんと対処をしない傾向が近年になって増しているという刑務所の実情を生々しく語る者も現れ、説明会はこの裁判で問われているのは決して他人(ひと)ごとではないものなのだということを改めて認識させる場となった。

島にこの裁判の意義を語ってもらった。

「いろんな傾向はその施設ごとにあるかもしれないけど、刑務所とかあるいは入管施設とか、法律的には排他的支配下って言ったりするんだけど、外から隔離された施設の中に閉じ込められて、ぞんざいな扱いをされてることがあるんだろうなってことは想像がつく話で。何もわからないままに闇に葬られているような事件はたくさんあるだろうと思うんですよね。実際にそれが死に至るような事件が起こっているわけだから。

今回は資料が揃って裁判できる準備まで整って、真実が見えてきたからこそ、こういう話になってるわけなんだけど、そういう中にいる人たちが普通に生活している時と変わらないようにちゃんと扱われるということが大前提だと思うんですよね。そのことがこの裁判が持つ一つのテーマだと思います。そういう意味で社会的に多くの人たちと共有して、この裁判を進めていければなと思っています」

なお裁判は7月以降、原則として誰でも傍聴可能な公判ではなく、非公開の形で進められるようになった。そのため裁判に向けられる関心の低下が危惧されたが、2021年4月末に「伊藤耕 Official Site」(itoko.jp) が開設され、ここでその後の裁判の進捗状況が逐次更新して発表されるようになったことを記しておく。

9 自由という名の男

フールズ誠二です。
悲しいお知らせですんません。

伊藤耕は昨夜、服役中の月形刑務所内で亡くなりました。
現在、検死結果の報告待ちです。
詳細等、また判明次第、報告させてもらいます。

出所が40日後だったのに残念です。

伊藤耕の訃報がフールズのフェイスブックによって発信されたのは2017年10月17日19時50分のことである。ネットにまとめられた記録を見ると、この訃報の前後から耕を知る人々によるツイートがあり、その中にはヤギヤスオ、サミー前田、小野島大、山本政志などによるものを始め、少し意外なところでは、日本のみならず海外でも高い評価と人気を得ているトランス・ロック・バンドROVOのヴァイオリニスト勝井祐二によるツイートもあった。

ネットのニュース・サイトでは、スポニチアネックスによる「伝説のロックバンド「THE FOOLS」ボーカル・伊藤耕さん死去」という10月17日20時59分配信の記事が最も早いものだったようだ。また、音楽ナタリーが「THE FOOLSボーカル伊藤耕が死去」という短い記事を10月18日0時2分に配信している。そしてJキャスト・ニュースによる「サンボ山口「日本語ロック全体の喪失」THE FOOLS伊藤耕さんの死、悼む声広がる」という記事が、サンボマスターの山口隆によるツイートを紹介したりしながら、伊藤耕というミュージシャンの死がそれだけ無視するわけにいかない出来事であるという意味づけのなされた形で10月18日13時21分に配信された。

山口隆によるツイートは10月18日の9時29分と9時44分に行われている。前者は「はじめに」で引用したが、ここではそれをもう一度、そして後者も併せて引用してみよう。

伊藤耕さんの自由な空気がたまらなく好きだった。THE FOOLSは最高だし、ブルースビンボーズの素晴らしさは僕を随分と救ってくれた。この喪失は僕だけじゃなく日本語ロック全体の喪失だと思ってます。伊藤耕さんあなたこそロックンローラーでした。

ブルースビンボーズの2ndアルバム(だよね?)カバーアルバムは何度聴いても勇気が湧いてくる。ハーダーゼイカムの伊藤耕さんの訳詞に何度救われたかわからない。あなたこそ自由や愛を真に表現できる偉大なロックンローラーです。ご冥福をお祈りします。

最大級の賛辞と言っていいだろう。そしてまた山口は、伊藤耕というミュージシャンの「喪失は僕だけじゃなく日本語ロック全体の喪失だと思ってます」とまで言っている。これは誇張ではなく、山口の本心だろう。だからこそ彼は2度目のツイートを行い、そこで「ザ・ハーダー・ゼイ・カム」の耕の訳詞に「何度救われたかわからない」と書いているのだ。とはいえ、1度目のツイートへのリツイートは48件、引用ツイートは2件、「いいね」は109件、2度目のツイートへのリツイートは18件、引用ツイートは1件、「いいね」は54件であった（いずれも本稿執筆時）。「悼む声広がる」とするにはいささかおぼつかないと言わざるを得ないこれらの数字を、どう考えればいいのだろう。

耕の死を報じたネットのニュースは、右の三つ以外には見つけることが出来なかった。そして、耕の死を、その死からそれほどの時間が経たない間に報じた新聞は、筆者が確認した限りでは一紙たりとも見当たらなかったのである。また、もう少し時間の幅を取って、耕の死から1、2ヵ月ほどの間で新聞、雑誌などの紙媒体に耕の追悼記事が設けられた事例は、これも筆者の知る限りでは、『ミュージック・マガジン』12月号に筆者が寄せた二千字強の文章ただ一つだけだったようなのだ。一体、そうした事実は何を物語っていると言えばいいのだろう。

ここで、山口冨士夫が2013年8月14日、1ヵ月の昏睡状態の末に亡くなった時のことを振り返ってみよう。その時は元ダイナマイツのベーシストで2000年代後半から再び冨士夫と活動をともにしていたという吉田博が翌15日8時48分、冨士夫のブログに短い訃報を書き込んだのが始まりだった。同日の読売新聞夕刊には「山口冨士夫氏　64歳（やまぐち・ふじお＝ギタリスト）14日死去。告別式は親族で行う」といったいわゆる死亡記事が、そして16日の朝日新聞朝刊には「突き飛ばされ

て入院　山口冨士夫さん死去　ロックミュージシャン」という見出しとともに、彼を死に至らしめた事件の概要を報じる記事が掲載された。それによると冨士夫は7月14日深夜、福生市の路上で米国人の大学生の男に突き飛ばされて後頭部を打ち、病院に運ばれ急性硬膜下血腫と診断されたとある。死因については書かれていないが、この深刻な怪我から回復することなく亡くなったということはわかる。また、この米国人は傷害容疑で逮捕され、傷害罪で起訴されたということも記事には書かれている（ちなみに毎日新聞16日朝刊にも同内容の記事が掲載され、そちらには冨士夫の顔写真が添えられていた。なお、約1年後の2014年7月4日、傷害致死の罪に問われた米国人には懲役2年6ヵ月の判決が言い渡されたことを朝日新聞7月5日朝刊の東京面が報じている）。

そうした痛ましい事の次第も知らされたからだろう、この時、冨士夫の死を悼む声は、普段から彼の音楽を聴いていたファンを超えて広まっていったと思われる。『ミュージック・マガジン』10月号では追悼特集が組まれ、後から見ればこれも偶然の巡り合わせということになるのか、その特集記事の冒頭に置かれた、いわゆる追悼文の執筆を担当したのは筆者だった。

また、同年12月には、23人の執筆者によるエッセイ／ディスコグラフィと元村八分のメンバー二人による対談、吉田博ほか7組のミュージシャンへのインタビューと一時期スタッフだったサミー前田へのインタビュー、そして冨士夫本人へのインタビューの再録から構成されたトリビュートブック『山口冨士夫　天国のひまつぶし』が刊行されている。この執筆者の中には当時東京拘置所に収監中だった伊藤耕も入っていた。「今、俺はバビロンのオリの中でこの手紙を書いています」という一節のある「天国のフジオちゃん」と題された〝エッセイ〟の寄稿である。ただしそれは、わずか1ページで、ミュージシャンへのインビューがまとめられた章の末尾に置かれ、さらにはタイトルも本文も伊藤耕という名前もすべて同じ大きさのゴシック体にされていた。つまりお世辞にも目を引くような扱いがなされたとは言えないものだったのである。

それはともかく、このように、山口冨士夫が亡くなった際には、彼の音楽や歴史に「言葉で」「近づきたいと願いもする」（『山口冨士夫　天国のひまつぶし』の編者・松村正人による「口唇の歴史（オーラルヒストリー）——あとがきにかえて」より）少なくない人々の、その願いが形を成していたのだった。が、それに対して伊藤耕が亡くなったことに対する、この反応の乏しさというのは、一体どういうことなのだろう。

反応の乏しさ、言い換えれば関心の無さということについては、平和運動家の故マザー・テレサが語ったとされる言葉があるので引いておく。

愛の反対は憎悪ではない、無関心である。人間の最大の苦しみ、悲惨は、自分がすべての人に見棄てられている、自分はもうどうでもよい不要な存在なのだと感じさせられる、その絶望なのだ。人間が他者に対して無関心になるとき、その人こそ最悪の貧の人に堕すのだ。（『テキスト国際理解』より）

憎悪から和解へ

第1章に記したように、耕にはひとり息子がいる。87年2月、当時の妻の京子との間に生まれたその子供は大地と名付けられ、幼児期になると画家のガレンのところに預けられた。『Weed War』の裏ジャケットに載った大麻銀行券の絵の作者で、耕にとってはドラッグのことのみならず精神的な面でも先輩格に当たるこのガレンから、耕は「反骨精神の塊みたいなやつにしてやるから、ガキが生まれたら俺に預けろ」と言われていたという。

大地によると、ガレンは他人の土地に無断で建てた掘っ立て小屋をアトリエと称して住んでおり、大地はそこに連れていかれ、寝泊りさせられることになった。朝は日が昇る前に起こされるとうさぎ跳びを、その後は筋トレや家事を命じられるのが日課になっていたという。また何度となく殴られた。理由はまったくわからない。大地にとってそれらは、年齢からするとようやく物心がついたとはいえ、自我の確立するそのはるか手前で受けた理不尽な仕打ちとして記憶に刻まれた。

やがて大地は、そのような仕打ちの原因が父親の耕とガレンとの間で交わされた約束にあったことを知る。心の中のほとんどすべてを二人に対する憎悪が占めた。2019年8月、フールズのドキュメンタリー映画の撮影で質問をする監督の高橋慎一と同席した筆者を前に、大地が中学生時代の自身と耕との間に起こった出来事を回想して答える。

「親父とガレンをこの手でぶっ殺すというのを目標に生きてました。そのために体も鍛えて、暴力が強いのが偉いみたいな価値観になっていきました。

父方の祖父母は可愛がってくれてたので行き来してたんですけど、そこで親父と出くわしたことがあったんです。その時は台所から包丁を持ってきて、刺そうとした……したんですけど「待て待て待て、落ち着け！」って止められた。

こっちはまだ中学生でしたから、あの屈強な親父に止められて殺し損ねて、興奮していたのが落ち着いて、じゃあちゃんと話をしてみようかと。それで話してみたら、親父の人物像がそれまで想像してたのとは全然違ってて、憎めなくなっちゃったんです。

親父の取った行動も、他人ごとじゃなくて自分に置き換えた時に、もしかしたら自分も同じことをしたんじゃないかな、それはそれとしてしょうがないって思えた。それで、なんか「親父としてどうこうじゃなくて、人としてこいつのことはとても好きだな」と。向こうもこいつはガキだからって感じじゃなく、一人の人間として友達みたいな接し方をしてくるんですよ」

生前の耕が大地について語った言葉を紹介する。

「俺は自分の血を継いでいるからかわいいとか、自分の遺伝子じゃないから憎たらしいとか、そういうのはないね。だって、かわいいのは誰が見たってかわいいもん、おんなじだよ、俺はそう言いたい。たまたま大地って自分の子供は、好きで友達なんだ。

ヤツは俺のことをオヤジとか耕とかって呼んでくる。あいつの悪さのおかげで、東京の鑑別所、練鑑も行ったし、霞が関も裁判所も全部行った。親父が親父だからしょうがないよ、お互い様だね。「親父はワールド・カップみたいなヤツだな。4年周期でいなくなるじゃないか」「お前に言われたくないよ」って、そういう仲だよ(笑)。

うちの息子は面白いよ、冗談とか大切だよって教育したから。それでやることはやるときにはちゃんとやると。演奏中とかも、ちゃんと気合い入れてはいるんだけど、かた苦しくはやらない。リラックスしてなきゃやできないしさ。

あと、教えたのは人間の絆。口喧嘩しててもそいつが仲間だったら、いざこざやっててもしょうがねえぞ、表面的なところにとらわれるなって、いろんな場面場面で起きていることの中で教えたつもりだね」

こうして父である耕との和解を果たした大地だったが、しかし当時の彼は一方で多くの問題を抱えた少年でもあった。自分の通っていた中学校だけでなく周辺地域の男子生徒とも喧嘩をして怪我をさせたことから転校を強いられ、そのうえ転校先を打診した学校にはことごとく受け入れを拒否されたのである。するとそのことを知った耕が、北海道・二風谷のアシリ・レラこと山道康子のところに行こうと提案した。大地が回想を続ける。

「それで二風谷に行ったら孤児とかが集まってて、「ここだったら居ても良いのかな」と思って、康子さんに相談したら、「自分で稼いで食費を入れるなら好きにしろ」と言われて、それで1年いました。

親父のステージを初めてちゃんと見たのも、二風谷の「アイヌモシリ一万年祭」でした。その時は、かっこよかった！　家族からすると親父の生き方は相当身勝手な振る舞いじゃないですか。一家の大黒柱が嫁子供を食わせてというのが普通だし、僕も今そうしてるんですけど、それをせず、そういうのを全部犠牲にしてやりたかったことがこれなんだと思って。それがかっこよかったので、なおさら許せたというか、しょうがないかなと。こういう生き方をしているから、普通の父親みたいなの無理だったんだろうなと、ステージを見てなおさら納得してしまったんです。

それで親父のライヴにしょっちゅう顔を出すようになった頃には、大体の曲は歌えるようになっていた。だから「お前暇だったら顔出せよ」って言われて練習に行ったのに親父がいなかった時とか、親父がライヴをすっぽかして居ない時は代わりに歌ったりしてたし、親父に「お前歌え」って言われてステージで歌ったことも何回かありましたね」

大地が耕に代わって歌ったということでは2004年のクリスマス・イヴ、山口冨士夫&ブルースビンボーズが下北沢のライヴハウス、シェルターで行ったステージに17歳の大地がゲスト・ヴォーカルとして参加しており、実はこれを筆者は観ている。耕はその年の5月に覚せい剤取締法と大麻取締法違反の容疑で逮捕されステージに参加できない状態だった。もちろんそのことは筆者も知っており、不在の父親に代わってステージで歌う息子という二人の信頼関係を物語るその光景は強く印象に残っている。とはいえ、そんな二人の間に、憎悪から和解、そして「人間の絆」を結び直すという経緯があったことは、そのステージから15年後のインタビューによって初めて知ったことだったのである。

敷居が高いトラブルメイカー

ここからは、伊藤耕とフールズがどうして知名度を得ることができなかったのか、言い換えればどうして関心を向けられることがなかったのかという点に改めて目を向けてみよう。

江戸アケミと伊藤耕との関係について、ＯＴＯが語る。

「アケミは耕のいかしてる感じに憧れてたんだと思う。すごく大事なことを感じてるんだけど、そのことを言葉で説明したりアピールしたりしないし気取らない。

80年代は気取ってる人ばかりの音楽で、僕はそれに馴染めなかった。でもフールズの音楽とじゃがたらの音楽は何の気も使わなくていいし、アケミと耕の感じっていうのはすごく人にあったかい。くるまれるくらいの包容力と言うか、相手の存在を全部受け入れてくれるんだ。最初から俺とお前はもう兄弟だぜくらいの勢いで、人のことを受け入れる体勢でいるじゃん。あのあったかさっていうのは80年代にはあんまりなかったよ。

アケミはフールズの「つくり話」がすごい好きで、じゃがたらでカヴァーした。で、「耕を見てみろよ、あんなにかっこいいじゃねえか」みたいなことをよく言ってた」

彼らのこうした関係は初めて明かされるものではない。例えば山本政志が評伝『じゃがたら』の中でアケミについて、「耕に憧れみたいなものあったんじゃないのかな」と述べている。ちなみにじゃがたらの『それから』に収録されたニューオーリンズ・ファンク風のナンバー「BLACK JOKE」は、「つくり話」のカヴァーを発展させた形で出来上がった楽曲である。

また、アケミ自身の言葉でフールズが語られたものとしては、『別冊 ele-king じゃがたら』収録「江戸アケミは語る（未発表）1989年1月 取材・構成 地引雄一」（正しくは1987年1月）の中の発言がある。

フールズは良いバンドだったなあ。音が良いより、まずキャラクターとして凄かったよ。みんな「自由になりたい」っていう根本的なさぁ、いちばん根本的なモノをさぁ、恥ずかしくて言えない部分じゃん、「自由になりたい」とか言うの。そういう部分を持ってる連中だったからさぁ。やってる曲だって「自由がいちばん、最高さ、ベイビー」とかそういうことをさ、恥ずかしげもなく言える連中だったんだよ。そういう意味でフールズっていうのは、もしかしたら、うまくいけば、昔の村八分くらいに行けるようなバンドかなと思ってたよ、オレ。ただ、それを統率しきるヤツがいなかったからね。

アケミが過去形で語っているのは、このインタビューが行われた87年にはフールズが活動を休止していたからだが、一方で最後の言葉などは89年の復活以降、良がバンマスとして統率していくことを予見していたかのようでもある。すなわち江戸アケミは、それだけ深くフールズや伊藤耕のことを理解していたと言うことができる。

そして、江戸アケミとじゃがたらに関しては、90年代以降もCDや映像作品に加え詩集や写真集のリリース、さらにはそれに合わせて雑誌で特集記事が組まれることにより、足跡と業績がたどり直され見直される機会が設けられてきた。もちろんそれは彼らがそうなされるにふさわしい存在だったからである。だが、そんな彼らに間違いなく影響を与えたことが認められる伊藤耕とフールズに関しては、CDのリイシューや発掘音源のリリースはメンバー自身と関係者の熱心な努力によって行われてきた一方、まとまった形で再評価がなされたことは雑誌などの紙媒体はおろか音楽サイトや個人のブログなどでも見当たるものがない。しかもフールズは2017年まで活動していたにもかかわらず、知名度では「村八分くらい」どころか、じゃがたらにも遠く及ばないままだ。

フールズのファースト・アルバム『Weed War』がリリースされた際、配給元のバルコニー・レコードが雑誌に打った広告のキャッチコピーは「84年1月　大麻不法所持により全員逮捕にもかかわらず、衝撃のデビュー!」というものだった。しかしこれは事実を脚色しており、結果としてアルバムの紹介記事のいくつかをこのステレオタイプなキャッチに倣う形で、音楽よりもドラッグがらみの話題に触れるばかりのものに導いていたということは第1章に書いたとおりである。

この時代のフールズについて、KERAが語る。

「フールズのライヴは、屋根裏だけじゃなくて原宿のサンビスタとかにも、見に行ってるんですよ。だからどっちかというとファンだったんですね。ただ当時既に伝説になっている様々な素行があったじゃないですか。だからあんまり近寄りたくないなって、知り合いになっても良いことないだろうなっていう思いはあり、音楽聴くだけにとどめてた。自分から近づくってことはあまりなかったんですね」

当時のフールズの風評について、マーチンが振り返る。

「自分たちはただの演奏家なんだから、あくまで演奏や歌を歌うということが自分らの使命でありまして、法を犯すのが自分らの仕事じゃないんで。あまりそういう悪い噂を売りにするみたいな、あるいは悪い噂で人がより集ってくるみたいな、そういう言動には自分は反対でした。それをカッコイイと思う人もいるかもしれないけど、自分は本当にみっともないことだと思ってましたんでね。

SYZEの時も耕、良、カズとの4人でやってたわけで、その時もトラブルメイカーと言われました。だけど自分はそれに対して負を感じることは全然ありませんでしたし、SYZEっていう名前にも、誰もそんなにこだわらなかった。それがフールズになってからは、なぜか急にそのネーミングにこだわり出したというか、特別な存在みたいな感じで語られ出した部分がある。ほとんど同じメンバーでやってるのに不思議ですよね。SYZEの時はむしろ誇りに思ってたぐらいのことが、なぜだかフールズになってからは、トラブルメイカーだとかって言われると、本当に気分が悪いっつうか。「また言われてるよ、だっせえバンド！」って自分で思ってしまうくらい、そういうことがダサく感じられました。

何が違うのか、今でもちょっとよくわからないです。良くん個人とも、耕くん個人とも、カズくん個人とも普通に話せるのに、なぜフールズってなっただけで、そこまで自分らとは関係ない問題ばかりが押し寄せてくるのか？　それは本当にミステイクで非常に負な話だと思います。そういう意味ではフールズは嫌いです！」

KERAの言う「当時既に伝説になっている様々な素行」とは耕のドラッグの問題と良の酒癖の悪さに起因したトラブルなどを指し、マーチンの言う「フールズになってから」の「トラブルメイカー」はもっぱら耕のドラッグの問題に基づいた呼称と思われる。ともあれ、こうしたものがフールズの、うかがえる。

漠然とではあるがそれだけに容易には払拭し難いパブリック・イメージとして定着していった事情は

２０１７年９月に百万年書房という一人出版社を立ち上げ、以降その代表を務める１９６８年生まれの編集者・北尾修一は、１９９３年から２０１７年まで太田出版に在籍し、隔月刊のカルチャー誌『クイック・ジャパン』の企画・編集・執筆に携わった。北尾が編集長を務めた１９９９年２月から２００３年８月までの間に同誌ではじゃがたらの記事が何度か掲載され、そうしたこともあって北尾は99年９月にＢＭＧファンハウスからリイシューされたじゃがたらのオリジナル・アルバムのブックレットにそれぞれ設けられた対談記事の司会と構成を担当している（ちなみに89年作の『ごくつぶし』の再発盤ブックレットに掲載されたのはソウル・フラワー・ユニオンの中川敬と筆者との対談だった）。

また『クイック・ジャパン』では北尾が編集長になる前の96年から98年の間に、ライター・編集者の北沢夏音による「草臥れて　チャー坊（〃村八分〃）の生と死」という記事が何度かの休載を挟みながら計９回にわたって連載され、これは山口冨士夫が長時間のインタビューに答える形で登場するなど、かなり内容の濃いものになっている。

こうした経緯にフールズ、伊藤耕とじゃがたら、江戸アケミ、山口冨士夫との関わりを考え合わせると、『クイック・ジャパン』であれば村八分やじゃがたらのようにフールズについて、その足跡を振り返り、さらには現在進行形のトピックにも触れるという記事が企画され掲載されたとしても、ごく自然な流れの中にあるものとして受け止められたのではないか。だが、そうした企画が実現に至ることはなかった。北尾が語る。

「もちろん（フールズや伊藤耕に）関心はありましたが、じゃがたらに比べるとそこまで熱心なリスナーではありませんでした。ライヴも、出演したイベントで何度か観たくらいです。フールズのファンも怖そうな人が多い印象だったので、(10代の自分にとっては)ちょっと敷居が高かったです。そういうのを抜きにして大人になってちゃんと聴いたらものすごくカッコいい音楽だったので、もっとちゃんとライヴを体験しておけばよかったと思います」

10代の自分には「ちょっと敷居が高かった」と北尾は回想する。が、その北尾と同じ68年に生まれ、中学2年ですでにフールズのライヴに通い始めていた早熟なロック少年がいたこと、それが川田良亡き後のフールズに加入しながら2014年9月わずか4ヵ月の在籍後にこの世を去ったギタリストの大島一威だったということは「激動の一年」に書いたとおりである。これはまた大島のように早くからロックにのめり込んでいた人間をこそ引き寄せるようなところが、フールズというバンドの言ってみれば危うい魅力としてあったことにもなるだろう。そして、実を言うと筆者自身このフールズの風評に惑わされた体験をしている。

90年1月に江戸アケミが亡くなった時、『ぴあ』の音楽欄の担当編集者だった筆者はアケミの自宅の仮通夜へ弔問に訪れた。するとそこにはフールズのメンバーが来ており、なかでも酩酊していると思しき川田良が、筆者とともに弔問した同期の社員にいきなり電話番号の書かれたメモを手渡そうとして、ここに電話するとフールズのライヴの予定がわかるなどと話しかけてきたのであった。

その時点で筆者にとってフールズの『Weed War』は愛聴盤の一枚であり、だから彼らに対して関心を持っていないわけではなかった。とはいえ、そこは江戸アケミの仮通夜という場である。同席している人々のほとんど誰もが塞ぎ込んだ気分でいることは明らかだった。そうしたなかでどこか奔放に振る舞っているかに見える川田良の姿が、例えばKERAの言う「当時既に伝説になっている様々な素行」のイメージと容易に結びつくことは理解してもらえるだろう。鬱々とした気分に沈み込んでいた筆者は、だから当然のように彼らの会話には加わらず、また同期の社員も苛立ってメモを撥ね除けていたように記憶している。ただ、見方を変えればそれは、川田良という人間がそのようにして彼なりに喪失感を紛らわそうとしていたこと——これはじゃがたら、フールズ、そして良のいたジャングルズという三つのバンドの関わりを念頭に入れるなら容易に想像できることのはずだった——を、当時の筆者がまったく理解していなかったということでもあるだろう。

アケミが他界したこの90年にフールズは結成10周年を迎え、その活動ぶりは今から見れば最も充実した時期を迎えていたと言えるが、一方で彼らのことを取り上げるメディアは音楽誌では『月刊オンステージ』や『ミュージック・マガジン』、情報誌では『シティロード』といったように限られた範囲にとどまっていた。そしてそれから数年が経つとバンドは空中分解してしまい、メディアに取り上げられるような機会もなくなってしまう。とはいえ、メンバーは音楽をやめたわけではなく、それぞれが別個に活動を行うようになり、やがてそうした中から伊藤耕とブルースビンボーズが取り上げられるということになった。ただし、それは音楽雑誌の記事ではない。

「本邦初のタトゥー&ストリートマガジン」と銘打ち、ドラッグ・カルチャーなどにも誌面を割いていた〝ストリート不良系月刊雑誌〟『バースト』（コアマガジン）の2002年6月号掲載、「元フールズ・現ブルースビンボーズのヴォーカリスト　ロックンロール・シャーマン　伊藤耕ロング・インタビュー」と題された、6ページ1万2000字超からなるライヴ・リポートとインタビューの記事である。書き手の東良美季はこの時『アダルトビデオジェネレーション』などの著作をものにしており、いわゆる音楽ライターが音楽雑誌に書いたプロモーション目的のインタビューなど比べ物にならない非常に読み応えのあるルポルタージュを寄せている。

またフールズが復活してからは、2010年5月、K&Bパブリッシャーズのブログマガジン「CROSSROAD」で「耕のロックンロール・ダイアリー」という連載が始まり、2012年4月まで37回が掲載された。これは当時東京拘置所、そして横浜刑務所に収監されていた耕が外部に向けて書いた日記形式の手紙を公開するというもので、山口冨士夫によるオーラル・バイオグラフィの形を取った『村八分』や地引雄一の『ストリート・キングダム――東京ロッカーズと80'sインディーズ・シーン』といった書籍を手がけた編集者の鬼頭正樹が耕に働きかけて企画を成り立たせたという経緯がある。さらにこのダイアリーは雑誌『実話ナックルズ』(ミリオン出版)に「不屈のロッカー伊藤耕の獄中ロック日記」という連載記事として2011年1月号から2012年2月号まで掲載されることにもなった。そちらは同誌の編集者・宮市徹がK&Bパブリッシャーズに熱意を持って申し出たことで実現したものだ。

1979年生まれの宮市は10代の頃からパンク、ハードコアを好んで聴き、先に触れた『バースト』の編集長であるピスケンこと曽根賢と親交があり、耕のことはそのピスケンからよく話を聞かされていたという。そしてフールズが活動を再開した頃に宮市は山本政志から耕を紹介され、『実話ナックルズ』の増刊『実話ナックルズX』に初めてのインタビュー記事を掲載。以後断続的に耕やフールズに関する記事を企画して掲載しており、筆者も『実話ナックルズ』2010年11月号に伊藤耕の記事を寄稿している。それからしばらく間が空いた後、兄弟誌である『実話ナックルズウルトラ』(大洋図書)のVOL14(2021年5月)とVOL15(同7月)に、地引雄一の写真とコメントからなる伊藤耕と川田良についての記事がそれぞれ掲載された。

これらの記事では耕のドラッグにまつわるエピソード、良のアルコールにまつわるエピソードなどもかなりあけすけに書かれている。が、実話系雑誌だからといって興味本位の暴露記事ではない。「大麻不法所持により全員逮捕にもかかわらず、衝撃のデビュー！」といったステレオタイプなキャッチコピーとは異なる言葉で、耕であればドラッグが彼の音楽とは切り離せないものとしてあったということを地引雄一は語っており、筆者も記したつもりである。

では、そもそも耕はドラッグについてどんな考えを持っていたのか。

思いっきりシャブをやりたい

耕が筆者に送ってくれた手紙からドラッグに言及した部分を紹介してみよう。（句読点、カナ使いなどは原文のママ。また、111ページで紹介した、耕が「WASTIN' TIME, OFF YOUR BEAT」のヴォーカル録音に即興で臨んだ様子について綴ったものもこれに含まれる）

「ジミヘンもドアーズも当時のROCK BANDはみんなフッーに反権力が当り前だったので当然ベトナム戦争に反対し マリファナ解禁 人種差別 女性差別反対が若者のスローガンとしてフッーに語られていました。（中略）当時はDRUGとROCKはセットだと思ってたので!!」

「その桃源境は単に魔訶不思議なだけではなく〃Feel so good〃とにかく〃ハイ〃なのです。

そして〃思った事が願った事が即、起きる〃と言う。

その後、それが〃チャクラの解放〃やマンダラと関係がある事にだんだんと気づいてゆく訳です。

『ビー・ヒア・ナウ』などカウンター・カルチャーの本もけっこう読みました

そしてヨガの呼吸法など認識と実践そして音楽的な生活、人生が、その〃力〃を高めるそれは単なる損得の価値観、勝ち負けの人生観と別の地平線にあるものだと、つくづく今も思ってます」

例えばAppleの創業者のひとりであるスティーヴ・ジョブズ（2011年に56歳で死去）はLSDの体験を「人生でも最も重要な経験のひとつ」と語っていたことが知られ、また自身が影響を受けた本の一冊として『ビー・ヒア・ナウ』を挙げていたことでも知られる。共に1955年に生まれた耕とジョブズはカウンター・カルチャーから影響を受けていた。そしてそうした人間が、ドラッグ体験に意義を見出すのは、例外的なものではなかったことがわかるのではないだろうか。

ちなみに『ビー・ヒア・ナウ』がアメリカで出版されたのは71年、日本語版の刊行はそれから8年が経った79年のことだ。耕が読んでいたのは日本語版だったからそれだけのタイムラグがあったわけだが、彼には自分より上の世代に属しカウンター・カルチャーについての水先案内人となってくれるような仲間がいた。60年代にアメリカでドラッグとロックの現場を目撃し、それらに関する知識の豊富なガレンである。耕の息子の大地にとっては忌まわしい記憶に繋がる人物でもあったようだが、耕がそのガレンからドラッグとロックに関する様々な知識を吸収していたであろうことは間違いない。ようするに、耕にとってロックは単なる音楽のいちジャンルではなく、ドラッグとの関わりは必然的なものだったのである。

現在の日本では、ドラッグに関しては麻薬及び向精神薬取締法、大麻取締法、あへん法、覚せい剤取締法（2020年に覚醒剤取締法に改称）からなる薬物四法とその他の関係法律によって取り締まりがなされている。このように、ドラッグと一言で言っても様々な種類があり、それゆえに規制する法律にも様々なものがあるが、そうした中で大麻については解禁を唱える議論もあり、そのことは86年の耕の裁判で弁護を担当した丸井英弘弁護士の経歴を紹介するくだりで記したとおりである。丸井弁護士という強力な味方を得たその裁判は当初優勢のうちに進行したが、耕は87年に覚せい剤取締法（2019年に表記を覚醒剤取締法に変更）違反で逮捕、起訴され、裁判で2年の懲役という判決が下されたことについても第1章で述べた。

そこで、ここからは覚醒剤のことを中心に述べていきたい。

筆者が見た2008年10月18日新宿 club Doctor のブルースビンボーズのライヴのMCで、耕は覚醒剤についてこんなふうにうったえたことがある。

「俺は陽の光がさんさんと降り注ぐ平和な青空の下で、思いっきりシャブをやりたいんだ！」

およそ現在の日本の法律とは相入れない主張である。

例えその人間がどれほど真摯にものごとを考えようと、法律で認められていない以上は罪に問われる。しかしそのように問われた罪に対して本人がやましいと感じるかどうかは、それぞれの人間の持つ倫理の問題であり、外部から強制的に罪悪感を注入することはできないとも言える。そして覚醒剤の所持、使用は罪に問われるが、覚醒剤についての考え方そのものが罪に問われるわけではない。

まず法的な規定から確認していこう。覚醒剤取締法では、覚醒剤について以下のような定義がなされている。

一　フエニルアミノプロパン、フエニルメチルアミノプロパン及び各その塩類
二　前号に掲げる物と同種の覚醒作用を有する物であつて政令で指定するもの
三　前二号に掲げる物のいずれかを含有する物

フェニルアミノプロパンは一般的にはアンフェタミンと呼ばれる薬で、1887年にルーマニアの化学者ラザル・エデレアーヌが合成に成功した。一方、フェニルメチルアミノプロパンはメタンフェタミンとも呼ばれ、アンフェタミンよりさらに強い興奮作用を持つ。こちらは1888年に日本の薬学博士第1号の学位を受領し日本薬学の父と呼ばれる長井長義が19世紀末（年には諸説あり）合成に成功したとされる。

メタンフェタミンは恐怖心をなくす効果があり、太平洋戦争下の日本では戦闘に向かう陸海軍の兵士に服用させることを主目的として大量生産がなされた。その商品名をヒロポンといい、戦争が終わると軍の保管していたそれが大量に市中に出回るようになる。そこで多くの中毒者が生まれる一方、例えば進駐軍の客を相手に演奏する日本人のジャズ・ミューシャンたちは当たり前のようにこの合法的な覚醒剤を服用していたといった当時のエピソードは、それこそ実話系雑誌で取り上げられる昭和裏面史の定番ネタのひとつといってもいいだろう。結局ヒロポンが非合法になったのは、大麻取締法より3年ほど遅れて1951年に覚せい剤取締法が施行されてからのことである。

この覚せい剤取締法で「使用の禁止」を定めた第19条には以下の条文がある。

左の各号に掲げる場合の外は、何人も、覚せい剤を使用してはならない。
一　覚せい剤製造業者が製造のため使用する場合
二　覚せい剤施用機関において診療に従事する医師又は覚せい剤研究者が施用する合
三　覚せい剤研究者が研究のため使用する場合

四　覚せい剤施用機関において診療に従事する医師又は覚せい剤研究者から施用のため交付を受けた者が施用する場合

五　法令に基づいてする行為につき使用する場合

そして、右記の五、すなわち「法令に基づいてする行為につき」覚醒剤を「使用する場合」は法に反しないという意味のことを述べている条文と関連して、「麻薬及び向精神薬取締法等の特例」を定めた自衛隊法第115条の3の条文がある。

自衛隊の部隊又は補給処で政令で定めるものは、麻薬及び向精神薬取締法（昭和二十八年法律第十四号）第二十六条第一項及び第二十八条第一項又は覚醒剤取締法（昭和二十六年法律第二百五十二号）第三十条の九及び第三十条の七の規定にかかわらず、麻薬又は医薬品である覚醒剤原料を譲り受け、及び所持することができる。この場合においては、当該部隊の長又は補給処の処長は、麻薬及び向精神薬取締法又は覚醒剤取締法の適用については、麻薬管理者又は覚醒剤原料取扱者とみなす。

2　前項の部隊が第七十六条第一項の規定により出動を命ぜられた場合における麻薬及び向精神薬取締法の規定の適用については、前項後段に規定するもののほか、当該部隊が撤収を命ぜられるまでの間は、当該部隊の医師又は歯科医師は、麻薬施用者とみなす。

この自衛隊法の特例は、太平洋戦争下における覚醒剤の軍事使用という歴史の名残という見方もできるのではないだろうか。先に紹介した耕のＭＣでのうったえは、ひょっとしたら戦争と分かち難く結びついていた覚醒剤使用の歴史を踏まえた上で、あえて〝覚醒剤の平和利用〟を挑発的に唱えていたということだったのかもしれない。

自己決定の倫理と確信

伊藤大地が語る。

「親父がある日真剣な顔をして「お前も（覚醒剤を）やれよ」と言ってきたことがあったんです。「嫌だよ」と断ったら、「俺はお前に良いと思うから薦めてるんだろ。何事も経験じゃないか。とりあえずやってからお前が判断しろ」と言われたので、やったこともないのに否定するのは違うかなと思って、「分かった」と答えました」

耕が覚醒剤の効能を認めていたことがうかがえるエピソードである。ただ、覚醒剤の恐ろしさとして指摘される依存症や中毒症状について、彼はどのように考えていたのだろう。

平成3（1991）年の『警察白書』には、以下のような記述がある。

覚せい剤は強い精神的依存性を有するため、乱用者は連用に陥る場合が多い。また、耐性が生じやすいため、連用した場合には摂取量が急激に増加して、慢性中毒に至る。慢性中毒の初期症状としては、多弁で落ち着きがなくなり、怒りやすく、凶暴な行動をとるようになり、また、注意力、集中力、記憶力が減退し、意味のない単調な行動を繰り返すようになることが挙げられる。更に中毒が進むと、幻覚、妄想等の症状が現れることから、凶暴な行為や威嚇的な行動に走り、傷害、殺人等の犯罪を引き起こす場合がある。

覚せい剤の乱用を開始してから慢性中毒の症状の発現に至るまでの期間は、覚せい剤の摂取量、摂取の頻度、摂取方法等によって異なり、また、個人差も大きいことから、一概に述べることはできないが、30ミリグラムから100ミリグラムの塩酸メタンフェタミンを2箇月から1年間程度連用すると、多くの人は慢性中毒に陥ると言われている。

「個人差も大きい」という点に注意しておきたい。耕が「WASTIN' TIME, OFF YOUR BEAT」のヴォーカル録音に即興で臨んだ様子について綴った言葉にも、そこにネガティヴな気配が感じられないのは、これが体質的な「個人差」に基づくものであるからではないだろうか。

例えば、アンフェタミンは日本では未承認だがアメリカではADHD（注意欠如・多動症）の治療薬として承認されている。発達障害のひとつとされるこのADHDに関する耕のエピソードとして、前妻の京子が語る。

「彼は暴れん坊でじっとしてない。昔だったから言われなかったけど、今だったらきっとADHDって言われていたと思う。それで耕は自分の症状に合うものを自分で選んでたんじゃないかな。きっと自分にはこれが合う、これが落ち着くんだってわかっちゃったんだよね」

一方、息子の大地は耕についてのこんな記憶を口にする。

「母ちゃんがぶん殴られてる時に自分も殴られた。当時は機嫌が悪くなると家の中で大暴れするクソ親父でしかなかった」

ただし、これも京子によれば、耕は酒が入ると嫉妬深く暴力的になる傾向があったということであり、本人もそれを自覚してからは酒の量を控えるようになったという。つまり耕は法律上の是非とはことがわかる。

関係なく、あくまでも体質に合うか合わないかという自身の経験によって取捨選択の判断をしていた

耕は筆者に宛てた手紙の中で、ドラッグについて「嗜好品の自由は憲法で保障される権利だ」と述べていた。これは大麻解禁論者の第一人者と言うべき丸井英弘弁護士による「大麻取締法は憲法に違反している」という主張と、論の組み立て方としては同様のものだ。現状ではこうした主張で合法性を獲得することは圧倒的に困難だとは思うが、彼が自身の経験に基づいた上で取捨選択の自由を重んじていたということは確認しておきたい。

1978年、高円寺のロック・バー、ブラック・プールに出入りする川田良がマーチンと知り合い、そして伊藤耕と運命の出会いを果たす。すなわち二人を引き合わせるきっかけを作ったとも言えるのが当時ブラック・プールのマスターだった音楽評論家の鳥井賀句である。鳥井は耕の妻の満寿子が起こした国家賠償請求訴訟に注視しており、「伊藤耕 Official Site」の開設に協力した。91年にオーバードーズで亡くなったとされるジョニー・サンダースの友人でもあった鳥井が語る。

「俺は本当のジャンキーの世界を知っている。ヤクが悪いという気はないけれど、ヤクより音楽の方が大事だったら音楽をできる状態に自分を保たなきゃいけない。日本で捕まったら音楽できないでしょ？　失われた時間がもったいない。海外でやってれば安いし捕まらない。それで外タレみたいに日本でライヴをやればいい。良がドイツって考えたのはそういうことかもしれない。

耕は薬で捕まって、出てきてまた捕まって。俺から見たら不用意な生き方だよね。対処の仕方が下手。バカじゃないか、なんで賢く立ち回らなかったのか。いい悪いじゃなくて、ドラッグと音楽活動やメッセンジャーとしての自己矛盾は、ある意味での弱さだったんじゃないかと思う」

ドラッグが違法であるという点だけにとどまらず、ドラッグと関係がある芸術作品についてはその価値をもいっさい認めないとするなら、ロックに限らず文学を含む古今東西の古典的な作品の多くを否定することになり、これはこれで現実的な議論とは言い難い。ただ、そのミュージシャンが日本で生活をして活動をする以上、まずは音楽のことを最優先して社会との関わりを考えるべきだという鳥井の意見も、それはそれで現実的なものと言える。例えば耕がドラッグに関するトラブルで失った時間を音楽活動にあてることができていたなら、音楽そのものの力によって彼のミュージシャンとしての知名度はもっと大きなものになっていた可能性もあっただろう。

一方、耕や良とはやはり70年代の末から交流し、ライヴの現場やオフ・ステージなどでも時間を共にしてきたカメラマンの地引雄一は、耕のドラッグとの関わりについてはむしろ意志の強さに拠るものだったという見方をしている。地引が語る。

「耕は自分でロッカーとしてこうあるべきなんだみたいなことを自分で決めたんじゃないかと思う。社会の規範から外れた存在であるべきという考え方。根はすごい真面目で、社会のことを真剣に真摯に見ている。それは歌詞を見ればすぐわかる。だからドラッグもやって良いとか悪いとかじゃなくて、後ろめたさもなかっただろうし。何かを目指していたというよりも、あの存在を続けること自体が大変なことだったのではないかと思いますね」

振り返ってみれば、耕は86年の時点で「どうやら俺は普通のミュージシャンとは合わないんだな、じゃあそれはそれでいいや、それが現実だからしょうがないって開き直ったというか、自分のつたない人生経験の中で自覚していったんだね」と述べていたのである。そして2010年の法廷では、「音楽をやるための時間を無駄にするようなことを繰り返すつもりはない」と言いつつも、同時に自分の

〝夢〟に向かって全力を尽くしてきたプロセスを悔やむつもりもないと言い切っている。これはニーチェの『ツァラトゥストラ』で述べられている「不慮の出来事というようなものは、もう私には起こらない。今私に何か起こるとすれば、それはみんな私自身なのだ」という境地にも通じる強烈な自己肯定であるように筆者には感じられる。ここに見られるのは、鳥井賀句の言葉を半ば借りて言えば、逆にメッセンジャーとしての確信の強さということになるのではないだろうか。

自由、そして叛逆

2014年1月に川田良が他界し、2015年9月に伊藤耕が検察に出頭するまでの間、フールズのバンマスとして耕のことを最も近いところで見てきた福島誠二が語る。

「再結成以降、あるいは良が亡くなってから、たぶんみんな耕には憎しみとか「この野郎！」っていうの、あんまりないと思うんだよね。結構いい思い出がみんな残っていると思う。そういう意味では今の（『REBEL MUSIC』を制作した）メンバーは幸せだなと思うよ。

俺はそれもあるけど、それと同じくらい、昔の耕に対して「この野郎！　どうしようもないやつだな」っていう思いもあったから。

良が死んでから耕は変わった。それまでは再結成してからも良と耕って水と油だった。良に対しては病気だったから気を遣ってたけど、たまには愚痴が出るわけよ。ドラムを秋山からケンに代えた時とかは「しょうがねえや、フールズは良のリハビリ・バンドだからよ」とかね。でも良が亡くなってからは、いろんな思いがあったんじゃないかな。しかも自分がいない時に死んじゃって、死に目にも会えなかったわけでしょ。その直後に今度は大島も逝っちゃった。あの時はすごいショックを受けたみたいなのね。立て続けにふたり逝っちゃったから、相当堪えたんじゃないかな。

それで今度は自分が、せっかく帰ってきたけどまた行っちゃうみたいな、いろんな思いがあったんだと思う。仏になってたね。優しいし自分を犠牲にするような人だった。俺らは冗談で「ヘイ、ブラザー」とか言うけど、あの人の言うブラザーとか「お前のためならどこへでも飛んでいくぜ」とかってのは、本気だから。スタジオに入った時に、たまたまお金おろし忘れて、財布に1000円くらいしか入ってなかった時があったのね。それで「おー、やべえ！　金ねえや」って言ったら、何を勘違いしたのか、いきなり自分の財布からパッと2万ぐらい出して「誠二、これ持ってけよ、金ないんだろ」って。そういうことを本気でやる人だった。暑苦しい時もあるんだけど（笑）、あんな人は見たこともないし、この先もいないだろうね」

フールズが活動休止状態だった96年に耕がブルースビンボーズに加入してからしばらく、彼は何度もスタジオ入りの時間を間違えていたというエピソードが伝えられており、そこにはドラッグの影響があったと思われる。ただ、ビンボーズのPちゃんはこうも語る。

「耕さんの麻薬使用量はどんどん減っていったんです。

どんどん健康になってるのかなと思ってたのに……だけど捕まる回数は逆に増えるみたいな」

このPちゃんの言葉に関して言うと、筆者が2017年5月に耕から受け取った手紙でも、彼はドラッグ体験について綴った後に左のような一文を書き添えていた。

「今となってはシラフでも脳がその体験を覚えているので限りなくそこに近づこうとするのです」

フールズ最後のギタリスト、ヒロシこと關口博史が語る。

「伊藤耕はすごく魅力的な人間だった。ただ普通の人は近寄りがたいんじゃないかな。世の中には問題が起こるとつまんない嘘ついちゃう人とか逃げちゃう人とかいるけど、耕はとことん話し合うし、親身になって話聞くし、自分で相手のことをちゃんと見て判断してますよね。相手をよく見てるから、その人に必要ないものは与えない。めちゃくちゃだけどコミュニケーションは凄い。あらかじめ考えてからやるんじゃなくて、話しながら成立させていく。特殊な能力で現場処理が早い。頭のいい人間ですよ。ステージのパフォーマンスにしても、頭の中でどんどん歌詞が出てきちゃうんだから並大抵じゃないと思います」

　こうした素早い現場処理能力、コミュニケーション能力、即興的なライヴのパフォーマンスや作詞能力などが、伊藤耕というミュージシャンの特に晩年において際立っていたものであることは疑いようがない。そしてこのように高度なコミュニケーション能力をドラッグに深く依存したままの状態で持続することは困難と思われる。

　耕が刑期を終えて出所してから、再び懲役を科されることになる逮捕が彼の身に起こるまで、どれくらいの間が空いていたのかをまとめてみた。

出所	次の逮捕	間隔
1989年3月	1994年5月	5年2ヵ月
1995年5月	1997年10月	2年5ヵ月
2000年4月	2004年5月	4年1ヵ月
2007年9月	2009年11月	2年2ヵ月
2013年1月	2013年9月	8ヵ月

これを見れば、耕が娑婆で過ごす時間がどんどん短くなっていったことは一目瞭然である。

アシリ・レラが、耕のことを語る。

「アイヌはチャランケ、つまり話し合いによって揉め事を解決する、喧嘩はしないんだよって話をした時に、耕も変わったと思います。優しい感じになりました。人間的、思想的には立派ですよね。あの子は……昔の政治犯のような、賢く平和を望んでいたんだと思います。本当にそれはジーンと感じました」

耕の死を知った時の彼女は、自身が過去に激しい闘争を経験してきたこともあって、「やられたんじゃないのか?」と訝しんだという。確かに、薬を摂取する量が減っていく一方で、出所から次の逮捕までの時間がどんどん短くなっていったのは、皮肉というよりも不自然なことだったと言えるのではないか。

そこにはどんな理由があったのか、またその理由には権力による何らかの思惑が関係していたのか。真実を突き止めることは難しいかもしれない。ただ、逮捕、裁判、服役という出来事が繰り返されるなかで、「またかよ」といった具合に耕を非難する声が上がりやすくなる〝空気〟が生まれ、それもまた容易に払拭し難いものになっていたことは確かだろう。そして1986年に「大掛かりなインチキをやられてることに対して、俺の目の黒いうちは絶対許さない」と決めた耕は、それからの人生においてずっと、個の自由を抑圧する組織や制度、そして〝空気〟に対して闘いを続けてきたのである。

今から99年前の1923年9月。関東大震災の混乱の中、憲兵隊に虐殺されたアナーキストがいた。その名は大杉栄。自由、創造、叛逆を激しく求めたこの男が残した文章には、その精神のリレーのバトンを、はるか後世になって現れるフールズというロック・バンドとそのフロントマンである伊藤耕というミュージシャンに託していたかのように読めてしまうものがある。

自由と創造とはこれを将来にのみわれわれが憧憬すべき理想ではない。われわれはまずこれを現実の中に捕捉しなければならぬ。われわれ自身の中に獲らなければならぬ。

自由と創造とをわれわれ自身の中に獲るとはすなわち自己の自己であることを知り、かつこの自己の中に、自己によって生きて行くことを知ることである。

自我は自由に思索し自由に行動する、ニーチェの言えるがごとく、彼岸に向う渇望の矢である。われわれはまず、この自我を、いっさいの将来を含むこの神秘なる芽を、捕捉し発育せしめねばならぬ。（中略）

しかも今日のごとき、ほとんどあらゆる社会的制度が、自我の圧迫と破壊とに勉むる場合において、自我の向うところは、これらの社会的制度に対する叛逆に外はない。

（「生の創造」1914年1月）

そして伊藤耕はフールズというバンドの結成にヴォーカリストとして参加し、「MR. FREEDOM」という曲を作り、江戸アケミが言ったように「自由がいちばん、最高さ、ベイビー」ということを、恥ずかしげもなく歌った。この歌を聴くことによって、人はかつてこの世界には伊藤耕というミュージシャンが生きていて、その男こそまさしくミスター・ロックンロール・フリーダムと呼ぶべき存在だったことを知るだろう。

Hey Hey!　Do it Do it!
もう奴隷はごめんさ

自由が一番ゴキゲンさ　Baby
自由なオマエが最高さ　Baby
自由が一番ゴキゲンさ　Baby
自由が一番最高さ　Baby

F F F F………
Get Freedom

自由なオマエがゴキゲンさ　Baby
自由なアノ娘は毎日　Groovin
気ままな暮らしが最高さ　Baby
自由が一番大切さ　Baby

ＦＦＦＦ………

Get Freedom

Everybody Get Freedom!

自由が最高　自由が最高さ

Hey Hey!　Do it Do it!

もっともっと自由が欲しい

もっともっと自由が欲しい

もっともっと自由が欲しい

もっといろんな自由が欲しい

もっとみんな自由が欲しい

自由が最高　自由が最高さ

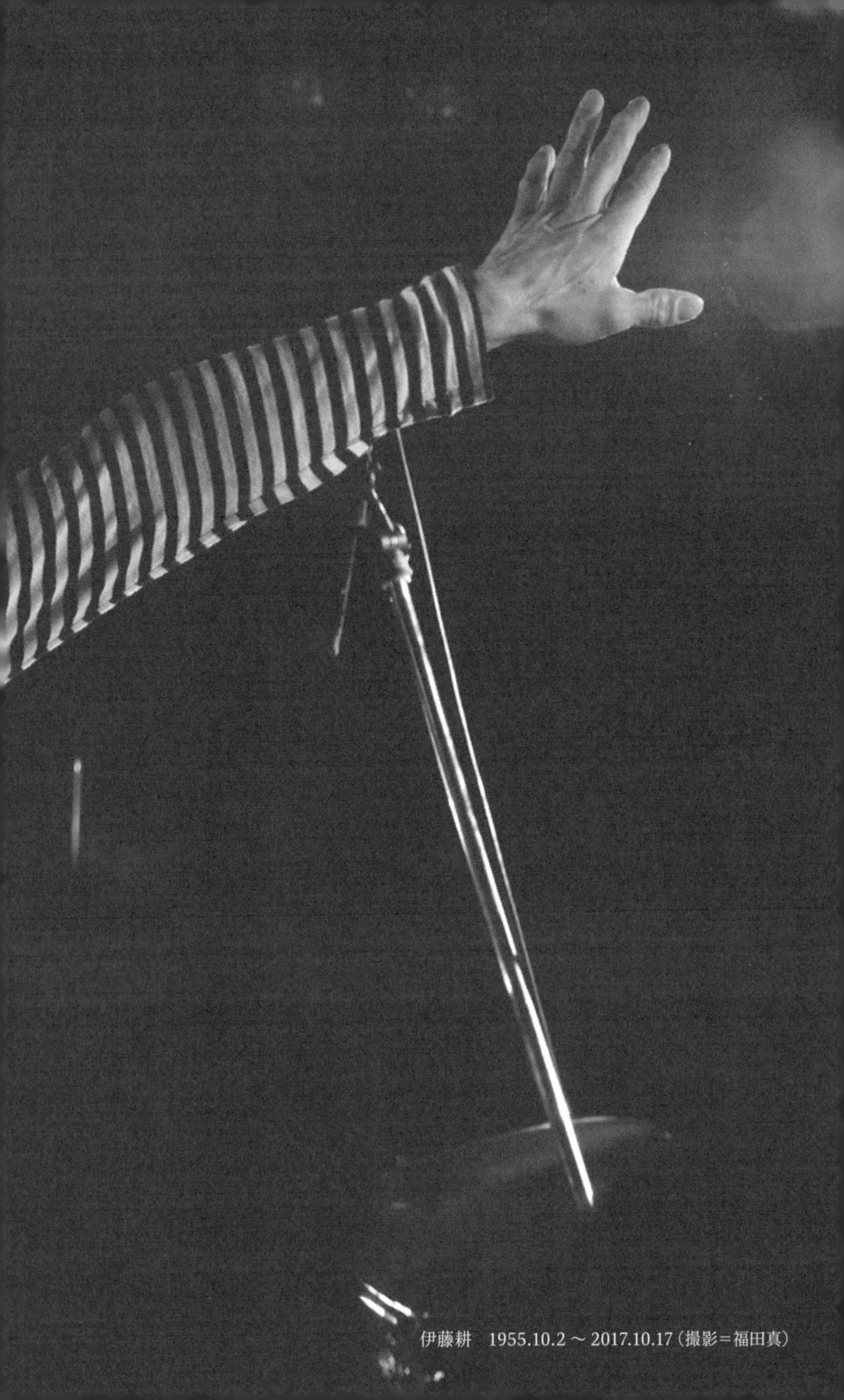

伊藤耕　1955.10.2 〜 2017.10.17（撮影＝福田真）

おわりに

まずは本書が今回のような形になるまでの経緯から、敬称略で記していこう。始まりは２００８年。僕は鬼頭正樹の編集による伊藤耕の語りおろしの書籍のため耕に話を聞き始め、２００９年にはその一環として川田良にもインタビューしている。だが、この企画は同年11月18日の耕の逮捕で中断してしまう。

カメラマンとして関わっていた高橋慎一は、２０１３年1月の耕の復帰に備えてシフトを改め、彼自身が責任を負って、映画監督としてフールズのドキュメンタリーの撮影を開始する。僕は高橋からのリクエストを受け、映画と連動するフールズのドキュメント本を書くことになった。そしてその後の展開が文字通り〝激動〟のものとなったことは、本編に記したとおりである。

それは、当時の僕にとって、生活が丸ごと非日常に飲み込まれたかのようなものだった。耕は無罪判決で釈放された日の夜も、逆転有罪判決が下された日の夜も、ライヴのステージに立っていた。逆転有罪判決の夜、どう声をかけていいかわからずためらっていた僕に、穏やかな気遣いをもって接してくれたのも彼だった。あの時、伊藤耕は確かに僕の目の前にいた。しかし僕は、意識のどこかで60年代後半のアメリカにおけるジム・モリソンのような、時空の遥か彼方の超越的な存在を目撃しているようにも感じていたのである。

服役した耕の出所が迫る頃、僕は編集者の大久保潤による協力のもと、21世紀に入ってからのフールズの動きを中心とした原稿を突貫作業で執筆し、映画と共にバンドの活動再開に華を添える形で発表して、70年代や80年代のことは耕が復帰してから取材をして発掘し、改めてまとめる機会を作ろうと考えていた。

ところが２０１7年10月17日、出所間近だった耕は北海道の月形刑務所の中で急逝。高橋と僕は悲しみに浸る間もないまま、さらなる企画の変更を迫られた。そしてもはやこれを機会にフールズの全歴史に向き合うしかないと悟り、内容も構成も抜本的に仕切り直そうと腹を括った。

以後、高橋と僕は関係者を訪ねる取材の旅を重ねていく。北海道で高橋の調達したレンタカーに同乗し、アシリ・レラを二風谷に訪ね、夜に着いて朝に帰る二泊三日の強行軍で耕の前妻の京子と長男の大地を沖縄・那覇に訪ね、そして熊本のアンナプルナ農園へＯＴＯを訪ねるというそれらの旅は、現地の光景も含め、鮮明な記憶として脳裏に刻まれていった。また、こうして新たに取材を始めていくことになった際、ＮＯＢＵこと桑原延享から伝えられた次の言葉がある。

「伊藤耕や川田良の存在そのものが作品であり、彼らのエネルギーを書籍や映画の作品の中に閉じ込めることはできないし語り切るつもりもない。取材で語れること、そして作品にできることは断片に過ぎない。最初にそれだけは2人に対して訴えたい。それがあった上での始まりだということを記したい」

僕自身この言葉は、取材と執筆を進めるなかで繰り返し肝に銘じ直すものとなった。

フールズの歴史は長い。１９８０年に結成されたこのバンドに最初から最後まで在籍したメンバーは伊藤耕だけだが、その彼も収監によって何度も活動を妨げられることがあった。つまりこのバンドの全ての活動に携わり続けることができた人間は一人もいないのだ。そうした事情から、本書は記述の対象となる時期ごとにさまざまな出来事の記録や証言を発掘し収集していく必要があった。

複数の関係者の証言を重ねることで、当時の状況が改めて理解できたケースも少なくなかったが、中でも印象的だったのはフールズや川田良に対する敬虔な気持ちをうかがわせるＫＥＲＡの証言だった。構成の都合上、本編では触れられなかったが、２０１４年1月、良が亡くなった時にＫＥＲＡが発信したツイートを紹介しておきたい。

「川田良氏の訃報。20数年前のあの日、俺は胸ぐらつかまれ、結果、まりんの名言「ＫＥＲＡさん逃げて」が生まれた。あん時ゃ心底腹立ったけど、今はむしろ有り難いくらいだ。まりんもそうだろう。それとは関係なく、すごいギター弾く人でした。クロコや屋根裏で何度も観た。御冥福をお祈りします。」

伊藤耕、川田良、そして江戸アケミこと江戸正孝。彼らは洗練へと向かう80年代の空気感に強い違和感、危機感、あるいは反発心を持っていた。ここではそんな彼らより若い僕の知人の中にも、洗練に向かう空気感に抗おうとしていた者がいたことを記しておきたい。アケミが寄稿した『ウォッピング・ウォール』の前号であるNo.11・83年夏号に、その知人はＪというイニシャルで山口冨士夫の『RIDE ON!』について短いレヴューを書いている。

「余分な音はないし、ムダな言葉もない。タイトなロックンロールに合わせて、決して軽薄でない踊りが要求される。「きみのために　何かひとつうたいたいけど、俺にゃまったくNO SONG」。ああ、そうだ。ぼくだってやっぱり、NO SONG なのだと忘れていたように思い出す。熱くなるのは、シンプルなものが、シンプルなまま伝わるときだけなんだ」

同じ大学に通う一級上の先輩として知り合い、その後『ウォッピング・ウォール』のスタッフに僕と同時に採用されたJは、この号でミュート・ビートのインタビューなども担当している。当時下北沢に住んでいた彼から、僕は強い影響を受けていた。親しくなるきっかけは、『ロッキング・オン増刊秋号1977岩谷宏のロック論集』に彼の名前があったのを僕が覚えていたことだった。ところが、その後留年したJと僕が共に四年生だった1983年の7月、Jは時代に抗うのを諦めたかのようにあっさりと自分の命を絶ってしまった。

翌年僕は就職して『ぴあ』の音楽欄を担当しつつ、Jに取り残されたような気分でいくつかの問いを抱くようになった。70年代後半、岩谷宏のテキストの中にJの名前を発見したことが、なぜあれほど重要に感じられたのか？　そのJはなぜ突然全てを投げ出してしまったのか？　当時投稿中心の雑誌だった『ロッキング・オン』には、「あ〜あ、早く本気の世の中が始まればいいのに」といった言葉（これも読者の投稿だったと記憶している）に象徴されるよるべない空虚感が漂っていたが、それは何に由来するものだったのか？

1972年、川田良が内申書裁判の原告である（現・世田谷区長の）保坂展人と新宿高校定時制の同窓として校庭に掘っ建て小屋を作り泊まり込みを続けたことは本編に記した。また良のこうした体験がその後の彼のミュージシャンとしての行動原理の形成にあずかっていたに違いないということも、本編に記したとおりである。そして、そんな体験を持つ川田良のこと、またその良と愛憎相半ばするかのように関わり続けた伊藤耕のことを理解することは、僕にとって長年抱えていた問いへのひとつの答えを与えてくれるものでもあったように思う。詩人・伊藤耕若き日の代表作である「無力のかけら」に表された連帯の不可能性と、先の『ロッキング・オン』の投稿に漂う空虚感は、いずれも〃70

年代の挫折〟に端を発しつつ、世代差による表出の違いをはらむものだったというのが、現在の僕の解釈である。

とはいえ2008年に最初の企画が立ち上がった時点で僕は40代の後半。企画の変更を余儀なくされるなかで50代を過ごし、本書が刊行される現在は61歳。友人Jの死からは39年が経っている。「少年老い易く学成り難し」ということわざを前に、凡人はただ苦笑するのみだ。

高橋慎一の奮闘により2013年からこの企画が始動し、9年が経ってようやく完成に辿り着こうとするなか、それを見届けることなく他界した関係者は数多い。佐瀬浩平、青木真一、伊藤耕が鬼籍に入り、残るフールズのオリジナル・メンバーはベーシストのカズこと中嶋一徳だけだ。途中から加入した川田良、大島一威、マーチンこと高安正文、SABUことさいとうひろみもこの間に他界した。健康を害した関係者も少なくない。フールズのマネージャーだった森早起子の要望を受け、東京キララ社代表の中村保夫と高橋は、2022年7月10日に茨城県日立市の御岩神社を訪れ、祈禱と護摩炊きによる関係者の供養と健康祈願を行っている。

偶然にもこの日は、僕が腎臓ガンの手術のために入院する日と重なっていた。そのため祈禱では僕の健康回復の祈願も行ってくれた。そしてコロナ禍のため面会が許されないなか、高橋は手術後の僕が入院している病棟にお守りを持ってきたことをLINEで知らせてくれた。

ところが、どういうわけかそのお守りは一向に手元に届かないのである。看護師に尋ねても、返ってくるのは「そんな記録は残っていない」というそっけない対応だった。

「死んだ人と会話するのが、生きてる人間と会話するのと変わらなくなってきている」。これは

ＫＥＲＡが２０１２年、（のちに読売演劇大賞を受賞する傑作）『百年の秘密』の初演に際して述べた言葉である。手術を前に川田良のコメントを整理したり友人のＪが39年前に書いた記事を読み返したりしていた僕は、ＫＥＲＡのこの言葉に強く共感した。一方、手術後の発熱と痛みに苛まれるなか、祈禱に込められた念を受け取り損ねるのは非常に不吉なことだと感じられてならなかった。

しかし、そんな僕の心境の告白を一人の看護師が真剣に聞いてくれていた最中、同じ病室に入院していた患者が心当たりのない差し入れを受け取ったと明かしてくれたことで、僕はようやくお守りを受け取ることができた。そして僕は、月形刑務所で体調を崩したことを訴えながらそれを無視され続けた時の伊藤耕が、どれほど心細い状況におかれていたのかを、我が身に引きつけて想像しないわけにいかなかったのだった。

本書の企画が立ち上がってから完成するまでの流れの中で、目ぼしいエピソードを拾ってみるとこんな具合になる。そもそも本を書く仕事など効率の良いものでもなんでもないが、それにも増して自分のライターとしての至らなさを赤裸々に晒していると言った方がいいようなものだろう。

とはいえ、僕が20代の終わりに『ぴあ』を辞めてフリーとなったのは、隔週刊で情報誌を制作するというルーティンに追われていると、自分のタイム感とは異なるペースであっという間に数十年が経過してしまうのではないかという恐怖に囚われたことにあった。その意味では10年以上の歳月を費やして一冊の本を仕上げるという時間の過ごし方は、むしろ自分が望んだものだったのかもしれない。

フールズのドキュメント本と言いながら、オリジナル・メンバーの青木真一と佐瀬浩平に対して、取材どころか生前に挨拶する機会さえ作れなかったことの不手際は、この場を借りて深くお詫びしておかなければならない。とはいえもちろん、まがりなりにもフールズの全史をドキュメントとして記すことができたのは、多くの関係者による献身的な協力と情報の提供なしにはありえなかった。以下、お世話になった方々への感謝を述べさせていただく。

まずバンド側の窓口になってくれた福島誠二。それからフールズの歴代のメンバーとそのご家族、歴代マネージャーであるシゲ、溝口洋、トシ、森早起子、またサミー前田といったスタッフの皆様。そしてフールズと関わりを持つ多くのミュージシャン、カメラマン、レーベルの皆様。僕のたびたびの質問や確認にも厭わず丁寧に答えてくださったことにも深く感謝申し上げたい。

弁護士の丸井英弘、加城千波、島昭宏には、長年にわたる伊藤耕の法廷での闘いについてご教示いただいた。さらに耕夫人の伊藤満寿子には、現在進行中の伊藤耕の死を巡る国家賠償請求訴訟の原告としての立ち入った話を聞かせていただいた。深く感謝申し上げたい。

次に3人の編集者へ。まず企画を最初に発案した鬼頭正樹。本書に記した耕と良の発言は2008年から09年にかけて彼が仕切ったインタビューを起こしたもので、その使用の許諾により本書の執筆は可能となった。二人目の大久保潤が関わった期間は長くはないが、KERAの取材の立ち会いなどでお世話になった。さらに2018年から編集を引き受けた加藤彰による容赦の無いダメ出し抜きには、伊藤耕亡き後での本書の全面的な改稿は到底不可能だった。謹んでお礼申し上げたい。

そして映画『THE FOOLS～愚か者たちの歌』を監督した高橋慎一の発案があったからこそ、本書の刊行は実現した。艱難辛苦を経ての映画の完成を祝うと共に、僕をドキュメント本の著者に指名してくれたこと、取材旅行中のさまざまなサポートなど、改めて感謝したい。

本書の出版を英断してくれた東京キララ社代表の中村保夫と編集部の沼田夕妃、装丁を手掛けてくれたサリー久保田に謹んでお礼を。そして伊藤耕という人間がこれ以上社会から関心の外に置かれ続けることのないよう、そのきっかけになりうるかもしれない心躍る言葉を本書にくれた栗原康に、感謝と連帯の意を捧げたい。ロックンロール!

*

2022年10月1日、早稲田ZONE-Bで「Keep on Rock and Dance 耕もね!GIMME JUSTICE! 今こそ!Vol.3 伊藤耕・生誕祭 LIVE and 裁判報告会」が開催された。この間、非公開の弁論準備で裁判が進行してきたが、会場には多くの参加者が詰めかけ、この裁判に関心を持ち続ける人間がけっして少なくないことをうかがわせていた。弁護士の島昭宏、加城千波と原告の伊藤満寿子が報告を行い、裁判が進行するなかで、体調を崩した耕がまともな治療を受けさせてもらえなかった当時の刑務所内の状況が明らかになってきたことが報告された。

その翌日の10月2日、新宿ロフトで「THE FOOLS FILM & SESSION~『THE FOOLS 愚か者たちの歌』初公開!ライブ!」が行われた。映画が上映され、そして、その熱気が冷めやらぬなか、フールズが人々の前に姿を現した。それは福島誠二がフールズは「スパーンと消えた」と語る2017年10月の出来事から5年を経た、伊藤耕の67回目の誕生日のことであった。

志田 歩（しだ あゆみ）

1961年東京生、一橋大学社会学部卒業。情報誌「ぴあ」の音楽担当社員として勤務したのち、フリーランスのライターとして『ミュージック・マガジン』『レコード・コレクターズ』などの音楽誌を中心に執筆。著書『玉置浩二★幸せになるために生まれてきたんだから』（イースト・プレス）

THE FOOLS
MR.ロックンロール・フリーダム

発行日　2022年12月20日　第1版第1刷発行

著　者　志田歩　©2022

発行者　中村保夫
発　行　東京キララ社
〒101-0051 東京都千代田区神田神保町2-7芳賀書店ビル5階
電話　03-3233-2228
MAIL　info@tokyokirara.com

編　集　加藤彰　沼田夕妃
デザイン　サリー久保田
企　画　高橋慎一

印　刷　中央精版印刷株式会社

ISBN 978-4-903883-63-2 C0073
2022 printed in japan
乱丁本・落丁本はお取り替えいたします